读客®文化

楚留香新传 2

蝙蝠传奇

古龙 著

文匯出版社

目录

第一章

燃烧的大江

武林七大剑派，唯有华山的掌门人是女子，华山自南阳徐淑真接掌华山以来，门户便为女子所掌持。此后华山门下人才虽渐凋落，但却绝无败类，因为这些女掌门人都谨守着徐淑真的遗训，择徒极严，宁缺毋滥。

华山派最盛时门下弟子曾多达七百余人，但传至饮雨大师时，弟子只有七个了，饮雨大师择徒之严，自此天下皆知。

枯梅大师就是饮雨大师的衣钵弟子。江湖传言，枯梅大师少女时为了要投入华山门下，曾在华山之巅冒着凛冽风雪长跪了四天四夜，等到饮雨大师答应她时，她全身都已被埋在雪中，几乎返魂无术。

那时她才十三岁。

七年后，饮雨大师远赴南海，枯梅留守华山，“太阴四剑”为了报昔年一掌之仇，大举来犯，扬言要火焚玄玉观，尽歼华山派，枯梅大师身受轻重伤三十九处，还是浴血苦战不懈，到最后太阴四剑竟没有一人能活着下山。

自此一役后，武林中人都将枯梅大师称为“铁仙姑”。

又五年后，青海“冷面罗刹”送来战书，要和饮雨大师决战于泰山之巅，饮雨若败了，华山派便得投为罗刹帮的属下。

这一役事关华山派成败存亡，但饮雨大师却偏偏在此时走火入魔，华山既不能避而不战，枯梅就只有代师出战。

她也知道自己绝非“冷面罗刹”敌手，去时已抱定必死之心，要和冷面罗刹同归于尽。

冷面罗刹自然也根本没有将她放在眼里，就让她出题目，划道儿，枯梅大师竟以大火燃起一锅沸油，从容将手探入沸油中，带着笑说：“只要冷面罗刹也敢这么做，华山就认败服输。”

冷面罗刹立刻变色，跺脚而去，从此足迹再未踏入中原一步，但枯梅大师的一只左手，也已被沸油烧成焦骨。

这也就是“枯梅”二字的由来。

自此一役后，“铁仙姑”枯梅师太更是名动江湖，是以二十九岁时便已接掌华山门户，至今已有三十年。

三十年来，华山弟子从未见过她面上露出笑容。

枯梅大师就是这么样一个人，若说她这样的人，也会蓄发还俗，江湖中只怕再也不会有一个人相信。

但楚留香却非相信不可，因为这确是事实……

黄昏。

夕阳映着滚滚江水，江水东去，江湾处泊着五六艘江船，船上居然也有袅袅炊烟升起，仿佛是个小小的江上村落。

江船中有一艘显得分外突出，这不但因为船是崭新的，而且因为船上的人太引人注意。

窗上悬着竹帘，竹帘半卷，夕阳照入船舱，一个白发苍苍的老妇人，端坐在船舱正中的紫檀木椅上。

她右手扶着根龙头拐杖，左手藏在衣袖里，一张干枯瘦削的脸上，满是伤疤，耳朵缺了半个，眼睛也少了一只，剩下的一只眼睛半开半合，开合之间，精光暴射，无论谁也不敢逼视。

她脸上绝无丝毫表情，就端端正正地坐着，全身上下纹风不动，像是亘古以来就已坐在那里的一尊石像。

她身子很瘦小，但却有种说不出来的威严，无论谁只要瞧上她一眼，连说话的声音都会压低些。

这位老妇人已是十分引人注意的了，何况她身旁还有两个极美丽的少女，一个斯斯文文，秀秀气气，始终低垂着头，仿佛羞见生人，另一个却是英气勃勃，别人瞧她一眼，她至少瞪别人两眼。

崭新的江船、奇丑的老太婆、绝美的少女……这些无论在哪里都会显得很特殊，楚留香远远就已瞧见了。

他还想再走近些，胡铁花却拉住了他，道："你见过枯梅大师么？"

楚留香道："四年前见过一次，那次我是陪蓉儿她们去游华山时远远瞧过她一眼。"

胡铁花道："你还记不记得她的模样？"

楚留香叹了口气，道："你自己也说过，无论谁只要瞧过她一眼，就永远忘不了的。"

胡铁花道："那么你再看看，坐在那船里的是不是她？"

楚留香摸了摸鼻子，苦笑道："我简直有些不相信自己的眼睛。"

胡铁花笑道："你鼻子有毛病，难道眼睛也有毛病了吗？这倒是好消息。"

楚留香的鼻子不通气，胡铁花一直觉得很好玩，因为他觉得自己身上至少总还有一样比楚留香强的地方。

楚留香沉吟着，道："我想她未必是真的还了俗，只不过是在避人耳目而已。"

胡铁花道："为什么要避人耳目？"

楚留香道：“枯梅大师居然会下华山，自然是为了件大事。”

胡铁花道：“这见鬼的地方，会有什么大事发生？何况枯梅大师的脾气你又不是不知道，她这一辈子怕过谁？她可不像你，总是喜欢易容改扮，好像见不得人似的。”

楚留香也说不出话来了，他望着那满面英气的少女，忽然笑道：“想不到高亚男倒还是老样子，非但没有老，反而显得更年轻了，看来没有心事的人总是老得慢些。”

胡铁花板起了脸，冷冷地道：“在我看来，她简直已像是个老太婆了，你的眼睛只怕真有了毛病。”

楚留香笑道：“但我的鼻子却像是好了，否则不会嗅到一阵阵酸溜溜的味道。”

就在这时，突见一艘快艇急驶而来。

艇上只有四个人，两人操桨，两人迎风站在船头。操桨的虽只有两人，但运桨如飞，狭长的快艇就像是一根箭，眨眼间便已自暮色中驶入江湾，船头的黑衣大汉身子微微一揖，就蹿上了枯梅大师的江船。

楚留香的鼻子虽然不灵，但老天却没有亏待他，另外给了他很好的补偿，让他的眼睛和耳朵分外灵敏。

他虽然站得很远，却已看出这大汉脸上带着层水锈，显然是终年在水上讨生活的朋友，站在起伏不定的快艇上，居然稳如平地，此刻一展动身形，更显出他非但水面上功夫不弱，轻功也颇有根基。

楚留香也看到他一跃上了江船，就沉声问道：“老太太可是接到帖子而来的么？我们是奉命前来迎……”

他一面说话，一面大步走入船舱，说到这里，“接”字还未说出来，枯梅大师的拐杖一点，他的人就凌空飞起，像个断了线的风筝般的飞出了十几丈，“扑通”一声，落入江水里。

快艇上三个人立刻变了颜色，操桨的霍然抡起了长桨，船头上另一个黑衣大汉厉声道："我兄弟来接你们，难道还接错了吗？"

话未说完，突见眼前寒光一闪，耳朵一凉，他忍不住伸手摸了摸，顿时就变得面无人色。

剑光一闪间，他耳朵已不见了。

但眼前却没有人，只有船舱中一位青衣少女腰畔的短剑仿佛刚入鞘，嘴角仿佛还带着冷笑。

枯梅大师还是静静地坐在那里，她身旁的紫衣少女正在为她低诵着一卷黄经，根本连头都未曾抬起。

船舱中香烟缭绕，静如佛堂，像是什么事都没有发生过——那快艇已被吓走了，去时比来时还要快得多。

胡铁花摇着头，喃喃道："这么大年纪的人了，想不到火气还是这么大。"

楚留香微笑道："这就叫姜桂之性，老而弥辣。"

胡铁花道："但枯梅大师将船泊这里，显然是和那些黑衣人约好了的。"

楚留香道："嗯。"

胡铁花道："那么人家既然如约来接她，她为何却将人家赶走？"

楚留香笑了笑，道："这只因那些人对她礼貌并不周到，枯梅大师虽然修为极深，但却最不能忍受别人对她无礼。"

胡铁花摇着头笑道："枯梅大师的脾气江湖中人人都知道，那些人却偏要来自讨苦吃，如此不识相的人倒也少见得很。"

楚留香道："这只因他们根本不知道她就是枯梅大师。"

胡铁花皱眉道："那些人若连她是谁都不知道，又怎会约她在这里见面呢？"

楚留香笑了，道："我既不是神仙，又不是别人肚里的蛔虫，你问我，我去问谁？”

胡铁花撇了撇嘴，冷笑道：“人家不是说楚留香一向‘无所不知，无所不晓’吗？原来你也有不知道的事。”

楚留香只当没听到他的话，悠然道：“几年不见，想不到高亚男人更漂亮了，谁能娶到这样的女孩子做太太，可真是福气。”

胡铁花板起了脸，道：“你既然这么喜欢，我就让给你好了。”

楚留香失笑道：“她难道是你的吗？原来你……”

他并没有说完这句话，因为他已发现方才那快艇去而复返，此刻又箭一般地急驶而来。

船头上站着个身长玉立的轻衫少年，快艇迎风破浪，他却像钉子般钉在船头，动也不动。

胡铁花道：“原来他们是找救兵去了，看来这人的下盘功夫倒不弱。”

快艇驶到近前，速度渐缓。

只见这轻衫少年袍袖飘飘，不但神情很潇洒，人也长得很英俊，脸上更永远都带着笑容，远远就抱拳道：“不知这里可是蓝太夫人的座船么？”

他语声不高，却很清朗，连楚留香都听得很清楚。

枯梅大师虽仍端坐不动，却向青衣窄袖的高亚男微一示意，高亚男这才慢吞吞地走到船头，上上下下打量了这少年几眼，冷冷道：“你是谁？来干什么？”

少年赔着笑道：“弟子丁枫，特来迎驾，方才属下礼数不周，多有得罪，但求蓝太夫人及两位姑娘恕罪。”

他不但话说得婉转客气，笑容更可亲。

高亚男的脸色不觉也和缓了些，这少年丁枫又赔着笑说了几句话，高亚男也回答了几句。

这几句话说得都很轻，连楚留香也听不到了，只见丁枫已上了大船，恭恭敬敬向枯梅大师行过礼，问过安。

枯梅大师也点了点头，江船立刻启碇，竟在夜色中扬帆而去。

胡铁花用指尖敲着鼻子，喃喃道："枯梅大师怎会变成蓝太夫人了？这倒是怪事。"

楚留香沉吟着道："看情形这些黑衣人约的本是蓝太夫人，但枯梅大师却不知为了什么缘故，竟冒蓝太夫人之名而来赴约。"

胡铁花道："枯梅大师为什么要冒别人的名？她自己的名声难道还不够大？"

楚留香道："也许就因为她名声太大了，所以才要冒别人的名！但以枯梅大师的脾气，竟不惜冒名赴约，这件事想必非同小可。"

胡铁花皱眉道："我实在想不通这会是什么样的大事？"

楚留香目光闪动，忽然笑了笑，道："也许她是为了替高亚男招亲来的，这位丁公子少年英俊，武功不弱，倒也配得过我们这位清风女剑客了。"

胡铁花板起了脸，冷冷道："滑稽，滑稽，你这人真他妈的滑稽得要命。"

在水上生活的人，也有他们生活的方式，晚上是他们休息、聊天、补网的时候，只要日子还能过得去，没有人愿意在晚上行船，所以天一黑之后，要想雇船就很不容易。

但楚留香总有他的法子。

楚留香雇船的时候，胡铁花以最快的速度去买了一大壶酒。

胡铁花这个人可以没有钱、没有家、没有女人，甚至连没有衣服穿都无妨，但却绝不能没有朋友、没有酒。

夜静得很，也暗得很。

江上夜色凄迷，也不知是烟，还是雾？

远远望去，枯梅大师的那艘船已只剩下一点灯光，半片帆影，但行驶得还是很快，楚留香他们的轻舟几乎已使尽全速，才总算勉强跟住它。

胡铁花高踞在船头上，眼睛瞬也不瞬地瞪着前面那艘船，一大口一大口地喝着酒，居然已有很久没有说话了。

楚留香已注意他很久了，忽然喃喃自语道："奇怪，这人平时话最多，今天怎么连一句话都没有了？莫非是有什么心事？"

胡铁花想装作没听见，憋了很久，还是憋不住了，大声道："我开心得很，谁说我有心事？"

楚留香道："没有心事，为什么不说话？"

胡铁花道："我的嘴正忙着喝酒，哪有空说话？"

他又喝了口酒，喃喃道："奇怪奇怪，你这人平时看到酒就连命也不要了，今天却连一口酒都没喝，莫非有了什么毛病？"

楚留香笑了笑，道："我的嘴正忙着在说话，哪有空喝酒？"

胡铁花忽然放下酒壶，转过头，瞪着楚留香道："你究竟想说什么？说吧！"

楚留香道："有一天，你弄了两坛好酒，就去找'快网'张三，因为他烤的鱼又香又嫩，用来下酒是再好也没有的了，是不是？"

胡铁花道："是。"

楚留香道："你和他正坐在船头烤鱼吃酒，忽然有条船很快地从你们旁边过去，船上有三个人，其中有个人你觉得很面熟，是不是？"

胡铁花道："是。"

楚留香道："你觉得面熟的人，原来就是高亚男，你已有很久没有见到她了，就想跟她打个招呼，她就像没瞧见，你想跳上她的船去问个明白，又不敢，因为枯梅大师也在那条船上，你虽然天不怕，地不怕，但枯梅大师却是你万万不敢惹的，是不是？”

胡铁花这次连“是”字都懒得说了，直着脖子往嘴里灌酒。

楚留香道：“枯梅大师遁迹已有二十余年未履红尘，这一次竟下山来了，而且居然改作俗家打扮，所以你才大吃一惊，才急着去找我，是不是？”

胡铁花忽然跳了起来，瞪着楚留香叫道：“这些话本是我告诉你的，是不是？”

楚留香道：“是。”

胡铁花道：“既然是我告诉你的，你为何又要来问我？你活见鬼了，是不是？”

楚留香笑了，道：“我将这些话再说一次，只不过是想提醒你几件事。”

胡铁花道：“什么事？”

楚留香道：“高亚男想嫁给你的时候，你死也不肯娶她，现在她不理你，本也是天经地义的事，只不过……”

胡铁花抢着道：“只不过男人都是贱骨头，胡铁花更是个特大号的贱骨头，总觉得只有得不到的女人才是好的，是不是？”

楚留香笑道：“一点也不错。”

胡铁花板着脸道：“这些话我已不知听你说过多少次了，用不着你再来提醒我。”

楚留香道：“我要提醒你的，倒不是这件事。”

胡铁花道：“是哪件事？”

楚留香道：“你虽然是个贱骨头，但高亚男还是喜欢你的，她故意不理你，只不过因为她自己现在正要去做一件极危险的事，她不希望你知道。”

胡铁花道：“为什么？”

楚留香道：“因为你虽不了解她，她却很了解你，你若知道她有危险，自然一定会挺身而出的，所以她宁可让你生她的气，也不肯让你去为她冒险。”

胡铁花怔住了，吃吃道：“如此说来，她这么样做难道全是为了我？”

楚留香道：“当然这是为了你，但你呢？你为她做了什么？”

他冷笑着接道：“你只会生她的气，只会坐在这里喝你的闷酒，只希望快点喝醉，醉得人事不知，无论她遇着什么事，你都看不到了。”

胡铁花忽然跳了起来，左手掴了自己个耳刮子，右手将那壶酒抛入江心，涨红着脸道：“老臭虫你说得不错，是我错了，我简直是个活活的大混蛋，既然明知眼前就有大事要发生，我就算渴死，也不能喝酒的。”

楚留香笑了，展颜道：“这才是好孩子，难怪高亚男喜欢你，她若知道你居然肯为她戒酒，一定也开心得很。”

胡铁花瞪眼道：“谁说我要戒酒，我只不过说这几天少喝而已……头可断，血可流，酒是不可戒的！”

楚留香笑道：“你这人虽然又懒、又脏、又穷、又喜欢喝酒、又喜欢打架，但还是个很可爱的人，我若是女人，也一定会喜欢你。”

胡铁花笑道：“你若是女人，若要喜欢我，我早就落荒而逃了，又怎会还坐在这里。”

楚留香和胡铁花这一生中，也不知经历过多少次危险了。

每逢他们知道有大事将发生时，一定会想法子尽量使自己的头脑保持清醒，精神保持轻松，尽量让自己笑一笑。

他们能活到现在，也许就因为他们无论在什么时候都能笑得出。

不知何时，前面的船行已慢了下来，两条船之间的距离已渐渐缩短，雾虽更浓，那大船的轮廓却已清楚可见。

那大船上的人是不是也看到了这艘小船呢？

楚留香正想叫船行慢些，将两船间的距离再拉远，忽然发现前面那条船竟已停下，而且像是渐渐在往下沉落。

胡铁花显然也瞧见了，道：“前面船上的灯火怎么愈来愈低了？船难道在往下沉？”

楚留香道：“好像是的。”

胡铁花变色道：“船若已将沉，高亚男他们怎会全没有一点动静？”

这时两条船之间距离已不及五丈。

楚留香身形忽然掠起，凌空一转，已跃上那大船的船头。

船已倾没，船舱中已进水。

枯梅大师、高亚男、害羞的少女、黑衣少年丁枫和操船摇橹的船夫竟已全都不见了。

夜色凄迷，江上杳无人影。

一阵风吹来，胡铁花竟已忍不住打了个寒噤，嗄声道：“这条船明明是条新船，怎么会忽然沉的？船上的人到哪里去了？难道全都被水鬼抓去吃了么？”

他本来是想说句玩笑话的，但一句话未说完，忍不住又激灵灵地打了个寒噤，掌心似已沁出了冷汗。

他长长吸了口气，忽然又发觉江风中竟带着一种奇异的腥臭之气，忍不住问道：“这是什么味道？你……”

楚留香根本什么也没有嗅到，却发现江水上游流下了一片黑腻腻的油光，将他们这艘小船和已将沉没的大船全都包围住了。

胡铁花的语声已被一阵急箭破空之声打断，只见火光一闪，一根火箭自远处射入了江心。

接着，“嘭”的一响，刹那之间，整条江水都似已被燃着，变成了一个巨大的洪炉。

楚留香他们的人和船转瞬间就已被火焰吞没。

水，热得很！

楚留香和胡铁花泡在水里，头上都在流着汗。

他们却觉得很舒服。

因为这里并不是燃烧着的大江，只不过是个大浴池而已。

胡铁花将一块浴巾浸湿了，再拧成半干，搭在头上，闭着眼睛长长叹了口气，喃喃自语道：“同样是水，但泡在这里的滋味就和泡在江水里不同，这正如同样是人，有的很聪明，有的却是呆子。”

楚留香眼睛也是闭着的，随口问：“谁是呆子？”

胡铁花道：“你是聪明人，我是呆子。”

楚留香失笑道：“你怎么忽然变得谦虚起来了？”

胡铁花笑道：“我本来也不想承认的，却也没有法子不承认，若不是你，我只怕早已被烧成了一把灰，哪里还有到这里来洗澡的福气。”

他又长长叹了口气，接着道：“老实说，那时我简直已吓呆了，再也想不通江水是怎么会被燃着的，更想不到火下面原来还是水，若不是你拉我，我还真不敢往下跳。”

楚留香笑了笑，道：“起火之前，你是不是嗅到了一种奇怪的味道？”

胡铁花道：“是呀……那时我忘了你鼻子不灵，还在问你，等我想起你根本好像没有鼻子时，火已起来了。”

楚留香道：“你知不知道那是什么味道？”

胡铁花道：“我若知道，又怎么会问你？”

楚留香悠然道："有鼻子的人反倒要问没鼻子的人，倒也是件怪事。"

胡铁花笑了，道："你方才没有让我被烧死，只算是你倒霉，无论你救过我多少次，我还是一样要臭骂你的。"

他不让楚留香说话，抢着又道："这次你既然已救了我，就得告诉我那是什么味道。"

楚留香也笑了，道："你这人至少还很坦白……我虽然没有嗅出那是什么味道，却看到了。"

胡铁花道："看到了什么？"

楚留香道："油。"

胡铁花道："油？什么油？"

楚留香道："那究竟是什么油，我也不太清楚，只不过我以前听说过藏边一带，地下产有一种黑油，极易点燃，而且火势一发就不可收拾。"

胡铁花皱眉道："不错，我也觉得那味道有点油腥，但长江上怎么有那种黑油呢？"

楚留香道："自然是有人倒下去的。"

他接着道："你无论将什么油倒入水里，油一定是浮在水上的，所以还是可以燃着，但他们却忘了油既然浮在水面上，水面下就一定没有火，只要你有胆子往火里跳，就一定还是可以跳到水里去。"

胡铁花笑道："若有人想烧死你这老臭虫，可真不容易。"

楚留香道："但这些人能将藏边的黑油运到这里来，敢在大江上放火，可见他们绝不是寻常人物，一定有组织、有力量、有财源，而且很有胆子。"

胡铁花道："我们竟没有看出那姓丁的小伙子有这么大的本事。"

楚留香道："放火的人也许是丁枫，但他却绝不会是这些人的首脑……至于首脑是谁，你也不必问我，因为我也不知道。”

胡铁花皱着眉，沉吟着道：“他们发现了我们在跟踪，就不惜将自己那条新船弄沉，不惜在江上放火来烧死我们……这些人究竟想干什么？”

楚留香道：“我早已说过，这必定是件很惊人的事。”

胡铁花道：“可是枯梅大师和高亚男，会不会已遭了他们的毒手？”

楚留香道：“绝不会。”

胡铁花道：“如此说来，他们费了这么多力气，难道为的就是要将枯梅大师和高亚男接走？”

楚留香道：“嗯，也许——”

胡铁花道：“他们若是对枯梅大师有恶意，枯梅大师怎么会跟着他们走呢？他们若是对枯梅大师没有恶意，又为何要做得如此神秘？”

他问完了这句话，就闭上眼睛，似乎根本不想听楚留香回答，因为他知道这些事是谁也回答不出的。

这地方叫“逍遥池”，是个公共浴室，价钱并不比单独的浴池便宜，但泡在热气腾腾的大池里洗澡，却别有一种情调：一面洗澡，一面还可以享受和朋友聊天的乐趣。所以苏浙一带的男人们，无论贫富，上午喝过了早茶，下午都喜欢到这里泡上一两个时辰。

浴池里当然不止他们两个人，但隔着一层薄薄的水雾，谁也看不清对方的面目，何况到这里来的人，大多是为了自己的享受，松弛松弛自己的神经，谁也不愿理会别人，也不愿别人理会自己。

在浴池的另一边，还有两三个人在洗脚、搓背，另外有个人已泡得头晕，正在旁边的清水槽前冲洗。

这几个人好像并没有留意到楚留香，楚留香也没有留意他们。在这种地方，大家都是赤条条地相会，谁也看不出对方的身份，无论是王侯将相，还是名士高人，一脱光了，就和贩夫走卒全没有什么分别了。

楚留香很喜欢到这种地方来，他发现一个人只有在脱光了，泡在水里的时候，才能够完全了解自己，看清自己。

还有许多大商人也喜欢到这种地方来谈生意，因为他们也发现彼此肉帛相见时，机诈之心就会少些。

那边角落里有两个人正在窃窃私语，也不知在谈些什么，其中有个人楚留香仿佛觉得很面熟，一时却想不起是谁了。

站在水槽前的那人已冲完了，一面拧着布巾，一面走出去。

这人的两腿很细，很长，上身却很粗壮，肩也很宽，走起路来摇摇晃晃的，像是随时都可能跌倒。

但楚留香一眼就看出这人的轻功极高，所使的兵器分量却一定很重，显见也是位武林高手。

轻功高的人，所使的兵刃大多也是便于携带的，有时甚至只带暗器，轻功既高，又用重兵器的人江湖中并不多。

楚留香嘴角带着一丝笑意，似已猜出这人是谁了。

泡在水池里观察别人的举动，分析别人的身份，猜测别人的来历，也是到这里来洗澡的许多种乐趣之一。

那长腿的人刚走到门口，门外突然冲进一个人来。

这人的神情很张皇，仿佛被鬼在追着似的，一冲进来，就“扑通”一声，跳入水池里。

水花四溅，溅得胡铁花一头都是。

胡铁花瞪起眼睛，正想开口骂人，但一瞧见了这人，满面的怒容立刻变作了笑意，笑骂着道：“你这冒失鬼，不在河上下网，怎地跑到这里来了，难道想在这浑水里摸几条鱼么？”

楚留香也失笑道：“我看你倒要小心些，莫要被他的‘快网’网了去。”

从外面冲进来的人，原来正是楚留香和胡铁花刚刚还谈起过的“快网”张三。这人不但水性高，鱼烤得好，而且机警伶俐，能说会道，眼皮杂，交的朋友也多，对朋友当然也很够义气。

这人样样都好，只有一样毛病。

只要一看到好的珍珠，他的手就痒了，非想法子弄到手不可，黄金白银、翡翠玛瑙，样样都打动不了他的心。

他爱的只有珍珠。

他看到珍珠，就好像胡铁花看到好酒一样。

但现在他看到楚留香和胡铁花，却像是比看到珍珠还高兴，仰面长长吐出了口气，笑道：“救苦救难王菩萨，我张三果然是福大命大，到处遇见贵人。”

胡铁花笑骂道：“看你没头没脑的，莫非撞见鬼了么？”

“快网”张三叹了口气，苦笑道：“真撞见鬼也许反倒好些，我撞到的实在比鬼还凶。”

胡铁花皱眉道：“什么人居然比鬼还凶，我倒想瞧瞧。”

张三道：“你……”

他刚开口，外面突然传入了一阵惊吵声。

那长腿的人本已走出了门，此刻突又退了回来。

只见一个沙哑的男人声音道：“姑娘，这地方你来不得的。”

另一人道：“别人来得，凭什么我就来不得，凭什么我就来不得？”

声音又急又快，但却娇美清脆，竟像是个少女的口音。

那男人着急道：“这是男人洗澡的地方，大姑娘怎么能进去？”

那少女道：“你说不能进去，我就偏要进去，非进去不可。”

她冷笑了两声，语声又提高了些，道：“臭小偷，你逃到这里，以为本姑娘就不敢来了么？告诉你，你逃到森罗殿，姑娘也要追你见阎罗王。”

胡铁花伸了伸舌头，失笑道：“这小姑娘倒真凶得紧……”

他瞟了张三一眼，就发现张三的脸已吓得全无人色，忽然一头扎进又热又浑的洗澡水里，竟再也不敢伸出头来。

胡铁花皱着眉笑道：“有我们在这里，你怕什么？何必去喝人家的洗脚水。”

楚留香也笑了。

他一向喜欢遇到有趣的人，外面这小姑娘想必也一定有趣得很，他倒希望她真的敢撞到这里面来。

但又有什么女人敢闯进男人的洗澡堂呢？

外面愈吵愈凶，那浴室的掌柜大叫道：“不能进去，千万不能……”

话未说完，只听“啪”的一声，这人显见是被重重地掴了一巴掌，打得他连嘴都张不开了。

接着，外面就冲进两个人来。

赫然竟真的是两个女人。

谁也想不到竟真有女人敢闯进男人的洗澡堂，那长腿的人身子一缩，也跳入水里，蹲了下去。

只见这大胆的女人不但年纪很轻，而且美极了：直鼻梁、樱桃嘴，一双眼睛又大又亮，天上也找不出这么亮的星星。

她打扮得更特别，穿的是一件绣着金花墨凤的大红箭衣，一双粉底官靴，配着同色的洒脚裤。头上戴着顶紫金冠，腰上束着同色的紫金带，骤然一看，正活脱脱像是个刚从靶场射箭下来的王孙公子。

但世上又哪有这么美的男人？

跟着进来的是一个十四五岁的小丫头，圆圆的脸，仿佛吹弹得破，不笑时眼睛里也带着三分甜甜的笑意。

楚留香和胡铁花对望一眼，心里都觉得有些好笑。

两人都已看出这少女金冠上本来是镶着粒珍珠的，而且必定不小，现在珍珠却已不见了。

珍珠到哪里去了呢？

“快网”张三这小子的毛病想必又犯了！

但“快网”张三非但水性精纯，陆上的功夫也绝不弱，轻功和暗器都很有两下子，为什么会对这小姑娘如此害怕？

这红衣少女一双大眼睛转来转去，水池里每个男人都被她瞪过几眼，胡铁花已被她瞪得头皮发痒。

赤条条地泡在水池里，被一个小姑娘瞪着——

这实在不是件好受的事。

那小丫头脸已早红了，躲在红衣少女背后，仿佛不敢往外瞧，却又不时偷偷地往楚留香这边瞟一眼。

楚留香觉得有趣极了。

红衣少女忽然大声道：“方才有个和猴子一样的男人逃进来，你们瞧见了没有？”

水池里的男人没有一个说话的。

红衣少女瞪着眼道：“你们只要说出来，我重重有赏，若是敢有隐瞒，可得小心些。”

胡铁花眨了眨眼睛，忽然道：“姑娘说的可是个有点像猴子的人么？”

红衣少女道：“不错，你看到了？”

胡铁花悠然道：“若是这么样的人，我倒真见到了一个。”

水里的张三一颗心几乎已将从腔子里跳了出来，心里恨不得把胡铁花的嘴缝起来，叫他永远也喝不了一滴酒。

楚留香也觉得很好笑。

他当然知道胡铁花不是个出卖朋友的人，最多也只不过是想要张三吃些小苦头，把那毛病改一改。

那红衣少女眼睛更亮了，道："那人在哪里？你说，说出来有赏。"

胡铁花道："赏什么？"

红衣少女"哼"了一声，随手抛出了样东西，抛入水里，楚留香眼尖，已看出竟是锭黄澄澄的金子。

这小姑娘的出手倒一点也不小。

"能随手抛出锭黄金来的人，来头自然不小。"

楚留香觉得更有趣了。

胡铁花从水里捞起了那锭金子，像是还不敢相信这是真的，仔细瞧了瞧，才眉开眼笑地道："多谢姑娘。"

红衣少女道："那人呢？在哪里？"

胡铁花摸了摸鼻子，悠然道："那人么……"

他也知道这时浴池里每个人都在瞪着他，每个人都带着一脸看不起他的神色。为了一锭金子就出卖朋友的人，毕竟还是惹人讨厌的。

但胡铁花还是不脸红，不着急，慢吞吞地伸出手来，往楚留香的鼻子上指了指，笑嘻嘻道："人就在这里，姑娘难道没瞧见么？"

这句话说出，有的人怔住，有的人忍不住笑出声来。

楚留香更是哭笑不得。

红衣少女的脸都气白了，怒道："你……你敢开我的玩笑！"

胡铁花笑道："在下怎敢开姑娘的玩笑，喏，姑娘请看这人，岂非正活脱脱像是个猴子……姑娘找的难道不是他么？"

红衣少女瞪了楚留香一眼，看到楚留香那种哭笑不得的样子，目中也不禁现出一丝笑意。

那小丫头早已掩着嘴，吃吃地笑个不停。

胡铁花更得意了，笑着道：“这里像猴子的人只有他一个，姑娘找的若不是他，那在下可就不知道是谁了。”

红衣少女沉着脸，显然也不知该怎么样对付这人才好。

她究竟还年轻，脸皮这么厚的男人，她实在还没见过。

那小丫头瞟了楚留香一眼，忍住笑道：“姑娘，咱们不如还是走吧！”

红衣少女忽然“哼”了一声，大声道：“我为什么要走？为什么要走？”

她说得又急又快，常常将一句话重复两次，像是生怕别人听不清，她一句话说两次，比别人说一次也慢不了许多。

那小丫头道：“那小偷好像真的不在这里……”

红衣少女冷笑了几声，道：“其实我也不是完全来找他的。普天之下，什么地方我都见识过，只有这种地方没来过，我就偏要到这里来瞧瞧，看有谁敢把我赶出去！”

胡铁花抚掌笑道：“对，一个人活在世上，就是要像姑娘这样活着才有意思，像姑娘这样的人，在下一向是最佩服的了。”

红衣少女道：“哼！”

胡铁花道：“只可惜姑娘的胆子还是不够大。”

红衣少女瞪眼道：“你说什么？”

胡铁花笑嘻嘻道：“姑娘若敢也跳到这水池里来，才算真的有胆子、有本事！”

红衣少女的脸都气黄了，突然伸手一拉腰上束着的紫金带，只听“锵”的一声，她手里已多了柄精光四射的长剑。

这柄剑薄而细，正是以上好缅铁打成的软剑，平时藏在腰带里，用时迎风一抖，就伸得笔直。

这种剑刚中带柔，柔中带软，剑法上若没有很深造诣，要想使这种剑并不容易。

浴池里已有两个人面上露出了惊讶之色，像是想不到这骄纵泼辣的小姑娘，竟也能使这种软剑。

只见她脚尖点地，一闪身就跃上了浴池的边缘，反手一剑，向胡铁花的头顶上削了过去。

这一剑当真是又快、又准、又狠。

胡铁花“哎哟”一声，整个人都沉入水里，别人只道他已中剑了，谁知过了半晌，他又从水池中央笑嘻嘻地伸出头来，笑道：“我只不过要了姑娘一锭金子，姑娘就想要我的命么？”

红衣少女眼睛里似已将冒出火来，厉声道：“你若是男人，就滚出来，滚出来！”

胡铁花叹了口气，道：“我当然是男人，只可惜没穿裤子，怎么敢出来呢？”

红衣少女咬着牙，跺脚道：“好，我到外面去等你，谅你也跑不了。”

她毕竟是个女人，脸已有些红了，说完了这句话，就头也不回地走了出去，像是已气得发抖。

那小丫头笑眯眯瞟了楚留香一眼，道：“你这朋友玩笑开得太大了，你还是赶紧替他准备后事吧！”

说到“准备后事”四字，她的脸也沉了下来，转身走了出去。

楚留香叹了口气，喃喃道：“看来她倒真不是说笑了，我只有破费两文，去买棺材了。”

胡铁花笑道：“用不着棺材，把我烧成灰，倒在酒坛子里最好。”

清了清喉咙，又道：“其实我也不是存心开她玩笑的，只不过这小姑娘实在太凶、太横、太不讲理，而且动不动就要杀人，我若不教训教训她，以后怎么得了？”

楚留香淡淡道：“只怕你非但教训不了她，还被她教训了。”

“快网”张三忽然悄悄从水里伸出头来，悄悄道：“一点也不错，我看你还是快些溜了吧。”

胡铁花瞪眼道：“溜？我为什么要溜？你以为我真怕了那小姑娘？”

张三叹了口气，道：“你可知道她是谁么？”

胡铁花道：“她是谁？难道会是王母娘娘的女儿不成？”

他接着又道：“看她的剑法，的确是得过真传的，出手也很快，但仗着这两手剑法就想欺人，只怕还差着些。”

张三道：“你也许能惹得了她，但她的奶奶你却是万万惹不起的。”

胡铁花道：“她奶奶是谁？”

张三的眼角无缘无故地跳了两下，一字字道：“她奶奶就是‘万福万寿园’的金太夫人，她就是金太夫人第三十九孙女‘火凤凰’金灵芝。”

胡铁花怔住了。

胡铁花是个死也不肯服输的人，但这位“金太夫人”他倒的确是惹不起的——非但他惹不起，简直没有人能惹得起。

若以武功而论，石观音、“水母”阴姬、血衣人……这些人的武功也许比金太夫人高些。

但若论势力之大，江湖中却没有人能比得上这金太夫人了。

金太夫人一共有十个儿子、九个女儿、八个女婿、三十九个孙儿孙女，再加上二十八个外孙。

她的儿子和女婿有的是镖头，有的是总捕头，有的是帮主，有的是掌门人，可说没有一个不是江湖中的顶尖高手。

其中只有一个弃武修文，已是金马玉堂，位居极品。还有一个出身军伍，正是当朝军功最盛的威武将军。

她有九个女儿，却只有八个女婿，只因其中有一个女儿已削发为尼，投入了峨嵋门下，传了峨嵋“苦因大师”的衣钵。

她的孙儿孙女和外孙也大都已成名立万，“火凤凰”金灵芝是最小的一个，也是金老太太最喜欢的一个。

最重要的是，金老太太家教有方，金家的子弟走的都是正路，绝没有一个为非作歹的，是以江湖中提起金太夫人来，大家都尊敬得很。

这样的人，谁惹得起?

胡铁花怔了半晌，才叹了口气，瞪着张三道：“你早就知道她是金老太太的孙女了？”

张三点头道：“嗯。”

胡铁花道：“但你还是要偷她的珍珠……你莫非吃鱼吃昏了，喝酒喝疯了么？”

张三苦笑道：“我本来也不敢打这主意，但那颗珠子……唉，那颗珠子她实在不该戴在头上的，我只瞧了一眼，魂就飞了，不知不觉地就下了手……唉，我又怎会想到她敢追到男人的洗澡堂来呢？”

只听火凤凰在外面大声道：“你反正跑不了，为何还不快出来！”

胡铁花皱了皱眉道：“这位姑娘的性子倒真急。”

他忽然拍了拍楚留香的肩头，赔笑道：“我知道你一向对女人最有法子，这位姑娘也只有你能对付她，看来我也只有请你出马了。”

楚留香笑了笑，悠然道：“我不行，我长得像猴子，女人一见就生气。”

胡铁花道："谁说你长得像猴子？谁说的？那人眼睛一定有毛病，他难道看不出你是天下最英俊、最潇洒的男人么？"

楚留香闭上眼睛，不开口了。

胡铁花笑道："其实，这也是个好机会，说不定将来你就是金老太太的孙女婿，我们做朋友的，也可以沾你一点光。"

楚留香像是已睡着，一个字也听不见。

张三悄悄道："三十六计，走为上计，我看，你还是……"

胡铁花忽然湿淋淋地从水里跳了起来，大声道："不管她是金老太太的孙女也好，银老太太的孙女也好，总不能蛮不讲理。她若不讲理，无论她是谁，我都能比她更不讲理。"

楚留香这才张开眼来，悠悠道："从来也没人说过你讲理的。"

胡铁花已围起块布巾，冲了出去。

浴池里的人立刻也跟着跳出来，这热闹谁不想看？

那长腿的人走过时，忽然向楚留香笑了笑。

楚留香也对他笑了笑。

长腿的人带着笑道："若是我猜得不错，尊驾想必就是……"

他向后面瞧了一眼，忽然顿住语声，微笑着走了出去。

走在他后面的正是楚留香觉得很面熟的人。

这人的脸红得就像是只刚出锅的熟螃蟹，也不知是生来如此，是被热水泡红，还是看到楚留香之后才涨红的？

他自始至终都没有向楚留香瞧过一眼，和他同行的人眼角却在偷偷瞟着楚留香，但等到楚留香望向他时，他就低下头，匆匆走了出去。

"快网"张三悄悄道："这两人看来不像是好东西，我好像在哪里见过他们。"

楚留香似乎在想什么，随口道："嗯，我好像也见过他们。"

张三道："那个腿很长的人，轻功必定极高，派头也很大，想必也是个很有来头的人物，但我却从未见过他。”

他笑了笑，接着道：“我未见过的人，就一定是很少在江湖走动的。”

楚留香道：“嗯。”

张三道：“这地方虽然有码头，但平时却很少有武林豪杰来往，今天一下子就来了这么多人，倒也是件怪事。”

楚留香忽然笑了笑，道：“你说了这么多话，只不过想拉着我在这里陪你，是不是？”

张三的脸红了。

楚留香道：“但人家为你在外面打架，你至少也该出去瞧瞧吧！”

张三道：“好，出去就出去，跟你在一起，我哪里都敢去。”

楚留香道：“你出去之前，莫忘了将藏在池底的珍珠也带去。”

张三的脸更红了，摇着头叹道：“为什么我无论做什么事，总是瞒不过你……”

逍遥池的门不大。

浴室的门都不会大，而且一定挂着很厚的帘子，为的是不让外面的寒风吹进来，不让里面的热气跑出去。

现在帘子已不知被谁掀开了，门外已挤满了一大堆人。

居然有个大姑娘胆敢跑到男人的澡堂里来，已是了不得的大新闻，何况这大姑娘还拿着长剑要杀人。

胡铁花正慢吞吞地在穿衣服。

“火凤凰”金灵芝这次倒沉住了气，铁青着脸站在那里，只要有人敢瞧她一眼，她就用那双大眼睛狠狠地瞪过去。

胡铁花慢慢地扣好了扣子，道：“你难道真想要我的命？”

金灵芝道：“哼。”

胡铁花叹道："年纪轻轻的小姑娘，为什么一翻脸就要杀人呢？"

金灵芝瞪眼道："该杀的人我就杀，为什么要留着？为什么要留着？"

胡铁花道："你一共杀了多少人？"

金灵芝道："一千个，一万个，无论多少你都管不着。"

胡铁花道："你若杀不了我呢？"

金灵芝咬着牙道："我若杀不了你，就把脑袋送给你！"

胡铁花道："我也不想要你的脑袋，你若杀不了我，只望你以后永远也莫要再杀人了，这世上真正该死的人并不多。"

金灵芝叱道："好——"

一个字出口，剑光已匹练般刺向胡铁花咽喉。

她剑法不但又快又狠，而且一出招就是要人命的杀手。

胡铁花身形一闪，就躲开了。

金灵芝瞪着眼，一剑比一剑快，转瞬间已刺出了十七八剑。女子使的剑法大多以轻灵为主，但她的剑法走的是刚猛一路，只听剑风破空之声哧哧不绝，连门口的人都远远躲开了。

这地方虽是让顾客们更衣用的，但地方并不大，金灵芝剑锋所及，几乎已没有留下对方可以闪避的空隙。

只可惜她遇着的是胡铁花。若是换了别人，身上只怕已被刺穿了十七八个透明窟窿。

胡铁花别的事沉不住气，但一和人交上手，就沉得住气了。只因他和人交手的经验实在丰富极了，简直很少有人能比得上他，别人一打起架来总难免有些紧张，在他看来却好像家常便饭一样。

就算遇见武功比他高得多的对手，他也绝不会有半点紧张。所以别人看不出的变化，他都能看得出，别人躲不开的招式，他都能躲开。

只见他身形游走，金灵芝的剑快，他躲得更快。

金灵芝第十九剑刺出，突又硬生生收了回来，瞪着眼道：“你为何不还手？”

胡铁花笑了笑，道：“是你想杀我，我并没有想杀你！”

金灵芝跺了跺脚，道：“好，我看你还不还手，看你还不还手！”

她一剑刺出，剑法突变。

直到此刻为止，她出手虽然迅急狠辣，剑法倒并没有什么特别奇妙之处，“万福万寿园”的武功本不以剑法见长。

但此刻她剑法一变，只见剑光绵密，如拔丝、如剥茧、如长江大河，滔滔不绝，不但招式奇幻，而且毫无破绽。

就算不识货的人，也看得出这种剑法非寻常可比。

要知世上大多数剑法本都有破绽的，若是没有破绽，就一定不知经过多少聪明才智之士改进。

但这许多聪明才智之士既然肯不惜竭尽智力来改进这套剑法，那么这套剑法的本身，自然也必定有非凡之处。

“快网”张三躲在门后，悄悄道：“这好像是峨嵋派的‘柳絮剑法’。”

楚留香道：“不错。”

张三道：“她七姑是峨嵋苦因师太的衣钵弟子，这套剑法想必就是她七姑私下传授给她的。”

楚留香点了点头，还未回话。

只听金灵芝喝道：“好，你还不回手……你能再不回手算你本事！”

喝声中，她剑法又一变。

绵密的剑式，忽然变得疏淡起来。

漫天剑气也突然消失。

只见她左手横眉，长剑斜削而出，剑光似有似无，出手似快似慢，剑路似实似虚，招式将变未变。

不识货的人这次已看不出这种剑法有什么巧妙了。

有的人甚至以为这小姑娘心已怯，力已竭。

但楚留香看到她这一招出手，面上却已不禁为之悚然动容。

他已看出这一招正是华山派的镇山剑法“清风十三式”中第一式“清风徐来”。

第二章

玉带中的秘密

武林七大门派齐名，说起来虽以“少林”“武当”为内外家之首，其实“昆仑”“点苍”“峨嵋”“南海”“华山”，也各有所长，是以这七大门派互相尊敬，却也绝不相让。

只不过若是说起剑法来，无论是哪一门，哪一派的，都绝不敢与华山争锋。只因华山派这一套“清风十三式”的确是曼妙无俦，非人能及，连昆仑的“飞龙大九式”都自愧不如。

这“清风十三式”妙就妙在“清淡”两字，讲究的正是：“似有似无，似实似虚，似变未变。”正如羚羊挂角，无迹可寻，对方既然根本就摸不清他的剑路和招式，又怎能防避招架？

高亚男号称“清风女剑客”，剑法之高，连楚留香都佩服得很；但是她也并未将这“清风十三式”学全，只不过学会了九式而已。

除了高亚男外，枯梅大师根本就未将这“清风十三式”的心法传授给任何弟子。华山派以外的人，自然更无从学起。

但现在金灵芝居然竟使出了一招“清风徐来”，非但楚留香为之悚然动容，胡铁花更是吓了一大跳。

只听“哧”的一声，他衣襟已被剑划破，冰冷的剑锋堪堪贴着他皮肉划过，差点儿就要了他的命！

以胡铁花的武功，本来是不会躲不开这一招的，但他已不知见过高亚男使过多少次“清风徐来”了。这一招“清风徐来”的剑式，他也已学得似模似样，只不过其中的神髓，他却无论如何也学不会。

高亚男自然也绝不会将心法传授给他，枯梅大师门规严谨，谁也没这么大的胆子敢将师门心法私下传授给别人。

此刻金灵芝居然使出了一招“清风徐来”，而且神充气足，意在剑先，竟似已得到了“清风十三式”的不传之秘！

若是换了别人也还罢了，胡铁花却深知其中厉害，自然难免吃惊，一惊之下，心神大分，竟险些送了命！

金灵芝一招得手，第二招已跟着刺出。只见她出手清淡，剑法自飘忽到妙，如分花拂柳，赫然又是一招“清风十三式”中的“清风拂柳”！

就在这时，突见人影一闪，她的手腕已被一个人捉住。

这人来得实在太快，快得不可思议。

金灵芝眼角刚瞥见这人的影子，刚感觉到这人的存在，这人已将她的手腕脉门轻轻扣住。

这人的出手并不劲，但也不知怎地，金灵芝被他一只手扣住，全身的力气，就连半分也使不出来。

她大惊回头，才发现这人正是方才也泡在浴池里，被人骂作“活像只猴子”居然还面带笑容的人。

他现在面上也正带着同样的笑容。

金灵芝本觉他笑得不讨厌，现在却觉得他笑得不但讨厌，而且可恨极了，忍不住大叫了起来，道：“你想干什么？想两个打一个？不要脸，不要脸！”

楚留香等她骂完了，才微笑着道：“我只想请问姑娘一件事。”

金灵芝大声道：“我根本不认得你，你凭什么要问我？”

楚留香淡淡道：“既是如此，在下不问也无妨，只不过……”

他说到这里，忽然就没有下文了，居然真的是说不问，就不问。

金灵芝等了半晌，反而沉不住气了，忍不住问道：“只不过怎样？”

楚留香笑了笑，道：“我要问的是什么，姑娘说不定也想知道的。”

金灵芝道：“你要问什么？”

这句话她连想都没想，就脱口而出。

胡铁花暗暗好笑！

这老臭虫对付女孩子果然有一手，他曾经说过：“女孩子就像人的影子，你若去追她、逼她，她永远在你前面，你一转身，她就反而会来盯着你了。”这话看来倒真的是一点都不假。

只听楚留香沉声说道：“我只想请问姑娘，姑娘方才使出的这‘清风十三式’，是从哪里学来的？”

金灵芝的脸色突然变了，大声道：“什么‘清风十三式’？我哪里使出过‘清风十三式’来？你看错了，你眼睛一定有毛病。”

这就像小孩子偷糖吃，忽然被大人捉住，就只有撒赖，明明满嘴是糖，却硬说没有，明明知道大人不相信，还是要硬着头皮赖一赖。

谁知楚留香只笑了笑，居然也不再追问下去了。

金灵芝声音更大，瞪着眼道：“我问你，你是干什么的？八成也是那小偷的同党，说不定就是窝主，识相的就快把我那珍珠还来！”

人家不问她，她反而问起人家来了，这就叫“猪八戒倒打一耙”，自己心里有鬼的人，大多都会使这一套的。

楚留香还是不动声色，还是带着笑道：“窝主倒的确是有的，只不过……不是我。”

金灵芝道：“不是你是谁？”

楚留香道：“是……”

他伸出手，徐徐地画着圈子，指尖在每个人面前都像是要停下来，经过胡铁花面前的时候，胡铁花心里暗道："糟了。"

他方才说楚留香"活像猴子"，以为楚留香这下子一定要修理修理他了，谁知楚留香的手并没有在他面前停下来。

那脸色好像熟螃蟹一样的人也早已穿起了衣服，穿的是一件紫缎团花的袍子，腰上还系着根玉带。

他身材本极魁伟，脱得赤条条时倒也没什么，此刻穿起衣服来，紫红的缎袍配着他紫红色的脸，看来当真是相貌堂堂，威风凛凛，派头之大，门里门外几十个人就没有一个能比得上他的。

他本来已经想走了，怎奈门口有人打架，出路被堵住，想走也走不了，只有站在旁边瞧热闹。

只是他仿佛对楚留香有什么忌惮，始终不敢正眼去看楚留香，只听楚留香将"是"字拖得长长的，到现在才说出一个"他"字。

他发现每个人脸上都现出了惊讶奇怪之色，而且眼睛都在望着他，他也有些奇怪了，忍不住想瞧瞧楚留香手指的是谁。

他再也想不到，楚留香的手正不偏不倚指着他的鼻子！

只听楚留香悠然道："他不但是窝主，而且还是主使，那颗珍珠就藏在他身上！"

这紫袍大汉的脸立刻涨得比熟螃蟹更红了，勉强挤出一丝笑容，吃吃道："这……这位朋友真会开玩笑。"

楚留香板着脸，正色道："这种事是万万开不得玩笑的。"

紫袍大汉笑道："这位姑娘的珍珠是圆是方在下都未见过，阁下不是在开玩笑是什么？"

这人显然也是经过大风大浪的老江湖了，骤然吃了一惊，神情难免有些失措，但立刻就恢复了从容。

楚留香目光四扫，道："各位有谁看到过方的珍珠？……这位朋友若说连珍珠是圆的都不知道，那不但是在开玩笑，简直是在骗小孩子了。”

紫袍大汉看到别人脸上的神色，知道大家都已被这番话打动，他就算再沉得住气，此刻也不禁有些发急了，冷笑着道：“阁下如此血口喷人，究竟是什么意思？好在事实俱在，我也不必再多作辩驳……”

他一面说，一面往外走，似乎怒极之下，已要拂袖而去。

楚留香也没有拦他，只是放松了抓住金灵芝脉门的手。

只见剑光一闪，金灵芝已拦住了这紫袍大汉的去路，用剑尖指着他的鼻子，冷笑着道：“你想溜？溜到哪里去？”

紫袍大汉的脸被剑光一映，已有些发青，勉强笑道：“姑娘难道真相信了他的话？”

金灵芝道：“我只问你，珍珠是不是你偷的？”

紫袍大汉用眼角瞟了楚留香一眼，道：“我若说珍珠是这人偷的，姑娘可相信么？”

楚留香淡淡道：“珍珠若在我身上，就算是我偷的也无妨。”

紫袍大汉的心仿佛已定了，冷笑道：“如此说来，珍珠难道在我身上么？”

楚留香道：“那倒是一点也不假。”

紫袍大汉突然仰面大笑起来，道：“笑话……嘿嘿，这真是天大的笑话。”

楚留香道：“若从你身上将那珍珠搜出来，那就不是笑话了。”

他话未说完，那小丫头在旁边叫了起来道：“对，只有搜一搜才知道谁说的话是真？谁说的是假？”

紫袍大汉的脸色变了，跟着他来的那人，已忍不住冲了过来，反手握住腰上的佩刀，厉声道：“你们真的要搜？”

那小丫头眼睛笑眯眯瞟着楚留香，道：“只要不做贼心虚，搜一搜又有何妨？”

那人一瞪眼，似乎就想拔刀。

但紫袍大汉反而将他的手拉住了，抢着道：“要搜也无妨，但若搜不出呢？”

楚留香道：“若搜不出，就算我偷的，我若赔不出珍珠，就赔脑袋。”

紫袍大汉道：“各位都听到了，这话可是他自己说的。”

楚留香沉下了脸，道：“我说话一向言而有信，这点你想必也知道。”

紫袍大汉竟还是不敢正眼瞧他，转过头道：“好，你们来搜吧！”

那小丫头笑道：“是不是先得要他脱光了再搜？”

楚留香笑道：“那倒也不必，我知道珍珠就藏在他束腰的那根玉带里，只要他将那根玉带解下来看看就行了。”

紫袍大汉的脸色又变了，双手紧握着玉带，再也不肯放松，像是生怕被别人抢去似的。

那小丫头道：“解下来呀，难道你不敢么？”

金灵芝剑尖闪动，厉声道：“不解也得解！”

胡铁花一直在旁边笑嘻嘻地瞧着，此刻忽然道：“他当真敢不解下来，我倒佩服他的胆子！”

那佩刀的人又想动手了，但紫袍大汉又拦住了他，大声道：“好，解就解，但你自己方才说的话，可不能忘记。”

楚留香道：“既是如此，我就得亲手检查检查，这件事关系重大，我好歹也只有一个脑袋……各位说是不是？”

大家虽未点头，但目中已露出同意之色。

紫袍大汉跺了跺脚，终于解下玉带，道：“好，你拿去！”

这玉带对他实在是关系重大，方才他洗澡时都是带在手边的，平时无论如何他也不肯解下。

但此时此刻，众目睽睽之下，他若不解，岂非显得无私有弊？何况金灵芝手里的剑尖距离他面目还不及一尺。更何况他早已知道楚留香是谁了。

好在他自己知道自己根本连碰都没有碰那珍珠，方才也没有别人沾过他的身，他也不怕有人来栽赃。

玉带解下，他反倒似松了口气，斜眼瞪着楚留香，嘴角带着冷笑，好像已在等着要楚留香的脑袋了。

他却不知道想要楚留香脑袋的人何止他一个，但到现在为止，楚留香的脑袋还是好好地长在头上。

每个人的眼睛都在瞪着楚留香的手。

只见楚留香双手拿着那根玉带仔细瞧了几眼，突然高高举起，手一扳，只听“哧哧”之声不绝于耳，玉带中竟暴雨般射出了数十点寒星；接着就是“夺、夺、夺”一串急响，数十点寒星全都射入了屋顶，一闪一闪地发着惨碧色的光芒。

这暗器又多又急，瞧那颜色，显然还带着见血封喉的剧毒。别人与他交手时，怎会想到他腰中还藏着暗器，自是防不胜防。

旁边瞧的人虽然大多不是武林中人，但其中的厉害却是人人都可以想得到的，大家都不禁为之失色。

金灵芝冷冷道：“好歹毒的暗器，带这种暗器的，想必就不会是好人。”

紫袍大汉脸色又发青，亢声道：“暗器是好是歹都无妨，只要没有珍珠，也就是了。”

楚留香道：“各位现在想必已看出这玉带是中空的，珍珠就藏在里面……喏，各位请留心瞧着……”

他两只手忽然一扳，“嘣”的一声，玉带已断了，里面掉下了一样东西，骨碌碌在地上滚个不停。

眼快的人都已瞧见，从玉带里落下来的，赫然正是一粒龙眼般大小，光彩圆润夺目的珍珠！

紫袍大汉几乎晕了过去，心里又惊、又急、又痛。

痛的是他这“玉带藏针”得来极不容易，二十年来已不知救过他多少次命，帮他伤过了多少强敌。

制造这条玉带的巧手匠人，已被他自己杀了灭口，如今玉带被毁，再想同样做一根，已绝无可能了。

惊的是他明明没有偷这珍珠，珍珠又怎会从他玉带中落下呢？

珍珠既然在他玉带里，他再想不承认也不行了。这叫他如何不急？

紫袍大汉情急之下，狂吼一声，就想去抢那珍珠。

但别人却比他更快。

胡铁花横身一拦，迎面一拳，他急怒之下，章法大乱，竟未能避开，胡铁花这一拳正打在他肩头上。

只听“砰”的一声，他的人已被打得退出七八步去，若非那佩刀的人在旁边扶着，他就难免要仰天跌倒。

但胡铁花自己也暗暗吃了一惊，他自己当然很明白自己拳头上的力量，这一拳虽然只用了四五成力，已足以打得人在床上睡上个十天半个月的了，江湖中能挨得了他这一拳的人，只怕没几个。

这紫袍大汉挨了一拳，居然并没有什么事，不说他的暗器歹毒，单说他这一身硬功夫，已是武林中的一流高手。

那小丫头已乘机将珍珠捡了起来，送过去还给金灵芝。

楚留香面带微笑，道：“不知这珍珠可是姑娘失落的么？”

金灵芝铁青着脸，瞪着那紫袍大汉，厉声道：“你还有什么话说？”

紫袍大汉还未说话，那佩刀的人实在忍不住了，大喝道：“大爷们就算拿了你一颗珍珠，又有什么了不起！成千上万两的银子，大爷们也是说拿就拿，也没有人敢咬掉大爷的蛋去。”

金灵芝怒极反笑，冷笑道：“好，有你这句话就行了！”

话未说完，剑已刺出。只见剑光飘忽闪烁，不可捉摸。

她怒极之下，情不自禁，又赫然使出一招清风十三式。

楚留香和胡铁花交换了个眼色，会心微笑。

就在这时，突见人影一闪，一个人自门外斜掠了进来！这人来得好快！

金灵芝的剑早已刺出，但这人竟比她的剑还快。

只听“啪”的一声，金灵芝的剑竟被他的两只手夹住！

这一来连楚留香都不免吃了一惊。

这人身法之快，已很惊人，能以双手夹住别人的剑锋，更是惊人，但令楚留香吃惊的倒还不是这些。

金灵芝此刻所使的剑法，若不是“清风十三式”，倒也没什么，但她此刻用的正是“清风十三式”。

这种剑法的变化谁也捉摸不到，连楚留香也无法猜透她的剑路，但这人出手就已将她剑式制住，武功之高，简直不可思议。

只见这人长身玉立，轻衫飘飘，面上的笑容更是温柔亲切，叫人一见了他就会生出好感。

楚留香和胡铁花见了这人，又吃了一惊，他们绝未想到，这人竟是昨夜和枯梅大师同船而去的英俊少年丁枫！

金灵芝见了丁枫，也像吃了一惊，脸色立刻变了。

丁枫却微笑着道：“多日不见，金姑娘的剑法更精进了，这一招

‘柳絮飞雪’使得当真是神完气足，意在剑先，就连还珠大师只怕也得认为是青出于蓝。”

还珠大师正是金灵芝的七姑，“柳絮飞雪”也正是峨嵋嫡传剑法中的一招。旁边有几个练家子已在暗暗点头：“难怪这位姑娘剑法如此高卓，原来是峨嵋派的门下。”

但楚留香和胡铁花都知道金灵芝方才使出的明明是“清风十三式”中的第八式“风动千铃”。

“风动千铃”和“柳絮飞雪”骤眼看来，的确有些相似，但其中的精微变化，却截然不同！

这少年为何偏偏要指鹿为马呢？

丁枫又道：“这两位朋友，在下是认得的，但望金姑娘看在下薄面，放过了他们吧！”

金灵芝虽然满面怒容，居然忍了下来，只是冷冷道：“他们是小偷，你难道会有这种朋友？”

丁枫笑道：“姑娘这想必是误会了。”

金灵芝冷笑道：“误会？我亲眼看见的，怎会是误会？”

丁枫道：“这两位朋友虽然不及‘万福万寿园’之富可敌国，但也是拥资百万的豪富。像姑娘手里这样的珍珠，他们两位家里虽没有太多，却也不会太少。在下可以保证，他们两位绝不会是小偷。”

这几句话说得非但分量很重，而且也相当难听了。

她号称“火凤凰”，脾气的确和烈火差不多，见了这少年居然能将脾气忍住，更是别人想不到的事。

紫袍大汉和那佩刀的已走了过来，向丁枫长长一揖。

佩刀的人道：“多谢公子仗义执言，否则……”

紫袍大汉抢着笑道：“这件事其实也算不了什么，大家全是误会，现在虽已解释开了，在下今晚还是要摆酒向金姑娘赔礼。”

丁枫笑道："好极了，好极了……"

紫袍大汉道："却不知金姑娘肯赏光么？"

金灵芝"哼"了一声，还未说话，丁枫已代替她回答了，笑道："不但金姑娘今夜必到，在场这几位朋友，也一定要到，大家既然在此相会，也总算有缘，岂可不聚一聚？"

他忽然转身面对着楚留香，微笑道："不知这两位兄台可有同感么？"

楚留香笑道："只要有酒喝，我纵然不去，我这朋友也一定会拉我去的。"

胡铁花大笑道："一点也不错，只要有酒喝，就算喝完了要挨几刀，我也非去不可。"

丁枫笑道："好极了，好极了……"

突听一人说道："如此热闹的场面，不知道请不请我？"

这人站在人丛里，比别人都高着半个头，只因他的腿比别人都长得多，正是方才在水槽旁洗澡的那个人。

他此刻当然也穿上了衣服，衣着之华丽绝不在那紫袍大汉之下，手上还提着个三尺见方的黑色皮箱，看来分量极重，也不知里面装的是什么。

紫袍大汉目光闪动，大笑道："兄台若肯赏光，在下欢迎还来不及，怎有不请之理？"

那长腿的人笑道："既然如此，我先谢了，却不知席设哪里？"

紫袍大汉道："就在对面的'三和楼'如何？"

长腿的人道："好，咱们就一言为定。"

他含笑瞟了楚留香一眼，大步走了出去。

既然已没什么热闹好看了，大家也就一哄而散。金灵芝是和丁枫一齐走的，她似乎并不想和丁枫一齐走，但也不知为了什么，竟未拒绝。

直到大家全走光了，那佩刀的人才恨恨道："大哥，我真不懂你方才怎么能忍得下来的？就算那丫头是金老太婆的孙女，我兄弟难道就是怕事的人么？"

紫袍大汉叹了口气，接着道："你不知道，我所忌惮的并不是姓金的。"

佩刀的人道："不是姓金的，难道会是那满脸假笑的小子么？他毁了大哥的玉带，我早就想给他一刀尝尝了。"

紫袍大汉又叹了口气，苦笑道："幸好你没有那么样做……你可知道他是谁么？"

佩刀的人冷笑道："看他那副得意洋洋的样子，难道还会是楚留香不成？"

紫袍大汉沉着脸，一字字道："一点也不错，他正是楚留香！"

佩刀的人怔住了，再也说不出话来。

紫袍大汉也怔了半晌，嘴角泛起一丝狞笑，喃喃道："楚留香，楚留香，我们虽对付不了你，但总有人能对付你的，你若还能活三天，我就算你有本事！"

楚留香和胡铁花一转过街，胡铁花就忍不住问道："张三那小子呢？"

楚留香笑了笑，道："我叫他溜了。"

胡铁花笑道："我真想不出你是用什么法子叫他将那颗珍珠吐出来的。这小子也奇怪，什么人都不服就服你。"

楚留香微笑不语。

胡铁花道："但你那手也未免做得太绝了。"

楚留香道："你不认得那人？"

胡铁花道："我知道他认得你，所以虽然吃了哑巴亏，也不敢出声，但我却从来也没有见过他，倒觉得他怪可怜的。"

楚留香道："你若知道他是谁，就不会可怜他了。"

胡铁花道："哦？"

楚留香道："你可听说过，东南海面上有一伙海盗，杀人劫货，无恶不作？"

胡铁花道："紫鲸帮？"

楚留香道："不错，那人就是紫鲸帮主海阔天！他一向很少在陆上活动，所以你才没有见过他。"

胡铁花动容道："但这厮的名字我却早已听说过了，你方才为何不说出来？我若知道他就是海阔天，那一拳不把他打扁才怪。"

楚留香淡淡一笑，道："以后你总还有机会的，何必着急。"

胡铁花忽又笑了道："听说海阔天眼光最准，只要一出手，必定满载而归，可说是一等一的大强盗，今天却被你硬扣一顶'小偷'的帽子，他晚上回去想想，能睡得着才怪！"

楚留香笑道："他脱光时，我本未认出他，但一穿上衣服，我就知道他是谁了。我早已想治治他了，今天正是个机会。"

胡铁花道："但你为何又放他走了呢？"

楚留香道："我不想打草惊蛇。"

胡铁花沉吟着，道："海阔天若是草，蛇是谁？……丁枫？"

楚留香道："不错。"

胡铁花点点头道："此人的确可疑，他本在枯梅大师船上，船沉了，他却在这里出现；他本是去接枯梅大师的，现在枯梅大师却不见了。"

楚留香道："这也是我第一件觉得奇怪的事。"

胡铁花道："金灵芝和华山派全无渊源，却学会了华山派的不传之秘‘清风十三式’，而且还死也不肯认账。”

楚留香道：“这是第二件怪事。”

胡铁花道：“金灵芝本来是天不怕、地不怕的，但见了丁枫，却好像服气得很。她和丁枫之间，又有什么关系？”

楚留香道：“这是第三件。”

胡铁花道：“紫鲸帮一向只在海上活动，海阔天却忽然也在这里出现了；丁枫既然肯为他解围，想必也和他有些关系。他们怎会有关系的？”

楚留香道：“这是第四件。”

胡铁花想了想，道：“丁枫一出手就能夹住金灵芝的剑，显然对‘清风十三式’的剑路也很熟悉。他怎会熟悉华山派的剑法？”

楚留香道：“这是第五件。”

胡铁花道：“他明明知道那是华山派的‘清风十三式’，却硬要说它是峨嵋的‘柳絮剑法’，显然也在为金灵芝掩饰。他为的是什么？”

楚留香道：“这是第六件。”

胡铁花道：“他的双掌夹剑，用的仿佛是自扶桑甲贺谷传来的‘大拍手’，轻功身法却仿佛和昔年的血影人路数相同，又对华山派的剑法那么熟悉；这少年年纪虽轻，却有这么高的武功，而且身兼好几家的不传之秘，他究竟是什么来路？”

楚留香道：“这是第七件。”

胡铁花揉着鼻子，鼻子都揉红了。

楚留香道：“还有呢？”

胡铁花叹了口气，苦笑道：“一天之内就遇着了七件令人想不通的怪事，难道还不够？”

楚留香笑道：“你有没有想过，这七件事之间的关系？”

胡铁花道：“我的头早就晕了。”

楚留香道："这七件事其实只有一条线，枯梅大师想必就是为了追查这条线索而下山的。"

胡铁花道："哦？"

楚留香道："清风十三式本是华山派的不传之秘，现在却至少已有两个不相干的人知道了，这秘密是怎么会走漏的？枯梅大师身为华山掌门，自然不能不管。"

胡铁花恍然道："不错，枯梅大师下山，为的就是要追查'清风十三式'的秘传心法是怎么会给外人知道的。她为了行动方便，自然不能以本来身份出现了。"

楚留香道："知道'清风十三式'秘传心法的，只有枯梅大师和高亚男，枯梅大师自己当然绝不会泄露这秘密……"

胡铁花断然道："高亚男也绝不是这种人！"

楚留香道："她当然不是这种人，所以这件事只有一种可能。"

胡铁花道："什么可能？"

楚留香道："清风十三式的心法秘籍已失窃了。"

胡铁花长长吸了口气，道："不错，除了这原因之外，枯梅大师怎肯轻易出山？"

楚留香沉吟道："清风十三式既是华山派的不传之秘，它的心法秘籍收藏得必定极为严密……"

胡铁花抢着道："能有法子将它偷出来的人，恐怕只有'盗帅'楚留香了。"

楚留香苦笑道："我也没这么大的本事。"

胡铁花也苦笑道："这件事简直好像和'天一神水'的失窃案差不多了。"

楚留香道："骤然一看，两件事的确仿佛有些大同小异，其实却截然不同。"

胡铁花道：“有什么不同？”

楚留香道：“神水宫弟子极多，分子复杂，华山派却一向择徒最严，枯梅大师门下弟子一共也只不过有七个而已。”

胡铁花道：“不错。”

楚留香道：“神水宫的‘天一神水’本就是由‘水母’的门下弟子保管，‘清风十三式’的剑谱却一定是枯梅大师自己收藏的……”

胡铁花道：“不错，要偷清风十三式的剑谱，的确比偷‘天一神水’困难多了。”

楚留香道：“由此可见，偷这剑谱的人，一定比偷‘天一神水’的无花还要厉害得多。”

胡铁花道：“你想这人会不会是……丁枫？”

楚留香沉吟道：“纵然不是丁枫，也必定和丁枫有关系。”

他接道：“枯梅大师想必已查出了些线索，所以才会冒那‘蓝太夫人’的名到这里来和丁枫相见。”

胡铁花道：“如此说来，她只要抓住了丁枫，岂非就可问个水落石出？”

楚留香笑了笑道：“枯梅大师自然不会像你这么鲁莽，她当然知道丁枫最多也只不过是条小蛇而已，另外还有条大蛇……”

胡铁花道：“大蛇是谁？”

楚留香道：“到现在为止，那条大蛇还藏在草里，只有将这条大蛇捉住，才能查出这其中的秘密，捉小蛇是无用的。”

胡铁花沉思着点了点头，道：“枯梅大师现在的做法，想必就是为了要追出这条大蛇究竟藏在哪堆草里，所以她不能轻举妄动。”

楚留香笑道：“你终于明白了。”

胡铁花道：“但我们……”

楚留香打断了他的话，道：“我们也绝不能轻举妄动，因为这件事不但和枯梅大师有关，也和很多别的人有关。”

胡铁花道：“哦？”

楚留香道：“除了枯梅大师外，一定还有很多别人的秘密也落在这条大蛇的手里，和这件事有牵连的更都是极有身份的人物。”

胡铁花叹道：“不错，这件事的确比那‘天一神水’失窃案还要诡秘复杂得多。”

楚留香道：“最重要的是，无花盗取‘天一神水’，只不过是为了自己要用，这条大蛇盗取别人的秘密，却是为了出售！”

胡铁花愕然道：“出售？”

楚留香道：“你想，金灵芝是怎么会得到‘清风十三式’秘传心法的？”

胡铁花也不禁动容道：“你难道认为她是向丁枫买来的？”

楚留香道：“不错。”

他接着又道：“这种交易自然极秘密，丁枫想必早已警诫过她，不可将剑法轻易在人前炫露，但今天她情急之下，就使了出来。”

胡铁花恍然道：“所以她一见丁枫，就紧张得很，明明不能受气的人，居然也忍得住气了，为的就是知道自己做错了事。”

楚留香道：“正因为如此，所以丁枫才会故意替她掩饰。”

胡铁花笑了笑，道：“只可惜他无论怎样掩饰，纵能瞒得过别人，也瞒不过我们的。”

楚留香道：“丁枫现在还不知道我们是谁，不知道我们和华山派的关系，也许他还以为将我们也一齐瞒过了。”

胡铁花道：“但他迟早总会知道的。”

楚留香缓缓道：“不错，他迟早总会知道，等到那时……”

胡铁花变色道：“等到那时，他就一定要将我们杀了灭口了，是不是？”

楚留香淡淡一笑，道：“你的确还不算太笨。”

胡铁花冷笑道：“想杀我们的人可不止他一个，现在那些人呢？”

楚留香道：“那些人是那些人，丁枫是丁枫！”

胡铁花道：“丁枫又怎样，难道能比石观音，比血衣人更厉害？”

楚留香叹了口气，道：“丁枫也许不足惧，但那条大蛇……”

胡铁花大声道：“你怎么也长他人志气，灭自己威风起来了？……那条大蛇又怎样？难道能把我们吞下肚里去？”

楚留香沉声道：“甲贺谷的‘大拍手’、血影人的轻功心法，已都是武林中难见的绝技，‘清风十三式’更不必说了，他们能将这三种武功都学会，何况别的？一个人若能身兼数十家武功之长，这种人难道不比石观音他们可怕？”

胡铁花道：“哼！”

楚留香道：“何况，能学到这几种武功，那得要多大的本事？由此可见，那条大蛇的心机和手段，也必定非常人能及。”

胡铁花冷笑道：“阴险毒辣的人，我们也见得不少了。”

楚留香笑了笑，道：“我也不是真怕了他们，只不过能小心总是小心好些。”

胡铁花冷冷道：“你若再小心些，就快要变成老太婆了。”

楚留香笑道：“老太婆总是比别人活得长些，她若在三十三岁时就被人杀死，又怎会变成老太婆？”

胡铁花也笑了，道：“亏你倒还记得我的年纪，我这个人能够活到三十三岁，想来倒也真不容易。”

他叹了口气，接着道：“其实我也知道这件事不是好对付的，无论谁只要牵连进去了，再想要脱身，只怕就很难。”

楚留香道：“现在牵连到这件事里来的，据我所知，已有‘万福万寿园’、华山派、紫鲸帮，我不知道的，还不知有多少。”

胡铁花沉吟着，道："就算只有这些人，已经很了不得了。"

楚留香道："除此之外，我知道至少还有一个很了不得的人。"

胡铁花道："谁？"

楚留香道："这人现在就在我们身后。"

胡铁花吃了一惊，霍然转身，果然看到一个人早就跟在他们后面，他也看出，这人必定很有些来历。

这是条通向江岸的路，很是偏僻。

路旁杂草丛生，四下渺无人迹——只有一个人。

这人穿着件极讲究的软缎袍，手里提着个黑色的皮箱，衣服是崭新的，皮箱却已很破旧。

他的人很高，腿更长，皮肤是淡黄色的，黄得很奇怪，仿佛终年不见阳光，又仿佛常常都在生病。

但他的一双眸子却很亮，和他的脸完全不相称，就好像老天特地借了别人的一双眼睛，嵌在他脸上。

胡铁花笑了。

若是别人在后面盯他们的梢，他早就火了，但他对这人本来就没有恶感，此刻远远就含笑招呼着道："同船共渡，已是有缘，我们能在一个池子里洗澡，更有缘了，为何不过来大家聊聊。"

这人也笑了。

他距离胡铁花他们本来还很远，看来走得也不太快，但一眨眼间，就已走近了三四丈，再一眨眼，就已到了他们面前。

楚留香脱口赞道："好轻功！"

这人笑了笑，道："轻功再好，又怎能比得上楚香帅？"

楚留香含笑道："阁下认得我，我却不认得阁下，这岂非有点不公平？"

这人微微一笑道："我的名字说出来，两位也绝不会知道。"

楚留香道："阁下忒谦了。"

胡铁花已沉下了脸，道："这倒也不是忒谦，只不过是不愿和我们交朋友而已。"

这人抢着道："我绝非故意谦虚，更不是不愿和两位交朋友，只不过……"

他笑了笑，接着道："在下姓勾，名子长，两位可听过么？"

楚留香和胡铁花都怔住了。

"勾子长。"

这名字实在奇怪得很，无论谁只要听过一次，就很难忘记，他们非但没听过这名字，简直连这姓都很少听到。

勾子长笑道："两位现在总该知道，我是不是故意作状了。"

他接着又道："其实我这人从来也不知道'谦虚'两字，以我的武功，在江湖中本该已很有名才是，只不过，我根本就未曾在江湖走动过，两位自然不会听过我的名字。"

这人果然一点也不谦虚，而且直爽得很。

胡铁花最喜欢的就是这种人，大笑道："好，我叫胡铁花，你既认得楚留香，想必也知道我的名字。"

勾子长道："不知道。"

胡铁花笑不出了。

他忽觉得太直爽的人也有点不好。

幸好勾子长已接着道："但我也看得出，以胡兄你的武功在江湖中的名气绝不会在楚香帅之下……"

胡铁花忍不住笑道："你用不着安慰我，我这人还不算太小心眼……"

他瞪了楚留香一眼，板起了脸道："但你也不必太得意，我就算不如你有名，那也只不过是因为我酒比你喝得多，醉的时候比你多，所以风头都被你抢去了。”

楚留香笑道：“是是是，你的酒比我喝得多，每次喝酒，我喝一杯，你至少已喝了七八十杯。”

胡铁花道：“虽然没有七八十杯，至少也有七八杯。每次我看见你举起杯子，以为你要喝了，谁知你说几句话后，就又放了下去。”

他指着楚留香的鼻子道：“你的毛病就是话说得太多，酒喝得太少。”

楚留香道：“是是是，天下哪有人喝酒能比得上你？你喝八杯，我喝一杯，先醉倒的也一定是我。”

胡铁花道：“那倒一点也不假。”

勾子长忍不住笑了。

他觉得这两人斗起嘴来简直就像是个大孩子，却不知他们已发现路旁的杂树丛中有人影闪动，所以才故意斗嘴。

那人影藏在树后，勾子长竟全未觉察。

胡铁花和楚留香对望了一眼，都已知道这勾子长武功虽高，江湖历练却太少，他说“根本未在江湖走动”，这话显然不假。

但他既然从未在江湖走动，又怎会认得楚留香呢？

那时那人影已一闪而没，轻功仿佛也极高。

胡铁花向楚留香打了个眼色，道：“你说他可曾听到了什么？”

楚留香笑道：“什么也没有听到。”

勾子长咳嗽了两声，抢着道：“我非但未曾听说过胡兄的大名，连当今天下七大门派的掌门，我都不知道是谁。”

胡铁花失笑道：“那我心里就舒服多了。”

勾子长道：“当今天下的英雄，我只知道一个人，就是楚香帅。”

胡铁花道：“他真的这么有名？”

勾子长笑道：“这只因我有个朋友，时常在我面前提起楚香帅的大名，还说我就算再练三十年，轻功也还是比不上楚香帅一半。”

胡铁花微笑道：“这只不过是你那位朋友在替他吹牛。”

勾子长道：“我那朋友常说楚香帅对他恩重如山，这次我出来，他再三叮咛，要我见到楚香帅，千万要替他致意，他还怕我不认得楚香帅，在我临行时，特地将楚香帅的丰采描叙了一遍。”

他笑了笑，接着道：“但我见到楚香帅时，还是未能立刻认出来，只因……”

胡铁花笑着接道：“只因那时他脱得赤条条的，就像是个刚出世的婴儿，你那朋友当然不会是女的，又怎知他脱光了时是何模样？”

勾子长笑道：“但我一见到楚香帅的行事，立刻就想起来了。只不过……我到现在为止，还想不通那颗珍珠是怎会跑到玉带中去的。”

胡铁花道：“那只不过是变把戏的障眼法，一点也不稀奇。他一定是从住在天桥变戏法的‘四只手’那里学来的。所以他还有个外号叫‘三只手’，你难道没有听说过？”

勾子长道：“这……我倒未听敝友说起。”

楚留香笑道：“这人嘴里从来也未长出过象牙来，他的话你还是少听为妙。”

胡铁花道：“你嘴里难道就长得出象牙来？这年头象牙可值钱得很呢，难怪有些小姑娘要将你当作个活宝了。”

楚留香也不理他，问道：“却不知贵友尊姓大名，是怎会认得我的？”

勾子长道：“他叫王二呆。”

楚留香皱眉道：“王二呆？”

勾子长笑道：“我也知道这一定是个假名，但朋友贵在知心，只要他是真心与我相交，我又何必计较他用的是真名，还是假姓？”

楚留香点了点头，并没有再追问下去。

别人不愿说的事，他就绝不多问。

他们边谈边走，已快走到江岸边了。

风中传来一阵阵烤鱼的鲜香。

胡铁花笑道："张三这小子总算还是懂得好歹的，已先烤好了鱼，在等着慰劳我们了。"

"快网"张三的船并不大，而且已经很破旧。

但楚留香和胡铁花都知道，这条船是张三自己花了无数心血造成的。船上每一根木头、每一根钉子都经过仔细的选择，看来虽是破旧，其实却坚固无比，只要坐在这条船上，无论遇着多么大的风浪，楚留香都绝不会担心。

他相信张三的本事，因为他自己那条船也是张三造的。

船头上放着个红泥小火炉，炉子旁摆满了十来个小小的罐子，罐子里装着的是各式各样不同的作料。

炉火并不旺，张三正用一把小铁叉叉着条鱼在火上烤，一面烤，一面用个小刷子在鱼上涂着作料。

他似乎已将全副精神全都放在手里这条鱼上，别人简直无法想象"快网"张三也有如此聚精会神、全神贯注的时候。

楚留香他们来了，张三也没有招呼。

他烤鱼的时候，就算天塌下来，他也不管的，无论有什么事发生，他也要等鱼烤好了再说。

他常说："鱼是人人都会烤的，但我却比别人都烤得好，就因为我比别人专心。'专心'这两个字，就是我烤鱼最大的诀窍。"

楚留香认为无论做什么事的人，都应该学学他这诀窍。

香气愈来愈浓了。

胡铁花忍不住道："我看你这条鱼大概已经烤好了吧？"

张三不理他。

胡铁花道："再烤会不会烤焦？"

张三叹了口气，道："被你一打岔，一分心，这条鱼的滋味一定不对了，就给你吃吧！"

他将鱼连着铁叉子送过去，喃喃道："性急的人，怎么能吃得到好东西？"

胡铁花笑道："但性急的人至少还有东西可吃，总比站在一边干流口水的好。"

他也真不客气，盘膝坐下，就大嚼起来。

张三这才站起来招呼，笑道："这位朋友方才在澡堂里差点被我撞倒，我本该先烤条鱼敬他才是……你们为何不替我介绍介绍？"

勾子长道："我叫勾子长，我不吃鱼，一看到鱼我就饱了。"

张三怔了怔，大笑道："好，好，这位朋友说话真干脆，但不吃鱼的人也用不着罚站呀……来，请坐请坐，我这条船虽破，洗得倒很干净，绝没有鱼腥臭。"

他船上从来没椅子，无论什么人来，都只好坐在甲板上。

张三眼睛瞪着他的皮箱——这皮箱放下来的时候，整条船都似乎摇了摇，显见分量重得惊人。

勾子长笑道："我不是嫌脏，只不过我的腿太长，盘着腿坐不舒服。"

张三似乎全未听到他在说什么。

勾子长笑道："你一定在猜我这箱子里装的是什么，但你永远也猜不着的。"

张三似也觉得有点不好意思了，笑道："我知道箱子里装的至少不会是鱼。"

勾子长目光闪动，带着笑道："我可以让你猜三次，若猜出了，我就将这箱子送给你。"

张三笑道："我又不是神仙，怎么猜得出？"

他嘴里虽这么说，却还是忍不住猜着道："分量最重的东西，好像就是金子。"

勾子长摇了摇头，道："不是。"

他忽又笑了笑，接着道："就算将世上所有的黄金堆在我面前，我也绝不会将这箱子换给他。"

张三眼睛亮了，道："这箱子竟如此珍贵？"

勾子长道："在别人眼中，也许一文不值；在我看来，却比性命还珍贵。"

张三叹了口气，道："我承认猜不出了。"

他凝注着勾子长，试探着又道："如此珍贵之物，你想必也不会轻易给别人看的。"

勾子长道："但你迟早总有看得到的时候，也不必着急。"

他笑了笑，接着道："性急的人，是看不到好东西的。"

鱼烤得虽慢，却不停地在烤。胡铁花早已三条下肚了，却还是睁大了眼睛，在盯着火上烤的那条。

勾子长笑道："晚上'三和楼'还有桌好菜在等着，胡兄为何不留着点肚子？"

胡铁花笑道："这你就不懂了，世上哪有一样菜能比得上张三烤鱼的美味？"

他闭上眼睛，摇着头，道："熊掌我所欲也，鱼亦我所欲也，若是张三烤的鱼，舍熊掌而食鱼矣！"

张三失笑道："想不到这人倒还有些学问。"

胡铁花悠然道："我别的学问没有，吃的学问却大得很，就算张三烤的鱼并不高明，我也先吃了再说。能吃到嘴的鱼骨头，也比飞着的鸭子好。"

他忽然又瞪起眼睛道："你们以为今天晚上那桌菜是好吃的么？菜里若没有毒，那才真是怪事了。"

楚留香忽然道："这罐醋里怎么有条蜈蚣？难道你也想毒死我？"

醋里哪有什么蜈蚣？

胡铁花第一个忍不住要说话了，楚留香却摆了摆手，叫他闭着嘴，然后就拿起那罐醋，走到船舷旁。

谁也猜不出他这是在做什么，只见他将整罐醋全都倒了下去。

"这人究竟有了什么毛病了？"

胡铁花这句话还未说出来，就发现平静的江水中忽然卷起了一阵浪花，似乎有条大鱼在水里翻跟斗。

接着，就有个三尺多长、小碗粗细的圆筒从水里浮了起来。

圆筒是用银子打成的，打得很薄，所以才会在水中浮起。

胡铁花立刻明白了，道："有人躲在水里用这圆筒偷听？"

楚留香点了点头，笑道："现在他只怕要有很久听不到任何声音了。"

水里听不见水上的声音，只有将这特制的银筒套在耳朵上伸出水面，水上的声音就会由银筒传下去。

但他却再也想不到上面会灌下一罐醋。

胡铁花笑道："耳朵里灌醋，滋味虽不好受，但还是太便宜了那小子。若换了是我，一定将这瓶辣椒油灌下去。"

张三叹了口气，喃喃道："没有辣椒油倒还无妨，没有醋，鱼就烤不成了。"

勾子长早已动容，忍不住说道："香帅既已发现水中有人窃听，为何不将他抓起来问问，是谁派他来的？”

楚留香淡淡一笑，道：“问是绝对问不出什么的，但纵然不问，我也知道他是谁派来的了。”

勾子长道：“是谁？”

楚留香还未说话，突见两匹快马，沿着江岸疾驰而来。

马上人骑术精绝，马也是千中选一的好马，只不过这时嘴角已带着白沫，显然是已经过长途疾驰。

经过这条船的时候，马上人似乎说了两句话。

但马驰太急，一眨眼间就又已奔出数十丈外，谁也没有这么灵的耳朵。

只有一个人是例外。

胡铁花自然知道这人是谁，问道：“老臭虫，他们说的是什么？”

楚留香道：“那有胡子的人说，‘帮主真的在那条船上？’没胡子的人说，‘只希望……’”

胡铁花道：“只希望什么？”

楚留香笑道：“抱歉得很，下面的话，我也听不清了。”

胡铁花摇了摇头，道：“原来你的耳朵也不见得有多灵光。”

但勾子长已怔住了。

他简直想不通楚留香是怎么能听到那两人说话的，非但听到了那两人说话，还看出了谁有胡子，谁没胡子，还能分辨话是谁说的。

勾子长简直佩服得五体投地。

楚留香忽然又道：“你可看出这两人是从哪里来的么？”

胡铁花和张三同时抢着道：“自然是‘十二连环坞’来的。”

两人相视一笑，胡铁花接着道：“奇怪的是，武老大怎会到江上来了？”

勾子长又怔住了，忍不住问道：“十二连环坞是什么地方？”

胡铁花道："十二连环坞就是'凤尾帮'的总舵所在地。"

勾子长道："凤尾帮？"

胡铁花道："凤尾帮乃是江淮间第一大帮，历史之悠久，几乎已经和丐帮差不多了，而且行事也和丐帮差不多，正派得很。"

勾子长道："武老大又是谁呢？"

胡铁花道："武老大就是武维扬，也就是凤尾帮的总瓢把子。"

张三接着道："此人不但武功极高，为人也极刚正，可算得上是个响当当的好汉子，我若见到他，一定请他吃条烤鱼。"

胡铁花道："你要知道，想吃张三的烤鱼，并不容易，'神龙帮'的云从龙已想了很多年，就硬是吃不到嘴。"

张三道："其实云从龙也并不是什么坏东西，只不过他以为我既然在长江上混，就该听他的话，我就偏偏要叫他看到吃不到。"

勾子长道："神龙帮就在长江上？"

张三道："不错，神龙帮雄踞长江已有许多年了，谁也不敢来抢他们的地盘，武维扬就因为昔年和神龙帮有约，才发誓绝不到长江上来。"

胡铁花道："但他今天却来了，所以我们才会觉得奇怪。"

勾子长道："可是……你们又怎知道那两骑一定是从'十二连环坞'来的呢？"

胡铁花问道："你可看到，他们穿的是什么样的衣服？"

勾子长道："好像是墨绿色的衣服，但穿墨绿色衣服的人也很多呀。"

胡铁花道："他们的腰带却是用七根不同颜色的丝绦编成的，那正是'凤尾帮'独一无二的标志。"

勾子长怔了半晌，长长叹了口气，苦笑道："你们的眼睛好快……”

张三淡淡地说道：“要在江湖中混，非但要眼睛快，还要耳朵长，单凭武功高强是绝对不够的……”

突听蹄声响动，两匹马自上流沿岸奔来。

马上却没有人。

这两匹马一花一白，连勾子长都已看出正是方才从这里经过的，现在又原路退回，但马上的骑士怎会不见了呢？

勾子长忽然从船头跃起，横空一掠，已轻轻地落在白马的马鞍上，手里居然还提着那黑色的皮箱。

只听耳畔一人赞道：“好轻功！”

他转头一瞧，就发现胡铁花也已坐到花马的马鞍上，笑嘻嘻地瞧着他。

两人相视而笑，同时勒住了马。

这时楚留香才慢慢地走了过来，笑道：“两位的轻功都高得很，只不过勾兄更高一筹。”

胡铁花笑道：“一点也不错，他手里提着个几十斤重的箱子，自然比我吃亏多了。”

勾子长居然并没有现出得意之色，翻身下马道：“香帅深藏不露，功夫想必更深不可测，几时能让我开开眼界才好。”

胡铁花笑道：“你以为他真是深藏不露？告诉你，他只不过是个天生的懒骨头而已。能躺下的时候，他绝不坐着；能走的时候，他绝不会跑。”

楚留香笑道：“能闭着嘴的时候，我也绝不乱说话的。”

勾子长目光闪动，忽然道：“香帅可知道这两匹马为何去而复返？马上的骑士到哪里去了？”

楚留香道：“勾兄想必也已看出，他们只怕已遭了别人毒手！”

胡铁花动容道："你们已看出了什么？怎知他们已遭了毒手？"

勾子长指了指白马的马鞍，道："你看，这里的血渍还未干透，马上人想必已有不测。"

马鞍上果然是血渍斑斑，犹带殷红。

胡铁花叹了口气，道："你学得倒真不慢，简直已像是个老江湖了。"

勾子长苦笑道："我只不过是恰巧站在这里，才发现的，谁知香帅谈笑之间就已看到了。"

楚留香沉声道："武维扬强将手下无弱兵，这两人骑术既精，武功想必也不弱，两骑来去之间，还未及片刻，他们就已遭了毒手……"

胡铁花抢着道："去瞧瞧他们的尸体是不是还找得到……"

一句话未说完，已打马去远。

勾子长道："纵能找得到他们的尸体，又有什么用？"

楚留香道："能找到他们的尸体，就能查出他们的致命之伤在哪里，是被什么兵刃所伤的，也许就能猜出杀他们的人是谁了。"

勾子长默然半晌，长叹道："看来我要学的事，实在太多了……"

第三章

推　测

江岸风急，暮色渐浓。

胡铁花放马而奔，沿岸非但没有死人的尸首，连个活人都瞧不见。

江上的船只也少得很。

“还不到一顿饭的时候，那两匹马就已去而复返，显然并没有走出多远，就已被人截击，他们的尸首怎么会跑到这么远的地方来？”

胡铁花终于还是想通这道理了，立刻勒转马头，打马而回。

走了还没有多久，他就发现楚留香、勾子长、张三都围在岸边，那两个骑士的尸首，赫然就在他们的脚下。

胡铁花觉得奇怪极了，来不及翻身下马，已大呼道：“好小子，原来你们找到了，也不招呼我一声，害我跑了那么多冤枉路。”

楚留香笑了笑，道：“你好久没有马骑了，我还以为你想乘此机会骑骑马又兜兜风哩，怎么敢打断你的雅兴！”

胡铁花只好装作听不懂，一掠下马，道：“你们究竟是在哪里找到的？”

张三道：“就在这里。”

胡铁花道：“就在这里？我怎么会没有瞧见？”

张三笑道：“你杀了人后，难道会将尸体留在路上让人家看么？”

他摇了摇头，喃喃道：“想不到这人活了三十多岁，还是这种火烧屁股的脾气。”

胡铁花叫了起来，道：“好呀，连你这小子也来臭我了，你是什么东西？下次你偷了别人的珍珠，看我还会不会替你去顶缸？”

他刚受了楚留香的奚落，正找不着出气的地方。

张三正是送上门来的出气筒。

勾子长还不知道他们的交情，也不知道他们没事就斗嘴，只不过是为了松弛紧张的神经，已抢着来解围了，道：“这两人的尸首，都是从水里捞起来的。”

胡铁花道：“哦。”

其实他也早已看到这两具尸首身上都是湿淋淋的，又何尝不知道尸首必已被抛入江水中。

勾子长又道：“那凶手还在他们衣服里塞满了沙土，所以一沉下去，就不再浮起，若非香帅发现地上的血渍，谁也找不到的。”

胡铁花淡淡道：“如此说来，他的本事可真不小，是不是？”

勾子长叹了口气，道：“香帅目光之敏锐，的确非人能及。”

胡铁花道：“你对他一定佩服得很，是不是？”

勾子长道：“实在佩服已极。”

胡铁花道：“你想跟着他学？”

勾子长道：“但愿能如此。”

胡铁花也叹了口气，道：“你什么人不好学，为什么偏偏要学他呢？”

勾子长笑了笑，还没有说话。

突见一道淡青色的火光冲天而起，在暮色中一闪而没。

这时天还没有完全黑，火光看来还不明显。

但勾子长的面色却似已有些变了，突然拱了拱手，笑道：“我还有事，得先走一步。香帅、胡兄，晚上‘三和楼’再见了。”

话未说完，身形已展动。

只见他两条长腿迈出几步，人已远在二三十丈外，眨眼就不见踪影，胡铁花就算还想拉住他也已来不及了。

过了很久，张三才长长叹息了一声，道：“凭良心说，这人的轻功实在不错。”

楚留香道：“的确不错。”

张三道：“看他的轻功身法，似乎和中土各门各派的都不同。”

楚留香道：“是有些不同。”

张三道：“他这种轻功身法，你见过么？”

楚留香摇了摇头，微笑道：“我没有见过的武功很多……”

胡铁花忽然道：“我看他非但轻功不弱，马屁功也高明得很。”

楚留香道：“哦？”

胡铁花道：“你以为他真的很佩服你么？”

他冷笑着接道：“他故意装成什么都不懂的样子，故意拍你的马屁，讨你的好，想必对你有所图谋，我看你还是小心的好。”

楚留香笑了笑，道：“也许他真的佩服我呢？你又何必吃醋？”

胡铁花哼了一声，摇头道：“‘千穿万穿，马屁不穿’，这句话可真是一点也不错。但‘不听老人言，吃苦在眼前’。等你上了当时，莫怪我话未说在前头。”

楚留香道：“这只怪他没有拍你的马屁，所以你事事看他不顺眼了。”

张三也笑了，却又皱眉道：“但我看这人的行踪也有些可疑，那只箱子里面更不知有什么古怪，你至少也该问问他的来历才是。”

楚留香淡淡道：“这倒用不着我们费心，自然有别人会问他的。”

张三道：“谁？”

楚留香道："丁枫！"

胡铁花道："今晚他若不到'三和楼'去呢？"

楚留香笑道："他肚子里又没有美酒烤鱼，怎肯放过白吃一顿的机会？"

胡铁花看了看地上的尸首，问道："你可找到了他们致命的伤痕？"

楚留香道："就在左肋。"

胡铁花扳起尸体来一瞧，只见两人左肋上果然都有个铜钱般大小的伤口，血已流尽。

伤口已被江水冲得发白，看来深得很。

胡铁花道："这是箭伤。"

楚留香道："嗯。"

胡铁花道："这一带两岸水都很浅，至少要离岸十丈外，才能行船。"

张三道："至少要二十丈外。"

胡铁花道："那人一箭自二十丈外射来，就能穿透他们的肋骨，取了他们的性命，这手劲倒也少见得很。"

楚留香道："的确少见得很。"

胡铁花又道："看他们的伤口，那人用的显见是特大的箭镞；箭的分量沉重，射箭的弓，想必也是柄强弓。"

楚留香道："他用的至少是五百石的强弓。"

胡铁花道："江湖中，能用这种强弓大箭的人并不多。"

楚留香道："的确很少人有这种臂力，能挽得起五百石的强弓。"

胡铁花道："就算有人能挽得起这种强弓，也没有这种准头，能在二十丈外取人的性命，而且令人闪避都无法闪避。"

楚留香道："不错。"

胡铁花长长吐出口气，道：“既然如此，这件事岂非已很明显了？”

楚留香道：“很明显？我倒不觉得……”

胡铁花道：“你还想不出那人是谁？”

楚留香道：“想不出。”

胡铁花面上不禁露出得意之色，道：“除了武维扬还有谁！”

楚留香皱眉道：“你是说武维扬杀了他们？”

胡铁花道：“不错，武维扬臂力之强，天下皆知，用的正是把五百石的强弓，壶中十三根‘凤尾箭’更是百发百中。昔年与‘神龙帮’决斗，七阵中虽败了五阵，但武维扬十三箭射落了神龙帮十三条船的主篷，也吓得神龙帮心胆俱寒，否则云从龙挟大胜之余威，又怎肯和凤尾帮订下互不侵犯的条约？”

他笑着接口道：“这件事非但是武维扬生平得意之作，也是当年轰动江湖上的大消息，你难道已忘了么？”

楚留香道：“倒也没有忘记。”

胡铁花大笑道：“既然没有忘记，你怎会没有想到这件事就是武维扬下的手？我看你的脑袋这两年来只怕已被酒色掏空了。”

张三听得眼睛发呆，脱口赞道：“这两年来，小胡果然变得聪明多了！”

胡铁花更得意了，又道：“还有，武维扬想必也知道自己用的‘凤尾箭’太引人注目，所以杀了他们后，还要将箭拔出来，再毁尸灭迹，为的就是要人想不到他是凶手。”

张三抚掌道：“有道理。”

胡铁花笑道：“这件事我只有一点想不通。”

张三道：“哪一点？”

胡铁花道：“这两人既是他的手下，他为什么要杀他们呢？”

张三沉吟着，眼睛瞧着楚留香，道："你知不知道他是为了什么？"

楚留香道："我什么都不知道，我只知道杀他们的人，绝不是武维扬！"

胡铁花叫了起来，道："不是武维扬是谁？你这人的脑袋怎么忽然变成了块木头？"

楚留香道："这两人一路急奔，为的就是要追上武维扬，是不是？"

胡铁花道："不错，只可惜他们真的追上了，否则也不会遭了武维扬的毒手。"

楚留香又道："他们既然是为了追武维扬的，追上之后，见着了武维扬，自然一定要停下来招呼，是不是？"

胡铁花道："不错。"

楚留香道："他们停下来招呼时，一定是面对着武维扬的，是不是？"

胡铁花道："不错。"

楚留香道："他们既然是面对着武维扬的，武维扬一箭射来，又怎会射入了他们的左肋？"

胡铁花怔住了，面上的得意之色立刻连半点都瞧不见了。

张三失笑道："也许武维扬射出来的箭会半途转弯的。"

胡铁花瞪了他一眼，似乎想咬他一口。

楚留香道："还有，武维扬纵横江湖已有二十多年，可算是一等一的老江湖了，他若真想毁尸灭迹，又怎会被我们发现？"

张三笑道："他也许是喝醉了酒。"

胡铁花瞪眼道："还有没有？"

楚留香道："还有，这两匹马是向前疾驰，这两人受伤坠马之后，两匹马本该是向前跑才对，又怎会忽然回头了呢？”

张三笑道：“也许这两匹马也是吃荤的，不吃草，也想吃吃我的烤鱼。”

胡铁花已跳了起来，大声道：“好，好，好！你们两个都比我聪明，你们就告诉我这是怎么一回事吧！”

楚留香道：“射箭的人，必定是藏在岸边的人。这两人一路疾驰，什么也没有瞧见，骤出不意，是以才会被他一箭射入左肋。”

胡铁花道：“哼！”

楚留香道：“这人用的虽是大箭，却未必是强弓，因为他们之间相距根本就没有二十丈。”

张三道：“非但没有二十丈，也许连两丈都没有。在两丈之内，我射出去的箭也准得很！”

楚留香道：“他如此做，为的就是要让我们以为这是武维扬下的手，所以，他才故意在岸边留下些血渍，好让我们找到这两人的尸身。”

张三道：“他还怕我们不找到这里来，所以才故意将两匹空马放回，还故意在马鞍上也留下些血渍，是不是？”

楚留香道：“不错，否则这两人左肋中箭，血又怎会滴到马鞍上去？”

胡铁花不说话了。

张三道：“但这件事我也有一点还没有想通。”

楚留香道：“哪一点？”

张三道：“他杀了这两人，本是神不知，鬼不觉的，为什么一定要我们知道？”

胡铁花忍了忍，终于还是忍不住道：“因为他知道我们已瞧见了这两人，怕我们追究。”

张三道："这道理勉强也说得通，但这两人就算真是武维扬杀的，也是他们'凤尾帮'的事，别人也无法插手，他嫁祸给武维扬又有什么用？"

胡铁花又说不出话来了。

楚留香缓缓道："他们这样做，既不是为了怕我们追究，也不是想嫁祸给武维扬。"

张三道："那么，他们是为了什么？"

楚留香道："只为了要我们知道武维扬还活着。"

张三和胡铁花对望了一眼，显见都没有听懂他这句话的意思。

楚留香接着道："若是我猜得不错，武维扬想必已死了！"

张三动容道："你说武老大也已遭了他们毒手？"

楚留香道："不错，但他们还不想让别人知道，也许还另有图谋，所以才这样做。我们若相信这两人真是武维扬杀的，那么武维扬自己当然就还没有死了，以后若有人问起武维扬的死活，我们就一定会证明武维扬还活着的！"

他叹了口气，接道："这些人心计之深、手段之毒、计划之周密，固然都可怕得很，最可怕的还是，到现在为止，还没有人知道他们图谋的究竟是什么？"

张三伸了伸舌头，笑道："幸好今天晚上他们没有看清我……"

船头上的炉火犹未熄。

张三拍着胡铁花的肩头，笑道："现在时候还不算晚，再到我船上去吃两条鱼如何？"

胡铁花笑道："今天我还想留着肚子去吃那些孙子，等明天再来吃你这孙子吧！"

张三喃喃道："今天你若错过机会，明天只怕就吃不到了……"

他摇着头，叹着气，慢慢地走上船，居然唱起歌来。仔细一听，他唱的竟是：“风萧萧兮易水寒，壮士一去兮不复还……”

胡铁花笑骂道：“这小子才真是狗嘴里吐不出象牙来，我就不信‘三和楼’上，真有人能够要了我们的命去。”

楚留香沉默了半晌，忽然笑道：“我倒想再吃他两条鱼，这机会也许真不多了……”

突听一声轻呼，张三刚走入船舱，又退了出来，面上虽有惊异之色，还是带着笑道：“我这船上连半件值钱的东西都没有，朋友若想来光顾，那可真是抱歉得很了。”

胡铁花瞟了楚留香一眼，失笑道：“想不到今天梁上君子也遇着了小偷。”

两人掠上船头，就发现果然有个人蜷伏在船舱的角落里。

船舱里还没有点灯，暗得很，他们也瞧不清这人的面貌和身形，只瞧见了一双眼睛——

一双亮晶晶的眼睛。

无论谁都很少能见到如此明亮、如此美丽的眼睛，只可惜现在这双眼睛却充满了惊慌和恐惧，看来自然远不及平时那么动人。

张三笑道：“我这里什么都没有，只有几只破袜子，姑娘若不嫌臭，就请带走吧，赖在这里，可没有好处的。”

船舱里的人既不动，也不走，竟似赖定在这里了。

张三皱眉道：“你还不想走？”

船舱里的人很快地摇了摇头。

张三道：“你究竟想在这里干什么？非等着我轰你出去不可？”

他似乎真的要进去赶人了，胡铁花却一把拉住了他，瞪眼道：“你这人是不是有毛病？”

张三怔了怔，道：“毛病？什么毛病？”

胡铁花道：“若有这么美丽的女孩子肯赏光到我家去，我想尽法子留住她还来不及，怎么能板下脸来赶人家走呢？”

张三失笑道：“你听见没有，我虽然是个大好人，这小子却是个大色狼，我劝你还是快走吧，愈快愈好。”

除了鱼和珍珠外，张三对别的本都没兴趣。

谁知船舱里的人儿还是在摇着头。

胡铁花笑了，道：“姑娘千万莫听他的，我这人只不过是喜欢交朋友而已。只要姑娘高兴，随便在这里耽多久都没关系，我保证他绝不敢对你无礼。”

他以为船舱里的这人一定会对他很感激了，谁知这位姑娘竟似全不知好歹，反而狠狠地瞪了他一眼。

就在这一瞬间，胡铁花忽然发觉这双眼睛看来竟熟悉得很，仿佛是在什么地方见过的。

他还未说话，楚留香已问道：“是金姑娘？”

船舱里的人果然点了点头。

胡铁花也想起来了，失声说道：“对了，就是那个凶姑娘，她一凶起来，一瞪起眼睛，我就认出她是谁来了。张三……”

他再回过头去找张三，张三早已溜之大吉。

楚留香道：“金姑娘为何会到这里来了呢？”

金灵芝还是躲在那里，不肯说话。

胡铁花沉下了脸，冷哼道：“像金姑娘这么尊贵的人，居然会到这里来，倒真是怪事，莫非还是想来要我的命么？”

金灵芝眨了眨眼，眼圈竟似已有些红了。

她居然又忍住了没有发脾气。

这强横霸道的大姑娘，此刻看来竟有些可怜兮兮的样子。

胡铁花的心立刻软了。

他的心本来就不太硬，尤其是见到女孩子时，软得更快，本来还想板着脸的，怎奈脸上的肉已不听指挥，展颜笑道："这里虽然没有什么好东西，但烤鱼却还不错，金姑娘只要不发脾气，无论要什么都好商量。"

金灵芝又眨了眨眼，目中竟流下泪来。

一见到女人的眼泪，胡铁花非但心软，人也软了，柔声道："金姑娘若还是在对我生气，就算打我几下出气也没关系。"

楚留香笑了笑，道："但金姑娘只怕并不是来找你的。"

胡铁花瞪眼道："不是找我的，难道是找你的？她找你干什么？"

楚留香也不理他，沉声道："金姑娘莫非遇着了什么意外？"

金灵芝果然又点了点头。

胡铁花抢着道："难道有人敢对金姑娘无礼？"

金灵芝垂下头，竟似已在轻轻啜泣。

胡铁花道："难道金姑娘不是那些人的对手，所以才躲到这里来的？"

金灵芝的身子往后缩了缩，似乎在发抖。

胡铁花大声道："是谁欺负金姑娘，是不是丁枫那小子？"

金灵芝既未点头，也未摇头，泣声却更悲哀。

胡铁花大怒道："那小子胆子可真不小，金姑娘，有我们在这里，你什么都不必怕……"

他愈说火气愈大。

看到有人欺负女孩子，他的火气一发，就简直不可收拾，恨恨道："那小子现在在哪里？你带我们找他去！"

金灵芝的身子又往后缩了缩，就像是只已被追得无处可逃的小羊，好容易找到了个可以藏身之地，哪里还肯出来？

胡铁花皱眉道："金姑娘莫非已受了伤？"

金灵芝颤声道："我……"

一个字刚说出，就忍不住轻呼了一声，似已痛得无法忍受。

胡铁花动容道："你伤在哪里，让我瞧瞧，要不要紧？"

他嘴里说着话，已一头钻入了船舱。

船舱里的地方不大，而且果然有种很特别的臭气——单身汉住的地方，大多都有这种臭气。

像金灵芝这样的千金小姐，若非已被人逼急了，就算捏住她的鼻子，她也是万万不肯到这里来的。

胡铁花暗中叹了口气，柔声道："我虽不是名医，但却也会治伤的；金姑娘你只管放心，将伤势让我瞧瞧，我总有法子治好。"

金灵芝挣扎着，伸出了腿，颤声道："他……他想杀我，一刀险些将我的腿砍断了。"

胡铁花咬牙道："好小子，好狠的心……"

船舱里暗得很，他蹲下去，还是瞧不清金灵芝腿上的伤在哪里，皱眉道："张三，你这鬼地方难道连盏灯都没有么？"

他想去摸摸她腿上的伤势，谁知他手刚伸出，金灵芝这条已受了重伤的腿突然能动了，非但能动，而且还动得很快、很有力，飞起一腿，就踢在胡铁花的肩井穴上，接着又是一腿，将胡铁花踢得滚了出去，用的竟是正宗的北派鸳鸯腿。

胡铁花连一声惊呼都未发出，已被制得不能动了。

只见剑光一闪，一柄长剑已抵住了他的咽喉。

金灵芝的眼睛又已瞪了起来，厉声道："你这色狼，你敢摸我的腿？你难道忘记我是什么人了？"

胡铁花叹了口气，苦笑道："我什么都未忘记，只忘记你是个女人了。男人想帮女人的忙，就是在自找麻烦；若相信了女人的话，更是活该倒霉！”

金灵芝冷笑道：“你算是什么东西，我会要求你帮我的忙？就是天下的人都死光了，我也不会找到你的。”

她忽然扭转头，大喝道：“站在那里不许动，动一动我就先要他的命！”

其实楚留香根本就没有动。

他发觉不对的时候，再想出手已来不及了。

金灵芝瞪着眼睛道：“我问你，这人是不是你的好朋友？”

楚留香叹道：“看来，我就算想不承认也没有法子了！”

金灵芝道：“你想要他活着，还是想他死？”

胡铁花抢着道：“他当然是想我活着的，我若死了，还有谁来跟他斗嘴？”

楚留香道：“不错，他若死了，我就太平了。只可惜我这人一向过不得太平日子。”

金灵芝道：“好，你若想救他，先去将那张三找来再说。”

这句话刚说完，张三已出现了，苦着脸道：“我也不想他死，我的朋友里还没有他这样的呆子，再想找这么样一个也不是容易事。”

胡铁花也叫了起来，道：“我究竟是色狼，还是呆子？”

张三道：“你是个呆色狼，色呆子，一个人就已身兼两职。”

胡铁花笑道：“若有薪饷可拿，身兼两职倒也不是坏事。”

金灵芝目光闪动，居然没有插嘴。

只因她实在也听得怔住了。

若是别人，落到他们这种情况，纵然不吓得浑身发抖，面如死灰，也一定难免急得愁眉苦脸。

谁知这几人还是在嘻嘻哈哈地开玩笑，仿佛已将这种事当作家常便饭，根本就没有放在心上。

胡铁花居然还笑得很开心。

金灵芝的手一紧，剑尖就几乎刺入了胡铁花的咽喉，厉声叱道："你们以为我不敢杀他，是不是？"

张三叹了口气，喃喃道："你当然敢，连男人洗澡的地方你都敢闯进去，天下还有什么是你不敢做的事？"

金灵芝怒道："你叽叽咕咕在说些什么？"

张三赔笑道："我说金姑娘本是位女中豪杰，杀个把人有什么稀奇？只求姑娘莫要逼我跳到这条江里去，我什么东西都往这里倒的。"

金灵芝眼珠子一转，道："你既然明白就好，快跳下水里去洗个澡吧！"

张三失声道："什么？洗澡……在下半个月前刚洗过澡，现在身上还干净得很。"

金灵芝厉声道："你想救他的命，就快跳下去，少说废话。"

张三哭丧着脸道："可是……可是现在天已凉了，这条江里又脏得很……"

金灵芝冷笑道："若是不脏，我也不要你跳了。"

张三道："为……为什么？"

金灵芝道："你害我在这里嗅了半天臭气，我怎么能轻易放过你？"

张三道："但我并未请姑娘来呀！"

金灵芝怒道："你为何不将这地方收拾干净？"

张三道："我怎么知道姑娘要来呢？"

金灵芝道："不管，不管，我只问你，你是跳？还是不跳？"

张三又叹了口气，喃喃地说道："这位姑娘可真真蛮不讲理，我看将来她老公一定难免要被她活活气死。"

金灵芝瞪眼道："你又在嘀咕些什么？"

张三赶紧赔笑道：“我只是在说，姑娘的吩咐，有谁敢不听呢？”

他一只手捏着鼻子，竟真的“扑通”一声，跳入江里。

但金灵芝的火气还是一点也没有消，瞪着楚留香道：“现在轮到你了！”

楚留香苦笑道：“姑娘难道也想要我跳下去洗个澡？”

金灵芝冷笑道：“你就没有那么便宜了。”

楚留香道：“姑娘要我怎样？”

金灵芝道：“我只想要你替我拿样东西，你若答应了我，我就立刻放了他。”

楚留香松了口气，道：“却不知姑娘要我去拿的是什么？”

金灵芝道：“桃子。”

楚留香怔了怔，道：“桃子？什么桃子？”

金灵芝道：“当然是吃的桃子，你难道连桃子都没听说过么？”

楚留香笑了，道：“现在虽不是出桃子的时候，但姑娘若一定想要，总还找得到的。”

金灵芝悠然道：“只不过我要的桃子稍微有些特别而已。”

楚留香道：“什么特别？”

他似乎忽然想到了什么，脸色已经变了，失声道：“姑娘要的，莫非是西方星宿海、极乐宫里的玉蟠桃？”

金灵芝道：“不错。”

楚留香倒抽了口凉气，苦笑道：“姑娘要的桃子，的确特别得很。”

金灵芝淡淡道：“若不特别，我也就不要了。”

她接着又道：“半个月后，就是我祖母的八旬华诞之期，我哥哥姐姐、叔叔伯伯，都已准备了一份特别的寿礼，我怎么能没有？”

楚留香叹道：“姑娘若能以极乐宫的玉蟠桃为寿礼，那自然是出色当行，一定可以将别人送的礼全都压下去了。”

金灵芝道：“正是如此。江湖传言，都说那玉蟠桃是西天王母娘娘蟠桃园中的仙种，少年人吃了能养气驻颜，永葆青春，老年人吃了能延年益寿，长生不老。”

楚留香道：“既然如此，姑娘也就该知道，这玉蟠桃十三年才结实一次，而且……”

金灵芝打断了他的话，道：“我早已打听清楚了，今年正是玉蟠桃结实之期，而且我要的也不多，只要有四五个也就够了。”

胡铁花也叹了口气，苦笑道：“你好像还觉得自己的心平得很，但你可知道那玉蟠桃一次才结实几枚么？”

金灵芝道：“七枚。”

胡铁花道：“不错，那玉蟠桃十三年才结实七枚，你却想去问人家要四五个，你难道以为那极乐宫中的老怪物，是这老臭虫的儿子不成？”

楚留香叹道：“就算真是他老子，只怕也是一样要不到的。”

金灵芝道：“为什么？”

楚留香道：“极乐宫主张碧奇的夫人孙不老最是爱美，最怕老，昔年曾发下重誓，绝不让她丈夫看到她老时候的样子。”

胡铁花道：“这位张夫人本是个聪明人，她知道男人最怕看到老太婆——妻子一老，十个丈夫中，只怕就有九个要变心。”

金灵芝轻轻叹息了一声，道：“但每个人都要老的，谁也不能例外，是不是？”

女人只要听到“老”字，心里就不免要发愁，金灵芝的脾气虽然像男人，却也不能例外。

楚留香道：“她说那句话的意思，正是说一等自己快要老的时候，就要去死，那么她丈夫就永远看不到她的老态了。”

胡铁花笑了笑，道：“她也许并不是这意思。”

楚留香道：“哦？”

胡铁花道：“她的意思也许是说，等到她要老的时候，就要将她丈夫杀了——只有死人才是永远不会变心的，是不是？”

楚留香道：“其实她夫妻伉俪情深，可说是武林中最恩爱的一对，无论是谁先死了，另一个只怕也活不下去。”

他接着又道：“极乐宫昔年本名为‘离愁宫’，离愁宫主轩辕野，也是当时数一数二的武林高手。”

胡铁花道：“我也听说过这个人，据说他天生神力，当世无双，用的兵器重达一百多斤，天下无出其右，后来不知为了什么，竟忽然失踪了。”

楚留香道：“张碧奇那时还不到三十岁，在江湖中刚露头角，有一天，忽然跑到星宿海去，要找轩辕野决斗，而且还订下赌注，要以他夫妻两人的性命来赌轩辕野的离愁宫，为的，也就是听说那玉蟠桃可令人青春永驻。”

胡铁花失笑道：“这赌注实在有点不公道。张碧奇若胜了，不但就可拥有比皇宫还华丽的离愁宫，还可令他夫人青春不老；轩辕野若胜了，要他夫妻两人的性命又有何用？我若是轩辕野，才不会跟他打这个赌。”

楚留香道：“赌得虽不公道，但轩辕野纵横无敌，又怎会将这初出茅庐的少年放在眼里？当下就答应了，以三阵见胜负。”

胡铁花道：“是哪三阵？”

楚留香道：“一阵赌兵刃，一阵赌内力，一阵赌暗器轻功。”

胡铁花道：“轩辕野的兵器之强，可说是前无古人，后无来者，内力之深厚，自然也绝非二十来岁的小伙子可比，至少已有两阵他是赢定的了。”

楚留香道："当时轩辕野自己想必也认为如此，谁知张碧奇非但武功得有真传，为人更是聪明绝顶，早已想出了一种克制轩辕野的兵器。"

胡铁花道："什么兵器？"

楚留香道："销魂索。"

胡铁花皱眉道："这种兵器我倒还未听到过。"

楚留香道："这种兵器本是他自己创出来的，名字也是他自己取的，别人自然从未听到过。"

胡铁花道："那究竟是种什么样的兵器？"

楚留香道："只不过是条长绳子而已。"

胡铁花道："绳子？绳子又怎能做兵刃？又怎能伤人？"

楚留香道："他用的那条绳子长达三丈，他就站在三丈外和轩辕野交手。轩辕野用的兵器虽重，却也无法震飞他手里的绳子；轩辕野用的兵器虽长，却也无法远及三丈；他轻功本较轩辕野高，轩辕野想逼近他，也绝无可能。"

胡铁花道："但他用的那条绳子又怎能伤得到轩辕野？岂非已先立于不胜之地？和人打架，哪有用这种笨法子的？"

楚留香道："他这一阵，本就不想赢的，用意只不过是在消耗轩辕野的内力。"

胡铁花道："不错，轩辕野用的兵器既然重达一百多斤，施展起来自然费力得很，只不过，他也不是呆子，也该明了张碧奇的用意，张碧奇用的兵器既然根本伤不了他，他也根本不必白费气力出手的。"

楚留香道："问题就在这里，张碧奇虽不想胜轩辕野，轩辕野却一心想胜张碧奇。"

胡铁花叹了口气，道："不错，以轩辕野的身份地位，自然不愿和张碧奇战成和局，只要他存了求胜之心，就难免要上当了。"

楚留香道："轩辕野既然一心求胜，自然要使出全力。两人这一战自清晨开始，直达深夜，本来还未分出胜负，张碧奇却忽然自认败了，只因他已看出轩辕野那时真力已将耗尽，几乎已成了强弩之末！"

胡铁花道："既然如此，他为何不再打下去呢？索性叫轩辕野力竭倒地，岂非更好？"

楚留香道："只因那时轩辕野已将他逼入了绝谷，他已退无可退，若是再打下去，他也就再也没有便宜可占；但他既已认输，轩辕野自然也无法再出手。"

胡铁花道："于是他就乘此机会立刻要比第二阵了，是不是？"

楚留香道："不错。"

胡铁花道："第二阵比的一定是内力，那时轩辕野既已恶战了一昼夜，先就吃了大亏，只怕已经不是他敌手。"

楚留香道："这你就错了。轩辕野天生异禀，神力无穷，虽然已将力竭，但张碧奇还是没有必胜的把握，所以他们第二阵斗的是暗器和轻功。"

胡铁花皱眉道："轩辕野本不以暗器轻功见长，只怕也不是张碧奇的对手。"

楚留香道："你又错了，第二阵出手的不是张碧奇，而是他的夫人孙不老。"

胡铁花道："这两人用的竟是车轮战么？"

楚留香道："轩辕野虽然也知道他们是投机取巧，但他自负为天下第一高手，认为已必胜两阵无疑，所以也没有计较。以他那样的身份地位，自然是话出如风，永无更改，后来发觉不对时，也不能说出不算了。"

胡铁花叹道："不错，一个人若是想充英雄，就难免要吃亏的。"

楚留香道："孙不老号称'凌波仙子，散花天女'，轻功暗器之高，几乎已不可思议，这一阵轩辕野本就必败无疑。”

胡铁花眼角瞟着楚留香，悠然道：“就算轻功比人高些，也算不了什么本事，那本来就是逃命用的本事。”

到了这种时候，他居然还是忘不了要臭楚留香几句。

楚留香也不理他，接着道：“两阵下来，轩辕野就算神力无穷，也已到了强弩之末，而张碧奇体力却已完全恢复，第三阵不到两个时辰，就已见了胜负。”

胡铁花冷笑道：“但张碧奇就算胜了，也胜得不光荣。我看这种投机取巧的法子，大概也不是他自己想出来的。”

楚留香道：“怎见得？”

胡铁花道：“这种法子也只有女人才想得出。”

楚留香笑了笑，道：“但张碧奇夫妻那时总还是武林后辈，无论是用什么法子取胜的，轩辕野都无话可说，立刻就将离愁宫拱手让人，他自己也就从此失踪，至今已有四十余年，江湖中简直就没有人再听到过他的消息。”

他接着又道：“但自从那一战之后，张碧奇夫妇也很少在江湖露面了。近二十年来，更已绝迹红尘，后一辈的人，几乎已未听过他们的名字。”

胡铁花冷冷道：“他们只怕也自知胜得不光荣，问心有愧，所以才没脸见人。”

两人你一言，我一语，说得兴高采烈，金灵芝竟一直没有打断他们的话，只因这两人口才极好，说的又是件极引人入胜的武林掌故，当真是紧张曲折，高潮迭起，金灵芝实已听得出神。

直到两人说完，金灵芝才回过神来，大声道：“我到这里来，可不是听你们说故事的。我只问你，到底是答应，还是不答应？”

楚留香苦笑道：“我说这故事，只为了想要姑娘知道，张碧奇夫妇对那玉蟠桃是如何珍视，我和他们素昧平生，毫无渊源，怎么能要得到？”

金灵芝道：“我也知道你要不到，但要不到的东西，你就会偷。江湖中人人都知道，天下再也没有‘盗帅’楚留香偷不到的东西，是不是？”

楚留香道：“但张碧奇夫妇在极乐宫一住四十年，武功之高，想必已深不可测，这四十年来，江湖中也有不少人想去打他们那玉蟠桃的主意，简直就没有一个能活着回来的。”

他叹了口气，接着道：“何况，星宿海远在西极，迢迢万里，我又怎能在短短半个月里赶去赶回？姑娘你这不是强人所难么？”

金灵芝大声道：“不错，我就是要强人所难！你若不答应，我现在就杀了他！”

胡铁花闭上眼睛，苦笑道：“看来你不如还是快替我去买棺材吧，买棺材总比偷桃子方便得多了。”

金灵芝冷笑道：“连棺材都不必买，我杀了你后，就将你抛到江里去喂……”

这句话还未说完，突听“轰”的一声，船底竟然裂开了一个大洞，江水立刻喷泉般涌出——

船身震荡，金灵芝骤出不意，脚下一个踉跄，只觉手腕一麻，也不知被什么东西打了一下，手里的剑就再也拿不住了。

这柄剑忽然间就到了楚留香手上。

汹涌的江水中，竟然钻出个人来，正是“快网”张三。

只听张三大笑道：“姑娘在这里耽了半天，想必也被熏臭了，也下来洗个澡吧！”

笑声中，他竟伸手去抱金灵芝的腿。

金灵芝脸都吓白了。

船舱明明是开着的，她居然不会往外钻，只是大声道："你敢碰我，你敢……"

张三已看出她一定不懂水性，所以才会慌成这样子，笑道："在地上是姑娘你厉害，可是在水里，就得看我的了。"

金灵芝惊呼一声，突然觉得有只手在她肘下一托，她的人就被托得飞了起来，飞出了船舱。

只听楚留香的声音带着笑道："下次若想要人的命，就千万莫要听人说故事……"

船在慢慢地往下沉。

张三托着腮，蹲在岸边，愁眉苦脸地瞧着，不停地叹着气，好像连眼泪都已快掉了下来。

胡铁花心里虽然对他有说不出的感激，嘴里却故意道："旧的不去，新的不来，这条船反正也快报销了，早些沉了反而落得个干净，你难受什么？"

张三跳了起来，大叫道："破船？你说我这是条破船？这样的破船你有几条？"

胡铁花笑道："一条也没有，就算有，我也早就将它弄沉了，免得看着生气。"

张三仰天打了两个哈哈，道："好好好，胡相公既然这么说，那不破的船胡相公想必至少也有十条八条的了，就请胡相公随便赔我一条如何？"

胡铁花悠然道："船，本来是应该赔的；应该赔你船的人，本来也在这里，只可惜……"

他用眼角眯着楚留香，冷冷地接着道："只可惜那人已被这位怜香惜玉的花花公子放走了。"

楚留香笑了，道：“我放走了她，你心里是一万个不服气，但我若不放走她，又当如何？你难道还能咬她一口么？”

张三道：“一点也不错，以我看也是放走了的好，她若留在这里，少时若又掉两滴眼泪，胡相公的心就难免又要被打动了，胡相公的心一软，说不定又想去摸人家的大腿，若再被人家的剑抵住脖子，到了那时，唉……”

他长长叹了口气，摇着头道：“我就算想再救胡相公，也找不到第二条破船来弄沉了。”

胡铁花也仰天打了两个哈哈，道：“好好好，你两人一搭一档，想气死我是不是？告诉你，我一点也不气，我上了人家一次当，就再也不会上第二次了！”

张三道：“哦？胡相公这难道是第一次上女人的当么？”

胡铁花说不出话来了，鼻子似乎又有点发痒，又要用手去摸摸，楚留香这摸鼻子的毛病，他早已学得“青出于蓝”了。

张三道：“据我所知，胡相公上女人的当，没有七八百次，也有三五百次了，每次上了当后，都指天誓言，下次一定要学乖了，但下次见了漂亮女人时，他还是偏偏要照样上当不误，你说这是不是怪事？”

楚留香笑道：“他上辈子想必欠了女人不少债，留着这辈子来还的，只不过……凭良心讲，他这次上当，倒也不能怪他。”

张三道：“哦？”

楚留香道：“那位金姑娘本就是什么事都做得出的，若说她骑马上过房、闯过男人澡堂，甚至说她脱光了衣裳自街上走过，我都不会觉得奇怪，但若说她会以奸计骗人，那就连我也是万万想不到的了。”

胡铁花叹了口气，喃喃道：“这老臭虫虽然也是个臭嘴，但有时至少还会说几句良心话，我就因为再也想不到她是这样的人，所以才会上她的当。”

张三道："这话倒也有理，但方才骗人的难道不是她么？"

楚留香道："我想，她方才那么样做，一定不是她自己的主意。"

胡铁花道："不错，她一定是受了别人的指使，说不定还是被人所胁，否则……"

张三道："否则她一定不忍心来骗我们这位多情大少的，是不是？"

他不让别人说话，接着又道："但像她那种脾气的人，又有谁能指使她？威胁她？"

楚留香沉吟着，道："说不定她有什么把柄被人捏在手里。"

胡铁花道："不错，威胁她的人一定是丁枫，你看她见到丁枫时的样子，就可看出来了。"

张三道："那也未必，她对那位丁公子事事忍让，说不定只因为她对他早已情有所钟。女人家对自己喜欢的，总是让着些的。你看那位丁公子，不但少年英俊，风流潇洒，而且言语得体，文武双全，我若是女人，见了他时，那脾气也是万万发作不出来的。"

胡铁花眼睁睁地听着，忽然站起来，向他长长作了一揖，道："我求你一件事好不好？"

张三也不禁怔了怔，道："你想求我什么？还想吃烤鱼？"

胡铁花叹了口气，道："我求求你，不要再气我，我实在已经受不了了，等我发了财时，一定赔你一条船，而且保管和你那条船一样破。"

张三忍不住笑了，喃喃道："这人本来说的还像是人话，谁知说到后来又不对了……"

他接着道："你们若说她竟是受丁枫所胁，也未尝没有道理，只不过，丁枫想要的本是楚留香的命，又何苦要他去偷那玉蟠桃？"

胡铁花道："这你都不懂么？……这就叫作借刀杀人之计！"

张三道：“借刀杀人？”

胡铁花道：“丁枫想必也知道这老臭虫不是好对付的，所以就要他去盗那玉蟠桃，想那极乐宫岂是容人来去自如之地？老臭虫若是真去了，还能回得来么？”

张三抚掌道：“不错，想不到你居然也变得聪明起来了。”

楚留香道：“还有呢？”

胡铁花道：“还有什么？”

楚留香笑道：“丁枫用的本是一条连环计，一计之外，还有二计，你这位聪明人怎会看不出了。”

胡铁花道：“还有第二计？是哪一计？”

楚留香道：“那是三十六计中的第十八计，叫调虎离山。”

胡铁花道：“调虎离山？”

楚留香道：“不错，他在这里想必有什么勾当，生怕我们碍了他的事，所以就想将我们远远地支到星宿海去，这一去纵能回来，至少也是半个月以后的事了。”

胡铁花默然半晌，摇着头叹道：“看来也只有你这样的人，才能看得破丁枫那种人的奸计，我的确还差得远了，这种阴险狡诈的事，我非但做不出，简直连想也想不出。”

楚留香失笑道：“但你骂人的本事倒不错，骂起人来，全不带半个脏字。”

胡铁花道：“这我也是跟你学的，你难道忘了？”

第四章

心怀鬼胎

三和楼自然有“楼”，非但有二楼，二楼上还有个阁楼。

阁楼的地方并不大，刚好可以摆得下一桌酒。

海阔天请客的一桌酒，就摆在这阁楼上。

胡铁花走上这阁楼，第一眼看到的人，竟然是金灵芝。

金灵芝居然还是来了。

胡铁花在“逍遥池”里看到她的时候，她看来活脱脱就像是个泼妇，而且还是有点神经病的泼妇。

在那船舱里，她就变了，变得可怜兮兮的，像条小绵羊，但一眨眼，这条小绵羊就变成了一条狐狸、一只老虎。

现在，她居然又变了。

她已换了件质料很高贵，并不太花的衣服，头上戴的珠翠既不太多，也不太少。

她端端正正、规规矩矩地坐在那里，看来既不刺眼，也绝不寒碜，正是位世家大宅中的千金小姐应该有的模样。

胡铁花暗中叹了口气：“女人真是会变。有人说，女人的心，就像是五月黄梅天时的天气。说这话的人，倒真是个天才。”

最高明的是，在她看到楚留香和胡铁花时，居然还是面不改色，就仿佛什么事都没有发生过似的。

方才躲在船舱里的那个人，好像根本就不是她。

胡铁花又不禁叹了口气："我若是她，她若是我，我见了她，只怕早已红着脸躲到桌子下面去了，如此看来，女人的脸皮的确要比男人厚得多。"

他却不知道，若说女人的脸皮比男人厚，那也只不过是因为她们脸上多了一层粉而已，纵然脸红了，别人也很难看得出。

也有人说："年纪愈大的女人，脸皮愈厚。"

其实那也只不过因为年纪愈大的女人，粉也一定擦得愈多。

金灵芝左边两个位子，是空着的，显然是准备留给楚留香和胡铁花的，在酒席上，这两个位子都是上座。

但胡铁花却宁可坐在地上，也不愿坐在那里。

被人用剑抵住脖子，毕竟不能算是件很得意的事。

胡铁花的脖子到现在还有点疼。

金灵芝右边，坐的是个相貌堂堂的锦袍老人，须发都已花白，但一双眸子，却还是闪闪有光，顾盼之间，凛凛有威，令人不敢逼视。

无论谁都可看出，这人的来头必定不小。可喜的是，他架子倒不大，见到胡铁花他们进来，居然起来含笑作礼。

胡铁花立刻也笑着还礼。

但也不知为了什么，他笑容很快就又瞧不见了。

他一进来，就觉得这老人面熟得很，只不过骤然间想不起是谁了，等到他见到这老人锦袍上系着的腰带，他才想了起来。腰带是用七根不同颜色的丝绦编成的。

这老人赫然竟是"凤尾帮"的总瓢把子"神箭射日"武维扬！

胡铁花忍不住偷偷瞪了楚留香一眼，意思正是在说："你岂非已算定武维扬死了么？他现在为何还是好好地活着？"

楚留香居然也面不改色，就像是根本没有说过这些话似的。胡铁花常常都在奇怪，这人的脸皮如此厚，胡子怎么还能长得出来？

勾子长居然也来了，武维扬旁边坐的就是他，再下来就是丁枫、海阔天和那佩刀的大汉。

坐在那里，勾子长也比别人高了半个头。

“但他的腿虽长，上身并不长呀。”

胡铁花正在奇怪，勾子长也已含笑站了起来，胡铁花这才看出原来他竟还是将那黑皮箱垫着坐下，像是生怕被人抢走。

等到入座之后，胡铁花才发觉旁边有个空位子，也不知是留着等谁的，这人居然来得比他们还迟。

丁枫的笑容还是那么亲切，已举杯道：“两位来迟了，是不是该罚？”

楚留香笑道：“该罚该罚，先罚我三杯。”

他果然举起酒杯，一饮而尽。

胡铁花也放心了。

楚留香喝下去的酒，就绝不会有毒，酒里只要有毒，就瞒不过楚留香。

丁枫又笑道：“楚兄既已喝了，胡兄呢？”

胡铁花笑道：“连他都喝了三杯，我至少也得喝六杯。”

他索性将六杯酒都倒在一个大碗里，仰着脖子喝了下去。

丁枫抚掌道：“胡兄果然是好酒量，果然是名不虚传。”

胡铁花道：“原来阁下早已认得我们了。”

丁枫微笑道：“两位的大名，谁人不知，哪个不晓，在下若说不认得两位，岂非是欺人之谈了。”

胡铁花瞪了海阔天一眼，道：“有海帮主在这里，阁下能认得出我们，倒也不奇怪，但我若说，我们也认得阁下，那只怕就有些奇怪了，是不是？”

丁枫笑道：“那倒的确奇怪得很，在下既无两位这样的赫赫大名，也极少在江湖间走动，两位又怎会认得在下？”

胡铁花笑道：“怪事年年都有的，我倒偏偏就是认得你，你信不信？”

丁枫道：“哦？”

胡铁花道：“阁下姓丁，名枫……”

他话未说完，丁枫的面色已有些变了，失声说道：“不错，在下正是丁枫，却不知两位怎会知道？”

他在枯梅大师舱上自报姓名时，当然想不到岸上还有人偷听。

胡铁花心里暗暗好笑，面上却正色道：“其实阁下的大名我们已知道很久了，阁下的事，我们也都清楚得很，否则今日我们又怎会一请就来呢？”

丁枫嘴里好像突然被人塞了个拳头，半晌说不出话来。

胡铁花察言观色，忽然仰天一笑，道：“丁兄若是认为自己的身份很神秘，不愿被人知道，那就只怪我多嘴了，我再罚六杯。”

这六杯，他喝得比上六杯更快。

楚留香笑道：“这人有个最大的本事，无论你说什么，他总能找到机会喝酒的。”

丁枫也立刻跟着笑了，道：“在座的人，只怕还有一位是两位不认得的。”

那佩刀的大汉立刻站了起来，抱拳道：“在下向天飞。”

他只说了这五个字，就坐了下去，眼睛始终也没有向胡铁花他们这边看过一眼，方才那一肚子火气，到现在竟还是没有沉下去。

楚留香笑道：“幸会幸会，‘海上孤鹰’向天飞的大名，不知道的人只怕还很少……”

勾子长突然打断了他的话，淡淡道：“这名字我就不知道，而且从来也未听说过。”

向天飞的面色变了，冷笑道：“那倒巧得很，阁下的大名，我也从未听人说起。”

陆上的强盗大致可分成几种，有的是帮匪，有的是股匪，有的占山为王，有的四处流窜，有的坐地分赃，还有一种，叫独行盗。

独行盗的武功通常都很高，一个人独来独往，从来不要帮手，因为他们觉得这样做不但行事较隐秘，而且也没有人抢着要和他们分肥，其中的高手，有的甚至真能做到“日行千家，夜盗百户”的。

他们只要做成一宗大买卖，就能享受很久。

但独行盗既然是独来独往，从无帮手，所冒的风险自然也比较大，是以他们大多身怀几种独门绝技，足以应变。

也有的是轻功极高，一击不中，也能全身而退。总之，若非对自己武功有自信的人，就绝不敢做独行盗。在海上作案，遇险的机会总比陆上多，因为商船航行海上，必定有备，而且海上风浪险恶，也绝非一个人所能应付得了的。所以海盗大多是啸聚成群，很少有独行盗。

这“海上孤鹰”向天飞却正是海上绝无仅有的独行盗。此人不但武功高，水性熟，而且极精于航海术，一人一帆，飘游海上，遇着的若非极大的买卖，他绝不会出手。

自东而西，满载而归的商船，常会在半夜中被洗劫，船上的金珠珍宝已被盗一空，沉重的银两，却原封不动。那时船上的人纵未见到下手的人是谁，也必定会猜出这就是“海上孤鹰”向天飞的手笔了。大家也只有自认倒霉。

因为那时向天飞早已扬帆而去，不知所终，在茫茫大海中要找一个人，正好像要在海底捞针一般。

独行盗大多都脾气古怪，骄横狂傲，很少有朋友，而且下手必定心黑手辣，这向天飞自然也不例外。

比起别的独行盗，这向天飞却有两样好处：第一，他手下极少伤人性命，而且一向只劫财，不劫色。

楚留香总觉这人并不太坏。

但这人的脾气却坏极了，一言不合，好像就要翻桌子出手。

这次勾子长倒很沉得住气，居然还是神色不动，淡淡道："我本就是个无名小卒，阁下未曾听过我的名字，本不足为奇，但阁下既然号称'海上孤鹰'，轻功必是极高明的了。"

若是别人听了这话，少不得总要谦谢一番。

向天飞只是冷冷道："若论轻功么，在下倒过得去。"

勾子长大笑道："好好好，原来阁下也是个直爽人，正投我的脾气。"

他举杯一饮而尽，缓缓接着道："我这次出来，为的就是要见识见识江湖中的轻功高手，阁下既然这么说，我少不了是要向阁下领教的了。"

向天飞道："向某随时候教。"

勾子长淡淡一笑，悠然道："我想你用不着等多久的。"

胡铁花心里暗暗好笑："想不到这勾子长也是个喜欢惹是生非的角色，却不知为何偏偏找上向天飞，莫非他初出江湖，想找个机会成名立万？"

丁枫忽然笑道："勾兄的轻功，想必也是极高明的了？"

勾子长瞟了向天飞一眼，淡淡道："若论轻功么，在下也倒还过得去。"

丁枫道："勾兄若真想见识见识当今江湖中的轻功高手，今天倒真是来对了地方。"

勾子长道："哦？"

丁枫笑道："勾兄眼前就有一人，轻功之高当世无双，勾兄若不向他请教请教可真是虚此一行了。"

胡铁花瞟了楚留香一眼，两人心里都已有数："这小子在挑拨离间。"

勾子长却好像听不懂，笑道："在下正也想请丁兄指教指教的。"

丁枫笑道："在下又算得了什么？勾兄千万莫要误会了……"

勾子长目光闪动，道："丁兄说的难道并不是自己么？"

丁枫大笑道："在下脸皮虽厚，却也不敢硬往自己脸上贴金。"

勾子长道："那么，丁兄说的是谁呢？"

丁枫还未说话，勾子长忽又接着道："丁兄说的若是楚香帅，那也不必了。楚香帅的轻功，我的确自愧不如，但别人么……嘿嘿。"

他"嘿嘿"干笑了两声，接着道："无论是哪位要来指教，我都随时奉陪。"

他这句话无异摆明了是站在楚留香一边的。

胡铁花虽对他更生好感，却又不免暗暗苦笑，觉得这人实在是初出茅庐，未经世故，平白无故地就将满桌子人全都得罪了。幸好这时那最后一位客人终于也已赶来。

只听楼梯声只响了两声，他的人已到了门外。来的显然又是位轻功高手。

胡铁花就坐在门对面，是第一个看到这人的。

这人身材不高，简直可说是瘦小枯干，脸上黄一块、白一块的，仿佛长了满脸的白癣，一双眼睛里也布满了红丝，全无神采。

他相貌既不出众，穿的衣服也很随便，甚至已有些破旧，不认识他的人，一定会觉得奇怪："堂堂紫鲸帮的帮主，怎么会请了这么样一位客人来？”

但胡铁花却是认得他的。

这人正是长江“神龙帮”的总瓢把子云从龙云二爷。水性之高，江南第一。据说有一次曾经在水底潜伏了三日三夜，没有人看见他换过气，他脸上黄一块、白一块的，并不是癣，而是水锈。

他一双眼睛，也是因为常在水底视物，才被泡红了的。

长江水利最富，船只最多，所以出的事也最多，“神龙帮”雄踞长江，只要是在长江一带发生的事，无论大小，“神龙帮”都要伸手去管一管的。

能坐上“神龙帮”帮主的金交椅，并不是件容易的事，每天也不知要解决多少纠纷，应付多少人。

云从龙自奉虽俭，对朋友却极大方，应付人更是得体，正是个随机应变、八面玲珑的角色。

但此刻这位八面玲珑的云帮主却铁青着脸，全无笑容，神情看来也有些愤怒、慌张，竟好像完全变了一个人了。

“神龙帮”里，莫非也发生了什么极重大的意外变化？

第五章

死客人

四热炒、四冷盘还没撤下去，一尾“清蒸鲥鱼”已摆上来。海阔天请客的菜，是从来不会令客人失望的。

“清蒸鲥鱼”正是三和楼钱师傅的拿手名菜，胡铁花觉得它虽不如张三烤的鱼鲜香，但滑嫩处却仿佛犹有过之。

但无论多么好的菜，也得要心情好的时候才能够欣赏领略，一个人若是满肚子别扭，就算将天下第一名厨的第一名菜摆在他面前，他也会觉得食而不知其味的。

现在大家心里显然都别扭得很。

云从龙自从坐下来，就一直铁青着脸，瞪着武维扬，看到这么样一张脸，还有谁能吃得下去？

“神龙帮”与“凤尾帮”为了抢地盘，虽曾血战多次，但那已是二十年以前的事了，早已成了过去。

近年来江湖中人都以为两帮早已和好，而且还谣传武维扬和云从龙两人“不打不相识”，如今已成为好朋友。

但看今天的情形，两人还像是在斗公鸡似的。

胡铁花实在想不通，海阔天为何将这两人全都请到一个地方来？难道是存心想找个机会让这两人打一架么？

只听楼梯声响，又有人上楼来了，听那脚步声，显然不止一个人。

丁枫皱了皱眉头，道：“难道海帮主还请了别的客人？”

海阔天目光闪动，笑道：“客人都已到齐，若还有人来，只怕就是不请自来的不速之客了。”

云从龙忽然长身而起，向海阔天抱了拳，道：“这两人是在下邀来的，失礼之处，但望海帮主千万莫要见怪！”

海阔天道：“焉有见怪之礼？人愈多愈热闹，云帮主请来的客人，就是在下的贵宾，只不过……”

他大笑着接道：“规矩却不可废，迟来的人，还是要罚三杯的。”

云从龙又瞪了武维扬一眼，冷冷道：“只可惜这两人是一滴酒也喝不下去的人。”

海阔天笑道：“无论谁说不能喝酒，都一定是骗人的，真正一滴酒都不能喝的人，在下倒未见过。”

胡铁花忍不住笑道：“真正连一滴酒都不能喝的，只怕是个死人。”

云从龙铁青着脸，毫无表情，冷冷道：“这两人正是死人！”

胡铁花怔住了。

这人居然找了两个死人来做陪客！

难道他还嫌今天这场面太热闹了么？

海阔天面上阵青阵白，神情更尴尬，忽然仰面大笑道：“好好好，什么样的客人在下都请过，能有死客人来赏光，今天倒真还是破题儿第一遭，云帮主倒真替在下想得周到，总算让在下开了眼界。”

他脸色一沉，厉声道：“但既然是云帮主请来的，无论是死是活，都请进来吧！”

云从龙似乎全未听出他话中的骨头，还是面无表情，抱拳道：“既是如此，多谢海帮主了！”

他缓缓走了出去，慢慢地掀起门帘。

门口竟果然直挺挺站着两个人。

死人！

死人自然不会自己走上楼的，后面自然还有两个活人扶着。但大家看到了这两个死人，就谁也不会再去留意他们背后的活人。

只见这两个死人全身湿淋淋的，面目浮肿，竟像是两个刚从地狱中逃出来的水鬼，那模样真是说不出的狰狞可怕。

屋子里的灯火虽然很明亮，但大家骤然见到这么样两个死人，还是不禁倒抽了口凉气。

胡铁花和勾子长的面色更都已变了。

这两个死人，他居然是认得的。

这两人都穿着紧身的黑衣，腰上都系着七色的腰带，竟赫然正是楚留香他们方才从江里捞出来的那两具尸体。

楚留香本要将这两具尸首埋葬的，但张三和胡铁花却都认为还是应该将“他们”抛回江里。

张三认为这件事以后一定会有变化。

他倒真还没有猜错，这两人此刻果然又被人捞起来了。

但这两人明明是“凤尾帮”门下，云从龙将他们送来干什么呢？

海阔天的确也是个角色，此刻已沉住气了，干笑两声，道：“这两位既然是云帮主请来的贵客，云帮主就该为大家介绍介绍才是。”

云从龙冷冷道：“各位虽不认得这两人，但武帮主却一定是认得的。”

他目光一转，刀一般瞪着武维扬，厉声道：“武帮主可知道他们是为何而来的？”

武维扬道："请教。"

云从龙一字字地续道："他们是要向武帮主索命来的！"

死人索命，固然谁也不会相信，但云从龙说的这句话每个字里都充满了怨毒之意，连别的人听了，背脊中都仿佛升起了一阵寒意。

门帘掀起，一阵风自门外吹来，灯火飘摇。

闪动的灯光照在这两个死人脸上，这两张脸竟似也动了起来，那神情更是说不出的诡秘可怖，竟似真的要择人而噬。

武维扬的身子不由自主向后缩了缩，勉强笑道："云帮主若是在说笑话，这笑话就未免说得太不高明了。"

云从龙冷冷道："死人是从来不说笑的。"

他忽然撕开了死人身上的衣襟，露出了他们左肋的伤口来，嘶声说道："各位都是江湖中的大行家，不知是否已看出，他们这致命的伤口是被什么样的凶器所伤的？"

大家面面相觑，闭口不言，显然谁也不愿涉入这件是非之中。

云从龙道："在下纵然不说，各位想必也已看出这是'神箭射日'武大帮主的大手笔了。一箭入骨，直穿心腑，武大帮主的'凤尾箭'果然是高明极了，厉害极了……"

他仰天冷笑了几声，接着又道："只不过这两人却死得有些不明不白，直到临死时，还不知武大帮主为何要向他们下这毒手！"

武维扬厉声道："这两人本是我'凤尾帮'属下，我就算杀了他们，也是'凤尾帮'的私事，与'神龙帮'的云大帮主又有何关系？"

这句话正是人人心里都想问的。

云从龙铁青着脸，道："这两人与我的关系，莫非武帮主你还不知道？"

武维扬打断了他的话，冷笑着道："这两人莫非是你派到'凤尾帮'来卧底的奸细？否则怎会和你有关系？"

云从龙脸色忽然变得更可怕，眼睛瞬也不瞬地瞪着武维扬，就像是从未见过这个人似的。

大家瞧见他的神色，心里都已明白，死的这两个“凤尾帮”弟子，想必正是他派去卧底的奸细，不知怎地却被武维扬发觉了，是以才杀了他们灭口——这推测不但合情，而且合理。

楚留香以前的推测，竟似完全错了。

胡铁花用眼角瞟着楚留香，凑到他耳边，悄悄道：“我求求你，你以后少弄些自作聪明好不好？千万莫要把自己当作诸葛亮。”

楚留香却连一点惭愧的样子都没有，反而微笑道：“诸葛亮当时若在那里，想法也必定和我一样的。”

胡铁花叹了口气，摇着头道：“诸葛亮若在这里，也一定要被你活活气死。”

只见云从龙眼角的肌肉不停地跳动，目中也露出了一种惊恐之色，仿佛忽然想起件极可怕的事，嗄声道：“我明白了，完全明白了。”

武维扬厉声道：“我也明白了，但这是我们两人的事，岂可在海帮主的宴前争吵，打断这些贵客的酒兴？有什么话，我们到外面说去！”

云从龙迟疑着，目光缓缓自众人面前扫过，看到丁枫时，他目中的惊恐怨毒之色更深，忽然咬了咬牙道：“好，出去就出去！”

武维扬霍然长身而起，道：“走！”

云从龙目光已移到门口那两个死人身上，惨然一笑，道：“但这两人都是我的好兄弟，无论他们是死是活，既然来迟了，就该罚酒三杯——这六杯罚酒，我就替他们喝了吧。”

武维扬仰面而笑，冷笑道：“各位听到没有？我凤尾帮的属下弟子，居然会是云大帮主的好兄弟，这位云大帮主的手段，可真是高明极了！厉害极了！”

云从龙眼睛发直，竟似根本未听到他说的是什么，大步走回座位上，倒了六杯酒，自己举杯道：“云某本想陪各位喝几杯的，只可惜……此刻却宛如有‘骨鲠在喉’，连酒都喝不下去了，失礼失礼……失礼……”

他语声中忽又充满凄凉之意，是以他这“骨鲠在喉”四个字用得虽然极不恰当，文不对题，也没有人去留意了。

只见他很快地喝了三杯酒，拿起筷子，夹起那尾“清蒸鲥鱼”的头，将鱼头上的鱼眼睛挑了出来。

鱼眼睛虽然淡而无味，但也有些人却认为那是鱼身上最美味之物，胡铁花就最喜欢用鱼眼睛下酒。

云从龙夹起鱼眼睛，胡铁花正在后悔，方才为什么不先将这鱼眼睛挑出来吃了，如今却让别人占了便宜。

好吃的人，看到别人的筷子伸了出去，总是特别注意；若看到别人将自己喜欢吃的东西挑走，那更要难受极了。

谁知云从龙夹起这鱼眼睛，只是用眼睛瞧着，却不放到嘴里去。瞧了很久，筷子忽然一滑，那鱼眼睛竟不偏不倚跳入武维扬面前的酱油碟子里。

胡铁花心里早已叫了一百声“可惜”，简直恨不得要指云从龙的鼻子，大声告诉他：“这种东西是要用嘴吃的，不是用眼睛瞧的。”

云从龙这时已喝完了第五杯酒，喝到第六杯时，咽喉似被呛着，忽然弯下腰去，不停地咳嗽了起来。

楚留香目光闪动，忽然道：“云帮主若已不胜酒力，这杯酒就让在下替你喝了吧！”

云从龙非但毫不推辞，反似欢喜得很，立刻道：“多谢多谢，在下正已有些喝不下去了。”

胡铁花不禁奇怪：“只有喝醉了的人，才会抢着替别人喝酒，这老臭虫喝酒一向最精明，今天怎地也抢酒喝？”

楚留香将酒杯接过去的时候，他眼角又瞥见酒杯里仿佛有样东西，楚留香却似全未瞧见，举杯一饮而尽。

胡铁花又不禁奇怪：“这老臭虫除了鼻子外，什么都灵得很，今天怎地连眼睛也不灵了？”

只听云从龙大笑道：“楚香帅果然名下无虚，果然是好酒量、好朋友。”

他大笑着走了出去，似已全无顾忌。

门口的两个死人立刻向两旁退开，大家这才看到后面果然有两个人在扶着他们。两人身上穿的都是紧身水靠，显然都是“神龙帮”属下，看他们的气度神情，在帮中的地位却不低。

右面一人年纪较长，也是满脸水锈，眼睛发红，显见是长久在水上讨生活的，在“神龙帮”的历史也必已很悠久。

左面一人却是个面白无须的少年，此人年纪虽轻，但目光炯炯，武功似乎比他的同伴还要高一些。

云从龙经过他们面前时，脚步突然停下，像是要说什么，但武维扬已到了他身后，竟伸手在他背上推了一把，轻叱道：“到了这时，你还不快走？”

云从龙回头瞪了他一眼，竟长叹了一声，道：“既已到了这时，你还着急什么？”

阁楼外，有个小小的平台。

武维扬和云从龙就站在平台上，也不知在说些什么，只听武维扬不停地冷笑，过了很久，忽然低叱一声，道：“你多说也无用，还是手下见功夫吧！”

云从龙冷笑道：“好，云某难道还怕了你这……”

他下面的话还未出口，武维扬的掌已击出，但闻掌风呼啸，掌力竟十分强劲，逼得云从龙再也没有开口的机会。

胡铁花忍不住站了起来，道："我们难道真要在这里坐山观虎斗么！我出去劝劝他们，要他们再回来喝两杯酒，也许他们的火气就消了。"

丁枫却笑道："武帮主既已说过这是他们的私事，别人也无法劝阻，又何苦去多事——来，小弟敬胡兄一杯。"

他有意无意间，举起酒杯，挡住了胡铁花的去路。

别人敬酒，胡铁花一向不会拒绝的。

他刚喝完这杯酒，就听到云从龙发出了一声惨呼！

呼声很短促。

这次丁枫非但不再劝阻别人，反而抢先掠了出去。

他掠出去时，云从龙已倒在地上。

那满面水锈的大汉狂呼一声，道："好，姓武的，想不到你竟敢真的下毒手，我跟你拼了！"

他反手抽刀，就待冲过去。

谁知那白面少年却将他一手拉住，厉声说道："孙老二，你难道忘了帮主交给你的那封信了么？"

孙老二呆了呆，嗄声道："信在这里，只不过……"

白面少年道："信既然还在，你就该记得帮主再三嘱咐你的话……"

他提高了声音，接着道："帮主说，他无论有什么意外，你都得立刻将他交给你的信拆开当众宣读，千万不可有片刻延误，这话我是记得的。"

孙老二呆了半晌，终于咬着牙自怀中取出了封书信，他两只手不停地发抖，拆了半天才将信封拆开，大声念了出来："余此去一月中若不回返，即将本帮帮主之位传交……”

他只念了两句，念到这里，面色突然大变，两只手抖得更是剧烈，牙齿也在不停地咯咯打战，竟无法再念出一个字来。

白面少年皱了皱眉，忽然伸手抢过那封书信，接着念了下去：“余此去一月中若不回返，即将本帮帮主之位传交于‘凤尾帮’之武维扬；从此两帮合并，‘神龙帮’中无论大小事务，均由武帮主兼领，本帮弟子唯武帮主之命是从，不得异议，若有抗命者，杀无赦！”

他一口气念完了这封信，面上神色也不禁变了。

别的人听在耳里，心里也是惊奇交集：武维扬明明是云从龙的冤家对头，云从龙为何要留下遗书，将帮主之位传给他呢？

丁枫忽然沉声道：“这封信是否的确是云帮主亲手所写？”

孙老二满头冷汗，涔涔而落，嗄声道：“确是帮主亲笔所书，亲手交给我的，可是……可是……”

丁枫叹了口气，道：“这既是云帮主的遗命，看来两位就该快去拜见新帮主才是了！”

孙老二突然狂吼一声，道：“不行，我‘神龙帮’子弟，人人都视帮主为父，他杀了云帮主，就与本帮上下三千子弟结下了不共戴天之仇！他若要来做本帮帮主，我孙老二第一个不服！”

白面少年厉声道：“但这是帮主的遗命，你怎能不服抗命？”

孙老二眼睛都红了，怒喝道：“不管你们说什么，我都要跟他拼了！”

他挣脱了白面少年的手，挥刀冲了过去。

白面少年大喝道：“若有抗命者，杀无赦！”

“赦”字出口，只见刀光一闪。

这少年手里的刀，已刺入了孙老二的背脊。

孙老二惨呼一声，转身望着这少年，颤声道：“你……你……你好……”

一句话未说完，就已扑面而倒。

白面少年呆了半晌，忽也扑倒在他尸身上，放声痛哭起来。

只听他一面哭，一面说道：“这是帮主遗命，小弟情非得已，但望孙二哥你在天之灵莫要怪我。”说完了这几句话，他又大哭了几声，才慢慢站起，用衣袖擦了擦眼睛，走到武维扬面前，伏地而拜，道：“神龙帮属下第三分舵弟子夏奇峰，叩见新帮主。”

丁枫长揖到地，含笑道：“武帮主从此兼领两帮，必能大展鸿图，可喜可贺。”

这两人一揖一拜，武维扬的“神龙帮”帮主之位就已坐定了，云从龙的尸身犹倒卧在血泊中，竟全没有人理会。

胡铁花忽然叹了口气，喃喃道：“云从龙呀云从龙，你为何不将这帮主之位传给宋仁钟呢？”

这句话说出，丁枫、夏奇峰、武维扬的面色都变了变。

武维扬忍不住问道：“却不知这位宋仁钟宋大侠和云故帮主有什么关系？”

胡铁花道：“宋仁钟是我的朋友，和云从龙一点关系也没有。”

武维扬勉强笑道：“这位宋大侠若真雄才大略，力足以服人，在下就将这帮主之位转让给他也无不可。”

胡铁花道：“这位宋仁钟既非什么大侠，更没有什么雄才大略，只不过是棺材店老板而已。”

武维扬怔了怔，道：“棺材店老板？”

胡铁花淡淡道：“不错，他最大的本事，就是送人的终。云从龙若将这帮主之位传给了他，虽没有别的好处，至少也有副棺材可睡，至少还有人为他送终。”

武维扬的脸红了，干咳两声，道：“云故帮主的遗蜕，自然应该由在下收殓……夏舵主！”

夏奇峰躬身道：“在。”

武维扬道：“云故帮主的后事，就交给你去办吧，务必要办得风光隆重。从今天起，‘神龙帮’三千子弟，上下一体，都得为云故帮主戴孝守制七七四十九天。严禁喜乐，若有违命，从重严办……知道了么？”

夏奇峰再拜道：“遵命！”

武维扬突然在云从龙尸身前拜了三拜，双手捧起了他的尸身，哽咽道：“君之生前，为我之敌。君之死后，为我之师。往者已矣，来者可追。归君遗蜕，以示哀思。”

说完了这八句话，他的人竟已走下楼去。

胡铁花道：“他倒是说走就走，竟连招呼都不打一声。”

丁枫微笑道：“被胡兄那么一说，若换了我，只怕也无颜留在这里。”

胡铁花冷冷道：“依我看，他杀了云从龙，生怕有人找他报仇，所以乘早溜之大吉了。”

丁枫道：“神龙与凤尾两帮本是世仇，近百年来，两帮血战不下数十次，死者更以千计，别人就算要替他们复仇，只怕也是无从着手的。”

楚留香忽然笑了笑，道：“不错，这本是他们两帮的私事，别人还是少管些的好。”

胡铁花瞪了他一眼，终于忍住了没有说话。

丁枫道：“如今云帮主虽不幸战死，但神龙、凤尾两帮，经此并成一家，自然也就不必再流血了，这倒也未尝不是件好事。”

胡铁花冷笑道：“有这么样的大好喜事，丁兄是不是准备要庆贺一番呢？”

丁枫像是完全听不出他话中的讥诮之意，反而笑道：“正该如此，我们既然都不是‘神龙帮’属下，自然也不必为云故帮主戴孝守制，只不过……”

他目光闪动，接着又笑道：“此间自然已非饮宴之地，幸好海帮主的座船就在附近，在下也知道紫鲸帮主的座船上，酒菜想必是终年不缺的，却不知海帮主可舍得再破费一次么？”

海阔天笑道：“丁兄也未免将在下看得太小气了，却不知各位是否肯赏光……”

胡铁花道：“我……”

他只说了一个字，楚留香就打断了他的话，笑道：“这里的酒喝得实在有点不上不下的，若能到海帮主座船上去作长夜之饮，实足大快生平，海帮主就算不请我，我也要去的。”

丁枫抚掌笑道：“长夜之饮虽妙，若能效平原君十日之饮，就更妙了。”

楚留香笑道：“只要丁兄有此雅兴，小弟必定奉陪君子。”

丁枫道：“胡兄呢？”

楚留香抢着道：“他？十日之醉，他只怕还觉得不过瘾，最好来个大醉三千年。”

胡铁花又瞪了他一眼，冷冷道：“我只希望那里的客人都是活的，因为死人都不喝酒，看到不喝酒的人，我就生气。”

勾子长忽然笑道：“我现在虽然还活着，但到了那条船上后，恐怕就要变成死人了。”

海阔天皱了皱眉，道：“阁下难道还怕我有什么恶意不成？”

勾子长淡淡笑道：“我倒并没有这个意思。只不过，若真连喝十天，我若还未醉死，那才真是怪事。”

海阔天展颜一笑，道：“金姑娘呢？也赏光么？”

到现在为止，金灵芝居然一直没开口说过一个字。

现在她居然还是不说，只点了点头。

胡铁花瞧了她一眼，冷冷道："其实，不喝酒的人，去不去都无妨。"

金灵芝非但未开口说话，也未喝过酒，不认识她的人，简直要以为她的嘴已被缝起来了。

但这次胡铁花话未说完，她眼睛已瞪了过来，大声道："你以为我不会喝酒？"

胡铁花也不理睬她，却喃喃自语着道："只要是活人，就一定会喝酒的，但酒量的大小，却大有分别了。"

金灵芝冷笑道："你以为只有你一个人酒量好？"

胡铁花还是不睬她，喃喃道："男人也许还有酒量比我好的，但女人么……嘿嘿，女人的酒量就算再好，也有限得很。"

金灵芝的脸已气红了，道："好，我倒要让你瞧瞧女人的酒量究竟如何！"

胡铁花这才瞧了她一眼，道："真的？"

金灵芝大声道："我若喝不过你，随便你要怎么样都行，但你若喝不过我呢？"

胡铁花笑了，道："'随便你要怎么样都行'？这句话女人家是万万不可随便说的，否则你若输了，那岂非麻烦得很？"

金灵芝脸更红了，咬着牙道："我说了就说了，说出来的话一定算数。"

胡铁花笑道："好，你喝一杯，我喝两杯，我若先醉了，也随便你怎么样。"

金灵芝道："好，这句话可是你自己说的。"

胡铁花道："我说出来的话，就好像钉子钉在墙上，再也没有更可靠的了。”

丁枫忽然笑道：“胡兄这次只怕要上当了。”

胡铁花道：“上当？”

丁枫道：“万福万寿园中，连三尺童子都有千杯不醉的酒量，金姑娘家学渊源，十二岁时就能喝得下一整坛陈年花雕。胡兄虽也是海量，但若以两杯换她一杯，只怕就难免要败在娘子军的手下了。”

胡铁花大笑道：“花雕甜如蜜，美人颜如玉。胜败何足论，醉死也无妨。”

勾子长叹了口气，喃喃道：“看来死人又多了一个了。”

紫鲸帮主的座船，自然是条好船，坚固、轻捷、光滑、华丽，甲板上也洗刷得一尘不染，就像是面镜子，映出了满天星光。

好船就正和美人与名马一样，就算停泊在那里不动，也自有一种动人的风姿神采，令人不饮自醉。

但无论是好船，是美人，还是良驹名马，也只有楚留香这样的人才懂得如何去欣赏。

胡铁花就只懂得欣赏酒。幸好酒也是佳酿。

岸边水浅，像这样的大船，只有停泊在江心，离岸至少也有二三十丈，无论轻功多么好的人，也难飞越。

楚留香他们是乘着条小艇渡来的。

胡铁花一上了甲板，就喃喃道：“在这里烤鱼倒不错，只可惜张三不在这里，这条船也不是金灵芝的……”

楚留香忍不住笑道：“若是金姑娘的又如何？”

胡铁花眨着眼道：“这条船若是她的，我就想法子要她赔给张三。”

楚留香笑道：“我看只要你能不‘随便她怎样’，已经谢天谢地了。”

胡铁花瞪起了眼睛，道：“我一定要叫她‘随便我怎样’，然后再叫她嫁给你，要你也受受这位千金大小姐的气，能不被气死，就算你运气。”

楚留香笑道：“花雕甜如蜜，美人颜如玉，就算受些气，也是开心的……只怕你到了那时，又舍不得了。”

只听身后一人道：“舍不得什么？像胡兄如此大方的人，还有什么舍不得的？”

胡铁花用不着回头，就知道是勾子长来了。因为别人的脚步也没有这么轻。

楚留香已笑道：“再大方的人，总也舍不得将自己的老婆让人的。”

勾子长道：“胡兄原来已成家了，这倒看不出。”

楚留香道：“有老婆的人，头上也不会挂着招牌，怎会一眼就看得出来？”

勾子长目光上下打量着胡铁花，像愈看愈有趣。

胡铁花忍不住道：“你看什么？我脸上难道长出了一朵花么？”

勾子长的脸似乎已有些红了，讷讷地道：“我只是觉得……觉得有了家室的人，绝对不会像胡兄这样……这么样……”

他眼睛瞟着胡铁花，似乎不敢将下面的话说出来。

楚留香却替他说了下去，笑道：“你觉得有老婆的人，就绝不会像他这么脏，是不是？”

勾子长脸更红了，竟已默认。

楚留香大笑道：“告诉你，这人除了舍不得老婆外，还舍不得洗澡，他常说一个人若是将身上洗干净了，就难免大伤元气。”

勾子长虽然拼命想忍住，还是忍不住笑出声来。

胡铁花板着脸道："滑稽滑稽，像你这么滑稽的人，天下真他妈的找不出第二个来。"

丁枫、金灵芝、向天飞，本都已入了船舱，听到他们的笑声，大家居然又全都退了出来。

金灵芝此刻像是又恢复"正常"了，第一个问道："你们在聊些什么呀，聊得如此开心？"

楚留香忍住笑，道："我们正在聊这位胡兄成亲的事。"

金灵芝瞪了胡铁花一眼，道："哼。"

楚留香忍住笑，道："只因他马上就要成亲了，所以大家都开心得很。"

金灵芝头一扭，大步走回了船舱，嘴里还冷笑着道："居然有人会嫁给这种人，倒真是怪事，想来那人必定是个瞎子。"

胡铁花实在忍不住了，大声道："不但是个瞎子，而且鼻子也不灵，所以才嗅不到我的臭气，但我宁愿要这种人，也不愿娶个母老虎的。"

金灵芝跳了起来，一个转身，已到了胡铁花面前，瞪着眼道："谁是母老虎？你说！你说！你说！"

胡铁花昂起头，背负起双手，道："今天的天气倒不错，只可惜没有月亮。"

楚留香悠然道："月亮就在你旁边，只可惜你自己看不见而已。"

金灵芝本来还想发脾气的，听了这句话，也不知怎地，脸突然红了，狠狠跺了跺脚，扭头走入了船舱。

丁枫目光闪动，笑道："胡兄若真的快成亲了，倒是件喜事，却不知新娘子是哪一位？"

楚留香道："说起新娘子么……人既长得漂亮，家世又好，武功也不错，酒量更不错，听说能喝得下一整坛……"

胡铁花跳了起来，大叫道："老臭虫，你再说一个字，我就……就……宰了你。"

一句话未说完，他的脸居然也红了。

大家都忍不住觉得有些好笑，就在这时，突见一条小船，自江岸那边飘飘荡荡地摇了过来。

船头上站着一个人，双手张着块白布。

白布上写着四个大字："卖身葬友"。

董永"卖身葬父"，千古传为佳话，但"卖身葬友"这种事，倒真还是古来所无，如今少有，简直可说是空前绝后。

勾子长失声道："各位请看，这人居然要将自己卖了，去埋葬他的朋友，如此够义气的人，我倒要交上他一交。"

胡铁花道："对，若想交个朋友，还是将他买下来的好，以后他若臭，你至少还可将他再卖出去。"

楚留香道："只要不臭、不脏、不懒、不拼命喝酒的人，总有人要的，怎会卖不出去？"

胡铁花还未说话，只听小船上那人已大声吆喝道："我这人既不臭，也不脏，更不懒，酒喝得不多，饭吃得比麻雀还少，做起事来却像条牛，对主人忠心得又像看家狗，无论谁买了我，都绝不会后悔的，绝对是货真价实，包君满意。"

吆喝声中，小船渐渐近了。

但胡铁花却连看也不必看，就已听出这人正是"快网"张三。

他忍不住笑道："这小子想必是穷疯了。"

张三站在船头，正色道："船上的大爷大奶奶们，有没有识货的，把我买下来。"

丁枫目光闪动，笑道："朋友是真的要将自己卖了么？"

张三叹了口气，道：“我本来还有条船可卖的，怎奈交友不慎，船也沉了，如今剩下光棍儿一个，不卖自己卖什么？”

丁枫道：“却不知要价多少？”

张三道：“不多不少，只要五百两，若非我等着急用，这价钱我还不卖哩。”

丁枫道：“朋友究竟有什么急用？”

张三又叹了口气，道：“只因我有个朋友，眼看已活不长了，我和他们交友一场，总不能眼见着他们的尸体喂狗，就只好将自己卖了，准备些银子，办他们的后事。”

丁枫瞟了胡铁花和楚留香一眼，笑道：“既是如此，也用不着五百两银子呀。”

张三叹道：“大爷你有所不知，我这两个朋友，活着时就是酒鬼，死了岂非要变成酒鬼中的酒鬼了？我每天少不得还要在他们的坟上倒些酒，否则他们在阴间没酒喝，万一又活回来了，我可真受不了！”

他竟指着和尚骂起秃驴来了。胡铁花只觉得牙痒痒的，恨不得咬他一口。

勾子长忍不住笑道：“既是如此，丁兄不如就将他买下来吧！”

丁枫微笑道：“买下也无妨，不过……”

突听一人道：“你不买，我买。”

语声中，金灵芝已又自船舱中冲了出来，接着道：“五百两就五百两。”

张三却摇了摇头，笑道：“只是姑娘买，就得要五千两。”

金灵芝瞪眼道：“为什么？”

张三道：“只因男主人好侍候，女主人的麻烦却多了，有时还说不定要我跳到臭水里去洗澡。”

金灵芝想也不想，大声道：“好，五千两就五千两，我买下了。”

张三反倒怔住了，吃吃道：“姑娘真的要买？”

金灵芝道：“谁跟你说笑？”

张三目光四转，道：“还有没有人出价比这位姑娘更高的？”

胡铁花摇着头，道：“这人不但像麻雀、像牛，还像狗，岂非活脱脱是个怪物，我脑袋又没毛病，何必花五千两买个怪物？”

金灵芝又跳了起来，怒道：“你说谁是怪物？你说！你说！”

胡铁花悠然道：“我只知有个人不但是母老虎，还是个怪物，却不知是谁，金姑娘你莫非知道么？”

金灵芝气得满脸通红，却说不出话来。

胡铁花叹了口气，喃喃道：“抢银子、抢钱的人都有，想不到居然还有人抢着要挨骂的，奇怪奇怪，真是奇怪极了。”

他嘴里说着话，人已远远地溜了。

张三干咳两声，道：“若没有人再出价，我就卖给这位姑娘了。”

突听一人道：“你就是‘快网’张三么？”

张三道：“不错，货真价实，如假包换。”

那人道：“好，我出五千零一两。”

江心中，不知何时又荡来了一艘小艇。

出价的这人，就坐在船头，只见他身上穿着件灰扑扑的衣服，头上戴着顶大帽，帽檐低压，谁也看不到他的面目。

他这句话说出，大家都吃了一惊。

谁也想不到竟真的还有人要和金灵芝抢着要买张三的。

楚留香也觉得这件事愈来愈有趣了。

金灵芝更是火冒三丈，大声道：“我出六千两。”

船头那人道：“我出六千零一两。”

金灵芝道：“我出七千两。”

船头那人道："我出七千零一两。"

金灵芝火气更大了，怒道："我出一万两。"

船头那人身子纹风不动，居然还是心平气和，缓缓道："我出一万零一两。"

两人这一叫价，连张三自己都怔住了。

他实在也没有想到自己竟这么值钱。

胡铁花更是听得目定口呆，喃喃道："早知他如此值钱，我先将他买下来，岂非奇货可居？只可惜我随便怎么看，也看不出他有什么值钱的地方！"

船头那人似乎笑了笑，悠然道："货卖识家，我这一万零一两银子，出得本不算高。"

金灵芝咬着嘴唇，大声道："好，我出……"

这次她价钱还未说出，丁枫忽然截口道："且慢且慢，做买卖讲究的是公公道道，银货两讫是么？"

张三立刻道："不错，我这里更得要现金买卖，赊欠免谈。"

丁枫道："既是如此，无论谁在出价之前，总得将银钱拿出来瞧瞧，总不能空口说白话。"

金灵芝立刻从怀中取出一叠银票，道："你看这够不够？"

丁枫瞧了瞧，笑道："够了够了，这是山西利源号的银票，就和现金一样。"

海阔天道："若还不够，我这里还有些银子，金姑娘尽管使用无妨。"

紫鲸帮主富可敌国，有了他这句话，也和现金差不多了。

丁枫笑道："那边船上的朋友呢？"

船头那人还是心平气和，缓缓道："阁下想必生怕我是和张三串通好了，故意来抬高价钱的是么？"

丁枫只笑了笑，居然默认了。

船头那人冷冷一笑，招手道："拿来！"

船尾立刻有人抬了个箱子过来，这人打开箱子，但见金光灿然，竟是满满的一箱金元宝。

胡铁花眼睛张得更大了，苦笑着道："想不到还真有人抬着元宝来买张三的，我倒真小看他了。"

只听船头那人道："这够了么？"

丁枫也怔了怔，展颜笑道："足够了。"

船头那人淡淡道："若是不够，我这里还有几箱，姑娘你尽管出价吧。"

金灵芝纵然生长在豪富之家，平日视金银如粪土，但要她花整万两的银子来买个人，这实在连她自己都觉得有些莫名其妙。此刻她脸色已有些发白，咬了咬嘴唇，道："一万一千两。"

船头那人道："一万一千零一两。"

金灵芝道："一万一千五百两。"

船头那人道："一万一千五百零一两。"

金灵芝道："一万二千两。"

这时她实已骑虎难下，想收手也不行了，但豪气却已大减，本来是一千两一加的，现在已变成五百两一加了。

船头那人还是不动声色，缓缓道："一万二千零一两。"

金灵芝忍不住叫了起来，怒道："你为什么非要买他不可？"

船头那人淡淡道："姑娘又为何非要买他不可？"

金灵芝怔住了。她自己实在也说不出个道理来，怔了半晌，才大声道："我高兴，只要我高兴，将几万两银子抛下水也没关系。"

船头那人冷冷道："只许姑娘高兴，就不许别人高兴么？"

丁枫忽又笑道："其实这位朋友的来意，在下是早已知道的了。"

船头那人道："哦？"

丁枫道："江湖中人人都知道，'快网'张三不但水上功夫了得，造船航行之术，更是冠于江南，在水面上只要有张三同行，便已胜过了千百水手，阁下求才之心，如饥如渴，莫非也将有海上之行么？"

船头那人忽然仰天大笑了几声，道："好！厉害，果然厉害！"

丁枫道："在下猜得不错吧？"

船头那人道："明人面前不说暗话，阁下猜得正是，一点也不错。"

丁枫道："既然如此，在下倒有一言相劝。"

船头那人道："请教。"

丁枫道："海上风云，变幻莫测，航行之险，更远非江湖可比，阁下若没有十分急要之事，能不去还是不去的好。"

船头那人淡淡道："多谢朋友的好意，只可惜在下此番是非去不可的。"

他不让丁枫说话，忽又问道："据说海上有个销金之窟，不知阁下可曾听说过？"

丁枫皱眉道："销金窟？人间到处皆有销金窟，却不知阁下说的这一个在哪里？"

船头那人道："这销金窟在东南海面之上，虚无缥缈之间，其中不但有琼花异草、仙果奇珍、明珠白璧、美人如玉，还有看不尽的美景、喝不完的佳酿、听不完的秘密、说不完的好处！"

江面空阔，江风又急，两船相隔在十丈开外，常人在船上互相对答，只怕已将喊得声嘶力竭了；只不过，这些人都是一等一的武林高手，内力深厚，一句话说出，每个字都可以清清楚楚地远送出去。

船头这人说的话，听来本也十分稳定清晰，只可惜他这次话说得太长了，说到最后几句，气力似已不继，已不得不大声呼喊起来。

海阔天、向天飞、胡铁花，这些人是何等厉害的角色，一听之下，已知道这人武功纵然不弱，内力却不深厚，并不是很可怕的对手。

连他们都已听出，楚留香和丁枫自然更不在话下。

胡铁花笑道：“你说的那些事，别的也没什么，但那‘喝不完的佳酿’六字，倒的确打动了我，世上若真有这样的地方，我也想去瞧瞧的。”

船头那人道：“这地方确在人间，但若真的想去，却又难如登天了。”

胡铁花道：“为什么？”

船头那人道：“此处地志不载，海图所无，谁也不知道究竟在哪里，若是无人接引，找上十年，也无法找到。”

胡铁花道：“却不知有谁能接引呢？”

船头那人道：“自然也只有销金主人的门下，才知道那销金窟途径。”

胡铁花听得更感兴趣了，忍不住追问道：“销金主人？这又是个怎么样的人物？”

船头那人道：“谁也不知道他是个怎么样的人，既没有人听说过他的姓名来历，更没有人见过他的形状容貌。有人说他昔年本是江湖巨盗，洗手后归隐海上，也有人说他只不过是个少年，胸怀异志，在中原不能展其所长，只有到海上去另谋发展。”

他笑了笑，接着道：“甚至还有人说她本是个貌美如花的年轻女子，而且手段高明，是以令很多才智异能之士，听命于她。”

楚留香也笑了笑，道：“如此说来，这人倒的确神秘得很。”

胡铁花道：“神秘的人，我倒也见得多了。”

船头那人道：“但两位若想见到这人，只怕也不太容易。”

胡铁花道：“至少总有人到那销金窟去过的吧？”

船头那人道："自然有的，否则在下也不会知道世上有这么样个奇妙之地了，只不过，真去过那地方的人并不多。"

胡铁花道："有哪些人？"

船头那人道："近几年来，那销金主人每年都要请几个人到那里去作十日半月之游，能被他请去的，自然人人都是富可敌国的豪门巨富。"

楚留香道："不错，到销金窟原本就是要销金去的，若是无金可销，去了也无趣，倒不如不去了。"

胡铁花目光四扫一眼，淡淡道："如此说来，我们这里倒有几个人是够资格去走一走的。"

金灵芝脸色变了变，竟忍住了没有说话。

船头那人道："能到这种地方去走一走，本是大可吹嘘，奇怪的是，去过的人，回来后却绝口不提此事，而且……"

他帽檐下目光一闪，似乎瞟了丁枫一眼，缓缓接道："那销金主人行事十分隐秘，收到他请帖的人，也讳莫如深，是以江湖中根本就不知道有哪些人被他请去过，别人纵然想问，也不知道该去问谁，想要在暗中跟踪他们，更是绝无可能。"

胡铁花道："为什么？"

船头那人道："那销金主人并未在请帖上写明去处，只不过约好某时某地相见，到了那时，他自会派人接引，去的人若不对，接的人也就不会接了。接到之后，行迹更是诡秘，若有人想要在暗中追踪，往往就会不明不白地死在半途。"

楚留香和胡铁花悄悄交换了个眼色。

胡铁花叹了口气，道："要去这鬼地方，竟如此困难，不去也罢。"

船头那人道："但人人都有好奇之心，愈是不容易去的地方，就愈想去。”

丁枫一直在旁边静静地听着，此刻忽然道：“阁下若是真的想去，在下倒说不定有法子的。”

船头那人目光又一闪，道：“阁下莫非知道那销金窟的所在之地？”

丁枫淡淡一笑，道：“在下正凑巧去过一次，而且阁下身怀巨资，不虞无金可销，到了那里，那销金主人想必也欢迎得很。”

船头那人大喜道：“既是如此，就请指点一条明路，在下感激不尽。”

丁枫笑道：“更凑巧的是，我们这里也有人本是要到那里去的，阁下若不嫌弃，就请上船同行如何？”

船头那人没有说话，显然还在犹疑着。

胡铁花却说话了，冷冷道：“我早就说过，这里有几个人是够资格去走一走的……”

说这话的时候，他眼色瞟着金灵芝。这次金灵芝却扭转了头，装作没有听到。

海阔天也说话了，大声道：“这位朋友既然身怀巨资，若要他随随便便就坐上陌生人的船，他自然是不放心的。”

向天飞冷冷道：“何况，这还不是陌生人的船，而是条海盗船。”

这人不说话则已，一说话，就是副想要找麻烦的神气。

船头那人淡淡笑道：“在下倒对各位没有不放心的，只怕各位不放心我。”

丁枫道：“我们对别人也许会不放心，但对阁下却放心得很。”

船头那人道：“为什么？”

丁枫笑道：“一个人若像阁下这样身怀巨资，防范别人还来不及，又怎会再去打别人的主意？”

船头那人笑道：“既是如此，在下就恭敬不如从命了。”

胡铁花冷冷道：“原来一个人只要有钱了，就是好人，就不会打别人的坏主意了。”

他拍了拍楚留香的肩头，道：“如此看来，我们还是快下船吧！”

丁枫笑道：“酒还未喝，胡兄怎地就要走了？”

胡铁花道：“我们身上非但没有巨资，而且简直可说是囊空如洗，说不定随时都要在各位身上打打坏主意，各位怎能放心得下？”

他又瞟了金灵芝一眼，冷冷地接着道：“但这也怪不得各位，有钱人对穷鬼防范些，原是应该的。”

丁枫道：“胡兄这是说笑了，两位一诺便值千金，侠义之名，早已哄传天下，若有两位在身旁，无论到哪里去，在下都放心得很，何况……”

金灵芝忽然截口道：“何况他还没有跟我拼酒，就算想走也不行。”

楚留香笑道：“既是如此，在下等也就恭敬不如从命了。听到世上竟有那么样的奇境，在下确实也动心得很。”

张三长长叹了口气，道：“好了好了，你们都有地方可去了，就只剩下我这个孤魂野鬼，方才大家还抢着买的，现在就已没人要了。”

胡铁花道：“别人说的话若不算数，只好让我将你买下来吧！”

金灵芝板着脸，道：“我说过的话，自然是要算数的。”

胡铁花眨了眨眼，道：“你还要买他？”

金灵芝道：“当然。”

胡铁花道：“还是出那么多银子？”

金灵芝道：“当然。”

胡铁花道：“还是现金交易？”

金灵芝“哼”了一声，扬手就将一大叠银票甩了出去。

张三突然飞身而起，凌空翻了两个跟斗，将满天飞舞的银票全都抄在手里，这才飘落到甲板上，躬身道：“多谢姑娘。”

海阔天拍手道：“好功夫，金姑娘果然有眼力。这么样的功夫，就算再多花些银子，也是值得的。”

丁枫长长向金灵芝一揖，笑道：“恭喜金姑娘收了位如此得力的人，日后航行海上，大家要借重他之处想必极多，在下先在此谢过。”

他不谢张三，却谢金灵芝，显然已将张三看作金灵芝的奴仆。

胡铁花冷笑道：“张三，看来我也要恭喜你了，有位这样的主子，日后的日子想必一定好过得很。”

张三笑道：“日后我的朋友若是呜呼哀哉，至少我总有钱为他收尸了。”

胡铁花道：“我什么样的朋友都有，做人奴才的朋友，你倒真还是第一个。”

张三笑道：“这你就不懂了，交有钱的奴才总比穷光蛋朋友好，至少他总不会整天到你那里去白吃。”

第六章

白蜡烛

胡铁花和张三在这里斗嘴，楚留香和丁枫却一直在留意那边船上的动静。

那条船虽比张三乘来的瓜皮艇大些，却也不太大。船上只有两个人，除了船头戴大帽、身穿灰袍的怪客外，船尾有个摇橹的艄公，也就是方才将那一箱黄金提到船头来的人。

这时他又提了三口箱子到船头来，那大灰袍的怪客正在低声嘱咐着他，他只是不停地点头，一言不发，就像是个哑巴。

两条船之间，距离还有五六丈。

海阔天和丁枫并没有叫人放下搭的绳梯，显然是想考较这两人，看看他们用什么法子将那四箱黄金弄过来。只见那船夫已将四口箱捆住，又提起团长索，用力抡了抡，风声呼呼，绳头显然还系着件铁器，仿佛是个小铁锚。

只听“呼”的一声，长索忽然间横空飞出，接着又是“夺”的一响，铁锚已钉入大船的船头，入木居然很深。

那船夫又用力拉了拉，试了试是否吃住劲，然后就将长索的另一端系在小船头的横木上。

海阔天笑了笑，道：“看样子他们是想从这条绳子上走过来。”

丁枫淡淡道：“只望他们莫要掉到水里去才好。”

海阔天笑道："若真掉了下去，倒也有趣，麻烦的是我们还要将他捞起来。"

其实索上行人，也并不是什么上乘的轻功，就算走江湖卖艺的绳伎，也可以在绳子上走个三五丈。

但这时丁枫和海阔天都已看出这灰袍人的气派虽不小，武功却不高，他自己能走得过来已是运气了，他手下那船夫只怕就要他用绳子提过来，再提那四口箱子的时候，他是否还有气力，更大成问题了。

绳子一系好，那灰衣人果然就飞身跃了上去，两个起落已掠出四五丈，再跃起时，身形已有些不稳，一口真气似已换不过来。

连楚留香手里都为他捏着把汗，担心他会掉到水里去。只听"咚"的一声，他居然落到船头上了，就好像是从空中摔下一袋石头似的，震得舱门口的灯笼都在不停地摇荡。

看来这人非但内力不深，轻功也不高明，这么样一个人，居然敢带着四箱黄金走上紫鲸帮帮主的船上来，胆子倒真不小。

海阔天背负着双手，笑眯眯地瞧着他。那眼色简直就像是在瞧着一条自己送上门的肥羊。

楚留香叹了口气，暗道："这位仁兄这下子可真是'上了贼船了'。"

"上了贼船"本是北方的一句俗话，正是形容一个人自投虎口，此刻用来形容这人，倒真是再也恰当不过的绝妙好辞。

海阔天笑眯眯道："原来阁下也是位武林高手。"

灰衣人低着头，喘着气道："老了，老了，不中用了。"

海阔天道："那边船上还有一人，不知是否也要和阁下同行？"

灰衣人道："那正是小徒，在下这就叫他过来拜见海帮主。"

海阔天笑道："好说好说，令高徒的身手想必也高明得很。"

灰衣人居然并没有谦虚，只是高声呼唤道："白蜡烛，你也过来吧！留神那四口箱子。”

他摇着头，又笑道：“我这徒弟从小就是蜡烛脾气，不点不亮，我从小就叫惯他‘白蜡烛’了，但望各位莫要见笑。”

勾子长忍不住道：“要不要我过去帮他一下？”

他虽想乘此机会将自己的轻功露一露，却也是一番好意。

谁知灰衣人却摇头道：“那倒不必，他自己还走得过来的。”

海阔天又笑了。师父险些掉下水，徒弟还能走得过来么？

只见那“白蜡烛”已拿起船上的木桨，将四口箱子分别系在两头，用肩头担了起来，突然飞身一跃，跃上了长索。

大家的一颗心都已提了起来，以为这下子他就算能站得住，这条绳子也一定要被压断了。

四箱黄金加在一起，至少也有几百斤重，能挑起来已很不容易，何况还要挑着它施展轻功？

谁知这“白蜡烛”挑着它走在绳子上，竟如履平地一般。

海阔天笑不出来了。

勾子长也瞧得眼睛发直，他自负轻功绝顶，若要他挑着四口箱子，走过六七丈飞索，也绝难不倒他。但若要他走得这么慢，他就未必能做到了。这“走索”的轻功，本是愈慢愈难走的。

只听灰衣人一声轻呼，白蜡烛竟然一脚踩空，连人带箱子都似已将落入水中，谁知人影一闪，不知怎地，他已好好地站在船头上了——原来他适才是露一手功夫给大家瞧瞧。

大家本来谁也没有注意他，此刻却都不禁要多瞧他几眼，然后大家就知道他为什么被人叫作“白蜡烛”了。

他的皮肤很白，在灯光下看来，简直白得透明，可以看到里面的血脉骨骼。这种白虽然是病态的，却又带着说不出的奇异魅力。

他的五官都很端正，眉目也很清秀，但却又带着某种惊恐痴呆的表情，就好像一个刚刚受过某种巨大惊骇的小孩子一样。

他身上穿的衣服，本来无疑也是白的，但现在却已脏得令人根本无法辨别它本来是什么颜色。

这么样一个人，实在很难引起别人的好感。

但也不知为了什么，楚留香对他的印象并不坏。看到了他，就好像看到了个受了委屈的脏孩子，只会觉得他可怜，绝不会觉得他可厌。

但他的师父却不同了。大家本来只看到他头上戴的那顶铜盆般的大帽子，这顶帽子几乎已将他整个头盖住了三分之二，令人根本无法瞧见他的面目。但进了船舱后，灯光亮了，这人也总不能用帽子将他整个头完全盖住，所以大家就瞧见了他露在帽子外那三分之一的脸。

虽然只有三分之一张脸，却也似乎太多了——只瞧了这三分之一张脸，大家的背脊上就觉得有些黏黏的、湿湿的、冷冷的。

那种感觉就好像刚有一条蛇从身上爬过去。

这张脸看来就如同一个蒸坏了的馒头、一个煮坏了的蛋、一个剥了皮的石榴、一个摔烂了的柿子。

谁也无法在这脸上找出鼻子和嘴来。在原来生着鼻子的地方，现在已只剩下两个洞，洞里不时往外面“嗞嗞”地出着气，那声音听来简直像响尾蛇。

在原来生着嘴的地方，现在已剩下一堆扭曲的红肉，每当他说话的时候，这堆红肉就会突然裂开，又好像突然要将你吸进去。

楚留香可说是最沉得住气的人，但就算是楚留香，看到这人时也不能忍受。他简直不能再去看第三眼。

幸好这人自己也很知趣，一走入船舱，就找了个最阴暗的角落坐下，他那徒弟也寸步不离，跟在他身后，一双手始终握得紧紧的。

楚留香知道，无论谁只要对他的师父无礼，他这双拳头立刻就要出手。楚留香认为世上能挡得住他一拳的人绝不会太多。

这师徒都怪得离奇，怪得可怕，就连胡铁花和张三的嘴都像是被封住了，还是丁枫先开口的。

他先笑了笑——他无论说什么话，都不会忘记先笑一笑。

他微笑着："今日大家同船共渡，总算有缘，不知阁下尊姓大名，可否见告？"

他这话自然是对那灰衣人说的，但眼睛却在瞧着桌子上的酒壶——这酒壶的确比那个灰衣人的脸好看得多了。

灰衣人道："在下公孙劫余，别字伤残。"

他长长叹了口气，才接着道："各位想必也可看出，在下这'劫余'两字，取的乃是'劫后余生'之意；至于'伤残'两字，自然是伤心之伤，残废之残了。"

其实他用不着说，大家也已看出，这人必定经历过一段极可怕的往事，能活到现在必不容易。

没有人的脸会天生像他这样子的。

丁枫道："令高足武功之高，江湖罕睹，大家都仰慕得很……"

公孙劫余道："他就叫白蜡烛，没有别的名字，也没有朋友。"

丁枫默然半晌，才笑了笑，道："这里在座的几位朋友，可说都是名满天下的英雄豪杰，待在下先为公孙先生引见引见。"

公孙劫余叹道："在下愚昧，却还有些自知之明，只要有眼睛的人，看到在下这样子，都难免要退避三舍，是以在下这十余年来，已不再存着结交朋友的奢望，此番只求能有一席之地容身，就已感激不尽了。"

他居然摆明了自己不愿和在座的人交朋友，甚至连这些人的姓名都不愿知道。丁枫就算口才再好，也说不出话来了。

向天飞突然站了起来，抱了抱拳，大声道："多谢多谢。"

公孙劫余道："阁下谢的是什么？"

向天飞笑道："我谢的是你不愿和我交朋友，你若想和我交朋友，那就麻烦了。"

公孙劫余只是淡淡道："在下正是从不愿意麻烦的。"

他居然一点也不生气。

其实他就算生气，别人也万万看不出来。

海阔天勉强笑道："公孙先生既不愿有人打扰，少时必定为两位准备间清静的客房，但现在……"

他举起酒杯，接着道："两位总得容在下稍尽地主之谊，先用些酒菜吧！"

向天飞冷冷道："不错，就算不交朋友，饭也总是要吃的。"

白蜡烛突然道："你是不是这里的主人？"

向天飞道："不是。"

白蜡烛道："好，我吃。"

他忽然从角落里走了出来，拿起桌上的酒壶，"咕嘟咕嘟"，一口气便将大半壶酒全都喝了下去。

这酒壶肚大身圆，简直就和酒坛子差不多，海阔天方才虽倒出了几杯，剩下的酒至少还有三四斤。

白蜡烛一口气喝了下去，居然还是面不改色。

胡铁花眼睛亮了，笑道："想不到这里还有个好酒量的，极妙极妙。"

喜欢喝酒的人，看到别人的酒量好，心里总是开心得很。

白蜡烛却已没工夫去听别人说话，只见他两只手不停，眨眼间又将刚端上来的一大碟酱肉吃得干干净净。

这碟酱肉本是准备给十个人吃的，最少有三四斤肉。这少年看来也不高大，想不到食量却如此惊人。

胡铁花又笑了，大声道："好，果然是少年英雄，英雄了得！"

向天飞冷笑道："酒囊饭袋若也算英雄，世上的英雄就未免太多了。"

白蜡烛似乎根本没有听到他的话，却慢慢地走出了船舱，走到门外，才转过身子，瞪着向天飞，一字字道："你出来。"

向天飞脸色变了，冷笑道："出去就出去，谁还怕了你不成？"

海阔天本来想拦住他们的，却被丁枫使个眼色阻止了。

公孙劫余也只是叹息着，道："我早就说过他是蜡烛脾气，不点不着，一点就着，你又何苦偏偏要去惹他呢？"

勾子长冷冷道："那人本就有点毛病，一天到晚想找人麻烦，有人教训教训他也好。"

胡铁花笑道："我只要有热闹可瞧，谁教训谁都没关系。"

大家都走出了船舱，才发现白蜡烛根本就没有理会向天飞，一个人慢慢地走上了船头。

船向东行，他乘来的那条船还漂在前面江上。

白蜡烛伸手拔出了钉在船头上的铁锚，口中吐气开声，低叱了一声，那条船突然奇迹般离水飞起。

此刻整条船横空飞来，力量何止千斤，只听风声刺耳，本来站在船头的两个水手，早已吓得远远躲了开去。

他们以为白蜡烛这下子纵然不被撞得血肉横飞，至少也得被撞去半条命，谁知他身子往下一蹲，竟将船平平稳稳地接住了。

大家不由自主，全都失声喝道："好！"

白蜡烛仍是面不红，气不喘，双手托着船，慢慢地走到船舱旁，轻轻地放了下来，才转身面对着向天飞，一字字道："你少说话。"

向天飞面上阵青阵白，突然跺了跺脚，走到船尾的舵手旁，一掌将那舵手推开，自己掌着舵，望着江上的夜色，再也不回头。

从此之后，谁都没有瞧见他再走下过船舱，也没有再听到他说过一句话，直到第二次上弦月升起的那天晚上——

桌上的酒壶又加满了。

白蜡烛缓缓走入了船舱，竟又拿起了这壶酒，嘴对嘴，片刻间这一壶酒又喝得干干净净。

然后他才走回角落，站在公孙劫余身后，面上仍带着那种惊恐痴呆的表情，就像是个受了惊的孩子。

胡铁花挑起了大拇指，失声赞道："老臭虫，你瞧见了么？要这样才算是喝酒的，像你那样，只能算是在舐酒。"

他立刻又摇了摇头，道："连舐酒都不能算，只能算是嗅酒。"

金灵芝忽然道："再去倒六壶酒来。"

她这话也不知道是对谁说的，张三却立刻应声道："遵命！"

其实他也不知道酒在哪里，在这地方也用不着他去倒酒。

但他还是拿着酒壶走了出去，嘴里还喃喃自语道："花了成万两的银子买下我，就只叫我倒酒，这岂非太不合算了么？"

胡铁花冷笑道："你不用着急，以后总有得叫你好受的，你慢慢地等着吧。"

金灵芝瞪了他一眼，居然没有搭腔，张三也已走远了。

用不了多久，六壶酒都已摆到桌子上。

金灵芝道："你喝四壶，我喝两壶。"

她这话也还是不知对谁说的，但每个人的眼睛都瞧着胡铁花。

胡铁花搓了搓鼻子，笑道："金姑娘是在跟我说话么？"

丁枫笑道："看来只怕是的。"

胡铁花望着面前的四壶酒，喃喃道："一壶酒就算五斤吧，四壶就是整整的二十斤，我就算喝不醉，也没有这么大的肚子呀！"

张三悠然道：“没有这么大的肚子，怎能吹得出那么大的气？”

胡铁花叹道：“看来这人帮腔拍马的本事倒不错，果然是个天生的奴才胚子。”

金灵芝瞪眼道：“废话少说，你究竟是喝，还是不喝？”

胡铁花道：“喝，自然是要喝的，但现在却不是时候。”

张三笑道：“喝酒又不是娶媳妇，难道也要选个大吉大利的日子么？”

胡铁花这次不理他了，笑道：“我喝酒是有名的‘见光死’，现在天已快亮了，只要天一亮，我就连一滴酒也喝不下去。”

金灵芝道：“你要等到几时？”

胡铁花道：“明天，天一黑——”

金灵芝霍然长身而起，冷笑道：“好，明天就明天，反正你也逃不了的。”

胡铁花瞟了丁枫一眼，淡淡道：“既已到了这里，恐怕谁也没有再打算走了，是么？”

公孙劫余一字字道：“走，总是要走的，但在什么时候走？是怎么样走法？那就谁也不知道了。”

船舱一共有两层。

下面的一层，是船上十七个水手的宿处，和堆置粮食货物清水的地方，终年不见阳光。

上面的一层，除了前面他们在喝酒的一间外，后面还有四间舱房，在当时说来，这条船的规模已可算是相当不小了。

公孙劫余和白蜡烛师徒两人占了一间，金灵芝独据一间，勾子长和丁枫勉强共宿一室。

楚留香、张三和胡铁花只好三人挤在一间。客人们已将后舱都占满，做主人的海阔天只有在前舱搭铺了。

胡铁花光着脚坐在枕头上，眼睛瞪着张三，一回到屋子，他第一件事就是将鞋子袜子全都脱下来。

他认为每个人的脚都需要时常透透气，至于洗不洗，那倒没关系了。

张三捏着鼻子，皱着眉道："原来鼻子不灵也有好处的，至少嗅不到别人脚上的臭气。"

胡铁花瞪着眼道："你嫌我的脚臭是不是？"

张三叹道："臭倒也罢，你的脚不但臭，而且臭得奇怪。"

胡铁花道："我若也肯花上万两的银子买个奴才回来，就算把脚拦在鼻子上，他也不会嫌臭的，是不是？"

张三笑道："一点也不错，有钱人连放个屁都是香的，何况脚？"

胡铁花道："既然如此，你为何不去嗅那阔主人的脚去？"

张三悠然道："我本来倒也想去的，就只怕有人吃醋。"

胡铁花怒道："吃醋，你说谁吃醋？"

张三不理他了，却将耳朵贴到板壁上。

舱房是用木板隔出来的，隔壁就是公孙劫余和白蜡烛住的地方。

胡铁花冷笑道："奴才果然是奴才，帮腔、拍马、偷听别人说话，这些正是奴才们最拿手的本事。"

张三还是不理他，脸上的表情却奇怪得很。只见他忽而皱眉，忽而微笑，忽然不停地摇头，忽又轻轻地点头，就好像一个戏迷在听连台大戏时的表情一样。

隔壁屋子里两个人究竟在干什么？说什么？

胡铁花实在忍不住了，搭讪着问道："你听到了什么？"

张三似已出神，全没听到他说的话。

胡铁花又忍耐了半晌，终于忍不住也将耳朵贴到板壁上。

隔壁屋子里静得就像是坟墓，连一点声音都没有。

胡铁花皱眉道："我怎么连一点声音都听不到？"

楚留香笑了，道："本来就没有声音，你若能听到，那才是怪事了。"

胡铁花怔了怔，道："没有声音？他为何听得如此有趣？"

张三也笑了，道："这就叫'此时无声胜有声'，我听你说话听烦了，能让耳朵休息休息，自然要觉得有趣得很。"

胡铁花跳了起来，一个巴掌还未打出去，自己也忍不住笑了，笑骂道："想不到你刚和老臭虫见面没多久，就将他那些坏根全学会了，你为什么不学学他别的本事？"

张三笑道："这就叫作学坏容易学好难。何况，他那些偷香窃玉的本事，我本就不想学，只要能学会如何气你，能把你气得半死，就已心满意足了。"

楚留香淡淡道："隔壁屋子若也有人偷听我们说话，那才真的有趣，他一定要以为我关了两条疯狗在屋子里，正在狗咬狗。"

胡铁花道："我是疯狗，你是什么？色狼？"

张三道："但话又说回来了，色狼至少也比疯狗好，色狼只咬女人，疯狗却见人就咬。"

胡铁花刚瞪起眼睛，还未说话。突听门外一人道："三位的屋子里难道又有狼，又有狗么？这倒怪了，我方才明明要他们将屋子先收拾干净的。"

这竟是海阔天的声音。

楚留香向胡铁花和张三打了个手势，才打开了房门，笑道："海帮主还未安寝？"

海阔天没有回答他这句话，却目光四扫，喃喃说道："狼在哪里？狗在哪里？在下怎么未曾见到？"

楚留香也不知道他是真笨，还是在装糊涂，笑道："海帮主的大驾一到，就算真有虎狼成群，也早已吓得望风而逃了。"

海阔天也笑了，只不过此刻看来竟有些像是心事重重，脸色也很凝重，虽然在笑，却也笑得很勉强，而且目光闪动，不时四下张望，又回头紧紧地关起房门，一副疑神疑鬼的样子。

别人也不知道他在弄什么玄虚，只有瞧着。

海阔天将门上了闩，才长长吐了口气，悄声道："隔壁屋子，可有什么动静么？"

胡铁花抢着道："没有，吃也吃饱了，喝也喝足了，还不睡觉？"

海阔天沉吟着，又皱着眉道："香帅足迹遍及天下，交游最广，不知以前可曾见过他们？"

楚留香道："没有。"

海阔天道："香帅再仔细想想……"

楚留香笑道："无论谁只要见过他们一面，恐怕就永远也忘不了。"

海阔天点了点头，叹道："不是在下疑神疑鬼，只因这两人的行踪实在太可疑，尤其是徒弟，看来简直像是个白痴，武功又深不可测。"

胡铁花道："不错，尤其他将船搬上来时露的那手功夫，那用的绝不是死力气，若没有'借力化力，四两拨千斤'的内家功夫，就算力气再大，也是万万接不住的。"

海阔天道："但他那师父的武功，却连他十成中的一成都赶不上。在下本来还以为他是故意深藏不露，后来一看，却又不像。"

胡铁花道："不错，他就算再会装，也瞒不过这许多双眼睛的。"

海阔天道："所以，依我看，这两人绝非师徒。"

胡铁花道："不是师徒是什么关系？"

海阔天道："我想那白蜡烛必定是公孙劫余请来保护他的武林高

手，为了瞒人耳目，才故作痴呆，假扮他的徒弟。”

楚留香摸了摸鼻子，道：“海帮主的意思是说……白蜡烛这名字根本就是假的？”

海阔天道：“公孙劫余这名字也必定是假的，这人必定是个很有身份，很有地位，而且……”

他接道：“他的脸本来也绝对不是这种怪样子，他故意扮得如此丑陋可怕，正是要别人不敢看他，也就看不出他的破绽了。”

楚留香道：“海帮主果然是目光如炬，分析精辟，令人佩服得很。”

他这话倒并不完全是故意恭维。

海阔天的看法，竟和他差不多，的确不愧是个老江湖。

胡铁花道：“这两人费了这么多事，到这船上来，为的是什么呢？”

海阔天苦笑道：“这的确费人猜疑，只不过……”

他声音压得更低，悄声道：“在下却可带三位去看样东西。”

胡铁花皱眉道：“什么东西如此神秘？”

海阔天还未答话，突听门外“笃”的轻轻一响。

他脸色立刻变了，耳朵贴到门上，屏息静气地听了很久，将门轻轻地打开了一线，又向外面张望了半晌，才悄声道：“三位请随我来，一看就明白了。”

舱房外有条很窄的甬道。甬道尽头，有个小小的楼梯。

这楼梯就是通向下面船舱的，海阔天当先领路，走得很轻、很小心，像是生怕被人听到。

下面的船舱终年不见阳光，阴森而潮湿，一走下梯，就可隐隐听到水手们发出来的鼾声。

十七个水手不分昼夜，轮班睡觉，一睡就很沉——工作劳苦的人，若是睡着，就很难再叫得醒了。

堆置货物的舱房，就在楼梯下，门上重锁，两个人守在门外，手掌紧握着腰畔的刀柄，目中都带着惊慌之色。

海阔天当先走了过去，沉声道：“我走了之后，有别人来过么？”

两人一齐躬身道：“没有。”

海阔天道：“好，开门。无论再有什么人来，都切切不可放他进来！”

门一开，胡铁花就嗅到了一种奇怪的味道：又臭又腥，有些像咸鱼，有些像海菜，又有些像死尸腐烂时所发出的臭气。谁也说不出那是什么味道。

张三皱着眉，眼角瞄着胡铁花的赤脚——看到海阔天的神情那么诡秘，他出来时也忘记穿鞋子了。

胡铁花瞪着眼道：“你少看我，我的脚还没有这么臭。”

海阔天勉强笑道：“这是海船货舱中独有的臭气，但食物和清水，都放在厨房边的那间小舱房里。”

胡铁花长长吐出口气：“谢天谢地，否则以后我真不敢放心吃饭了。”

张三道：“但酒却是放在这里的，你以后难道就不敢放心喝酒了么？”

货舱中堆着各式各样的东西，其中果然有几百坛酒。中间本有块空地，现在却也堆着些东西，上面还置着层油布。

胡铁花还未说话，突见海阔天用力将油布掀起，道：“各位请看这是什么？”

油布下盖着的，竟是六口棺材。

胡铁花失笑道：“棺材我们见得多了，海帮主特地叫我们来，难道就是看这些棺材的么？”

海阔天面色凝重，道：“海船之上，本来是绝不会有棺材的。”

胡铁花道：“为什么？难道船上从来没死过人？”

海阔天道：“在海上生活的人，在海上生，在海上死，死了也都是海葬，根本用不着棺材。”

胡铁花皱眉道：“那么，这几口棺材却是从哪里来的呢？”

海阔天道：“谁也不知道。”

胡铁花愣然道：“难道谁也没有瞧见有人将这六口棺材搬到船上来？”

海阔天道：“没有。”

他脸色更凝重，道：“每次航行之前，我照例都要将货舱清点一遍，是以方才各位回房就寝之后，我就到这里来了。”

胡铁花道：“直到那时，你才发现这六口棺材在这里？”

海阔天道：“不错，所以我就立刻查问管理货舱的人，但却没有一个人知道这些棺材是谁送来的。这两人俱已随我多年，一向很忠实，绝不会说谎。”

楚留香沉吟着，道：“若非帮主信得过的人，也不会要他们来管理货舱了。”

海阔天道：“正是如此。”

胡铁花笑道：“就算有人无缘无故地送了六口棺材来，也没什么关系呀！何况，这六口棺材木头都不错，至少也可换几坛好酒。”

张三叹道：“这人倒真是三句不离本行——但你怎么不想想，海帮主的座船岂是容人来去自如之地？若有人想神不知、鬼不觉地将六口大棺材送到这里来，又岂是容易的事？”

胡铁花道：“这倒的确不容易。”

张三道：“他们花了这么多力气，费了这么多事，才将棺材送到这里，若没有什么企图，这些人岂非都有毛病？”

胡铁花的眉头也皱起来了，道：“那么，你说他们会有什么企图呢？”

楚留香又在搓着鼻子，忽然道：“我问你，这次我们上船来的一共有几个人？”

自从胡铁花学会他摸鼻子的毛病后，他自己就很少搓鼻子了，现在却又不知不觉犯了老毛病，心里显然又有了极难解决的问题。

胡铁花沉吟着，道：“你、我、张三、金灵芝、勾子长、丁枫、公孙劫余、白蜡烛，再加上海帮主和向天飞，一共正好是十个人。”

他像是忽然想起了什么，脸色也变了，喃喃道：“十个人上船，这里却有六口棺材，难道这人是想告诉我们，这十个人中，有六个人要死在这里？”

张三叹道：“这人倒真是一番好意，知道我们都是土生土长的人，死了也得埋在土里才死得踏实，所以就特地为我们送了这六口棺材。”

他眼角瞟着海阔天，接着道：“海帮主和向天飞都是海上的男儿，自然是用不着棺材的了。”

海阔天沉着脸，长叹道：“所以他的意思是说，我们十人中，至少有八个人非死不可，我和向天飞两人更已死定了。”

胡铁花皱眉道：“如此说来，至少还有两人能活着回去，这两人是谁？”

海阔天一字字道：“活着的人，自然就是杀死另外八个人的凶手！”

张三瞧着这六口棺材，喃喃道：“我好像已瞧见有六个死人躺在里面。”

胡铁花忍不住道：“是哪六个人？”

张三道：“一个是楚留香，一个是胡铁花，还有一个好像是女的……”

他说得又轻又慢，目光凝注着这六口棺材，竟带着种说不出的阴森之意。

胡铁花纵然明知他是在胡说八道，却也不禁听得有些寒毛凛凛，直想打冷战，忍不住喝道：“还有一个是你自己，是不是？”

张三长长叹了口气，道：“一点也不错，我自己好像也躺在棺材里，就是这一口棺材！”

他的手往前面一指，大家的心就似也跟着一跳。

他自己竟也不由自主激灵灵打了个寒噤，手心已沁出了冷汗。

海阔天脸色苍白，嗄声道：“还有两人呢？你看不看得出？”

张三抹了抹汗，苦笑道：“看不出了。”

楚留香道：“海帮主莫非怀疑公孙劫余和白蜡烛两人是凶手？”

海阔天默然不语。

楚留香目光闪动，道：“那位丁公子和海帮主似非泛泛之交，此事海帮主为何不找他去商量商量？”

海阔天又沉默了很久，才长长叹息了一声，道：“这位张兄实未看错，在下也觉得只有三位和金姑娘不会是杀人的凶手，所以才找三位来商量。”

楚留香淡淡道：“海帮主难道对丁公子存着怀疑之心么？”

海阔天又沉默了起来，头上已见冷汗。

楚留香却不肯放松，又问道：“看来海帮主与丁公子相交似已有很多年了？”

海阔天迟疑着，终于点了点头。

楚留香眼睛一亮，追问道：“既是如此，海帮主就该知道丁公子的底细才是。”

海阔天眼角的肌肉不停抽搐，忽然道：“我并没有怀疑他，只不过……只不过……”

他嘴角的肌肉似也抽搐起来，连话都说不出了。

胡铁花忍不住问道：“只不过怎样？”

海阔天似乎全未听到他在说话，目光凝注着前方，似乎在看着很远很远的一样东西。

又过了很久，他才缓缓道：“也不知为了什么，自从云从龙云帮主死了之后，我时常都会觉得心惊肉跳，似乎已离死期不远了。”

胡铁花道：“为什么？”

楚留香眼睛里闪着光，道：“云帮主之死，和海帮主你又有何关系？”

海阔天道：“我……我……我只是觉得他死得有些奇怪。”

胡铁花皱眉道：“奇怪？有什么奇怪？”

海阔天道：“武维扬武帮主号称‘神箭射日’，弓箭上的功夫可说是当世无双，但是若论硬碰硬的武功，他也未必能比云从龙云帮主高出多少。”

张三抢着道：“不错，据我所知，两人的拳掌兵刃、轻功暗器，可说都不相上下，只不过武帮主弓马功夫较高，云帮主水上功夫强些。”

海阔天沉声说道：“但昨夜在三和楼上，武帮主和云帮主交手时，两位都在场的，他们交手只不过片刻，最多也不会超过十招，云帮主便已死在武帮主的掌下……他岂非死得太怪，也死得太快了？”

胡铁花沉吟着，瞟了楚留香一眼，道：“莫非武帮主也和金灵芝一样，学了手极厉害的独门武功？”

楚留香道：“这当然也有可能，只不过，武帮主已是六十岁的人了，纵然老当益壮，筋骨总已不如少年人之精健，记忆也要差很多，学起武功来，吸收自然也不如少年人快，是以无论修文习武，都要从少年时入手。”

他叹了口气，接着道："这就是老年人的悲哀，谁也无可奈何。"

海阔天道："不错，这一点我也想过，我也认为武帮主绝不可能忽然练成一门能在十招内杀死云帮主的武功。"

胡铁花道："那么依你们看，这是怎么回事呢？"

楚留香和海阔天对望了一眼，眼色都有些奇怪。两人心里似乎都有种很可怕的想法，却不敢说出来。

这一眼瞧过，两人竟全都不肯说话了。

胡铁花沉思着，缓缓地道："云从龙和武维扬交手已不止一次，武维扬功夫深浅，云从龙自然清楚得很。"

张三点头道："不错，天下只怕谁也不会比他更清楚了。"

胡铁花道："但昨天晚上在三和楼上，两人交手之前，云从龙的神情举动却很奇怪。"

张三道："怎么样奇怪？"

胡铁花道："他像是早已知道自己此番和武维扬一走出门，就再也不会活着走回来了，难道他早已知道武维扬的功夫非昔日可比？"

张三道："就算武维扬真练成了一种独门武功，准备要对付云从龙，他自然就绝不会告诉云从龙，云从龙又怎会知道？"

胡铁花皱眉道："那么云从龙为何会觉得自己必死无疑？难道他忽然发现了什么秘密？……他发现的是什么秘密？"

他目光转向楚留香，接着道："他临出门之前，还要你替他喝了一杯酒，是不是？"

楚留香道："嗯。"

胡铁花道："以他的酒量，绝不会连那么小的一杯酒都喝不下去的，是不是？"

楚留香淡淡道："这也许只因为他不是酒鬼，自己觉得喝够了，就不愿再喝。"

胡铁花摇头道："依我看，他这么样做必定别有用意。"

楚留香皱了皱眉，道："什么用意？"

胡铁花道："他交给你的那杯酒里，仿佛有样东西，你难道没有注意？"

楚留香道："他交给我那杯酒，我就喝了下去，什么也没有瞧见。"

他笑了笑，接着道："我一向用嘴喝酒，不是用眼睛喝酒的。"

胡铁花叹了口气，道："近来你的眼睛也愈来愈不灵了！我劝你以后还是远离女人的好，否则再过两年，你只怕就要变成个又聋又瞎的老头了。"

张三笑道："那倒没关系，有些女人就是喜欢老头子，因为老头子不但比年轻人体贴，而且钱也一定比年轻人多。"

胡铁花冷笑道："喜欢老头子的女人，一定也跟你一样，是天生的奴才胚子。"

海阔天一直在呆呆地出着神，也不知在想些什么，但看他面上的犹疑痛苦之色，他想的必定是个很难解决的问题。

直到此刻，他才长长叹了口气，勉强笑道："在下能与三位相识，总算有缘，在下只想……只想求三位答应一件事。"

他嘴里说的虽是"三位"，眼睛瞧的却只有楚留香一个人。

楚留香道："只要我力所能及，绝不推辞。"

这句话若是从别人嘴里说出，也只不过是句很普通的推托敷衍话，但从楚留香嘴里说出就不同了。

楚留香一字之诺，重于千金，是江湖中人人都知道的。

海阔天长长松了口气，脸色也开朗多了，道："在下万一如有不测，只求香帅将这……"

他一面说着话，一面已自怀中取出个小小的檀香木匣。

才说到这里，突听“咚咚”两声，似乎有人在用力敲门。

海阔天面色变了变，立刻又将匣子藏入怀中，一个箭步蹿到门口，低叱道：“谁？”

门已上了闩，门外寂无应声。

海阔天厉声道：“王得志、李得标，外面是什么人来了？”

王得志和李得标自然就是方才守在门外的两个人，但也不知为什么，这两人也没有回应。

海阔天脸色变得更可怕，一把拉开闩，推门走了出去。

楚留香跟着走出去的时候，只见他面如死灰，呆如木鸡般站在那里，满头冷汗雨点般往下流个不停。

守在门外的两个人，已变成了两具死尸。

第七章

死神的影子

尸体上看不到血渍，两人的脸也很安详，似乎死得很平静，并没有受到任何痛苦。

海阔天解开他们的衣服，才发现他们后心上有个淡红色的掌印，显然是一掌拍下，两人的心脉就被震断而死。

胡铁花长长吐出口气，失声道："好厉害的掌力！"

掌印一是左手，一是右手。杀死他们的，显然只是一个人，而且是左右开弓，同时出手的。

但掌印深浅却差不多，显见那人左右双手的掌力也都差不多。

楚留香道："看来这仿佛是朱砂掌一类的功夫。"

胡铁花道："不错，只有朱砂掌留下的掌印，才是淡红色的。"

楚留香道："朱砂掌这名字虽然人人都知道，其实练这种掌力的心法秘诀早已失传，近二三十年来，江湖中已没听过有朱砂掌的高手。"

胡铁花道："我只听说一个'单掌追魂'林斌，练的是朱砂掌，但那也是好多年以前的事了，林斌现在已死了很久，也没有听说过他有传人。"

楚留香道："不错，'单掌追魂'！昔年练朱砂掌的，大多只能练一只手，但这人却双手齐练，而且都已练得不错，这就更少见了。"

海阔天忽然道："据说练朱砂掌的人，手上都有特征可以看得出来。”

楚留香道：“初练时掌心的确会发红，但练成之后，就‘返璞归真’，只有在使用时，掌心才会现出朱砂色，平时是看不出来的。”

海阔天长叹道：“既是如此，除了你我四人外，别人都有杀死他们的可能了。”

张三道：“只有一个人不可能。”

海阔天道：“谁？”

张三道：“金灵芝。”

海阔天道：“何以见得？”

张三道：“瞧这掌印，就知道这人的手很大，绝不会是女人的手。”

胡铁花冷笑道：“得人钱财，与人消灾，金灵芝买了你，钱倒花得一点也不冤枉。”

海阔天道：“但女人的手也有大的。据相法上说，手大的女人，必定主富主贵，金姑娘岂非正是个富贵中人么？”

张三冷冷地道：“原来海帮主还会看相！据说杀人者面上必有凶相，只不知海帮主可看得出来么？”

海阔天还未说话，突又听到一声惨呼。这呼声仿佛是从甲板上传下来的，虽然很遥远，但呼声凄厉而尖锐，每个人都听得清清楚楚。海阔天面色又变了，转身冲了上去。

胡铁花叹了口气，道：“看来这条船上倒真是多灾多难，要活着走下船去实在不容易。”

楚留香忽然从王得志的衣襟中取出样东西来，沉声道：“你们看这是什么？”

他手里拿着的，赫然竟是粒龙眼般大小的珍珠。

张三面色立刻变了，失声道：“这就是我偷金姑娘的那颗珍珠。”

楚留香道："没有错么？"

张三道："绝没有错，我对珍珠是内行。"

他擦了擦汗，又道："但金姑娘的珍珠又怎会在这死人身上呢？"

楚留香道："想必是她不小心掉在这里的。"

张三骇然道："如此说来，金灵芝难道就是杀人的凶手？"

楚留香没有回答这句话，目中却带着沉思之色，将这颗珍珠很小心地收藏了起来，大步走上楼梯。

胡铁花拍了拍张三的肩头，道："主人若是杀人的凶手，奴才就是从犯，你留神等着吧！"

胡铁花他们走上甲板的时候，船尾已挤满了人，金灵芝、丁枫、勾子长、公孙劫余、白蜡烛，全都到了。

本在那里掌舵的向天飞已不见了，甲板上却多了摊血渍。血渍殷红，还未干透。

胡铁花动容道："是向天飞！莫非他已遭了毒手？但他的尸身呢？"

海阔天眼睛发红，忽然厉声道："钱风、鲁长吉，今天是不是该你们两人当值掌舵的？"

人丛中走出两人，躬身道："是。"

海阔天怒道："你们的人到哪里去了？"

钱风颤声道："是向二爷令我们走远些的。我们不走，向二爷就瞪眼发脾气，还要打人，我们才不敢不走开。"

鲁长吉道："但我们也不敢走远，就在那里帮孙老三收拾缆绳。"

海阔天道："方才你们可曾听到了什么？"

钱风道："我们听到那声惨呼，立刻就赶过来，还没有赶到，又听到'扑通'一响，再看向二爷，就已看不到了。"

众人对望一眼，心里都已明白，那“扑通”一声，必定就是向天飞尸身落水时所发出的声音。

大家都已知道向天飞必已凶多吉少。

海阔天与向天飞相交多年，目中已将落泪，嗄声道：“二弟，二弟，是我害了你，我本不该拉你到这里来的……”

丁枫柔声道：“海帮主也不必太悲伤，尸身还未寻出之前，谁也不能断定死的是谁。何况，向二爷武功极高，又怎会轻易遭人毒手？”

张三道：“尸身落水还没有多久，我下去瞧瞧是否还可以将他捞上来。”

这时船行已近海口，波涛汹涌。张三却毫不迟疑，纵身一跃，已像条大鱼般跃入水中。

海阔天立刻大喝道：“减速，停船，清点人数！”

喝声中，水手们已全都散开。紫鲸帮的属下，果然训练有素，虽然骤经大变，仍然不慌不乱。

船行立刻就慢了下来，只听点名吆喝之声，不绝于耳。

过了半晌，那钱风又快步奔回，躬身道：“除了王得志和李得标，别人都在，一个不少。”

别人都在，死的自然是向天飞了！

海阔天忽然在那摊血渍前跪了下来。

丁枫目光闪动，沉声道：“向二爷武功之高，在下是知道的，在下不信他会遭人毒手，只因江湖中能杀死他的人并不多。”

说这话时，他目光依次从勾子长、楚留香、胡铁花和白蜡烛面上扫过，却没有瞧公孙劫余和金灵芝一眼。他的意思自然是说，能杀死向天飞的，只有这四个人而已。

胡铁花冷笑道：“丁公子武功之高，不但我知道，大家只怕也都清楚得很，却不知出事的时候，丁公子在哪里？”

他这话说得更明显了，简直无异说丁枫就是凶手。

丁枫却神色不动，淡淡道："在下睡觉的时候，一向都躺在床上的。"

胡铁花道："勾兄与他同房，想必是看到的了？"

勾子长神色似乎有些异样，讷讷道："那时……那时我正在解手，不在屋里。"

楚留香忽然道："其实杀死向二爷的人，武功倒不一定比向二爷高。"

胡铁花道："武功不比他高，怎能杀得了他？"

楚留香道："向二爷也许正因为想不到那人竟会杀他，毫无防范之心，是以才会被那人一击得手。"

海阔天抬起头，恨恨道："不错，否则两人交手时，必有响动，钱风他们必已早就听到，正因为那人是在暗中行刺，所以别人才没有听到动静。"

楚留香道："正是如此，所以这船上每个人都有杀死向二爷的可能。"

丁枫眼睛瞪着勾子长，冷冷道："但别人都和向二爷无冤无仇，为何要下此毒手？"

勾子长怒道："你瞪着我干什么？难道我和他有仇么？"

丁枫淡淡道："在那三和楼，勾兄与向二爷冲突之时，幸好不止在下一人听到。"

海阔天的眼睛也立刻瞪到勾子长身上了，目光中充满怨毒之意，竟似真的将勾子长看成杀人的凶手！

勾子长红着脸，大声道："我只说要和他比画比画，又没有意思要他的命。"

丁枫冷冷道："勾兄是否想要他的命，也只有勾兄自己知道。何况，据我所知，向二爷被害时，勾兄已不知到哪里去了。”

勾子长怒道：“我早就说过，那时我在解手……”

丁枫道：“在哪里解手？”

勾子长道：“自然是在茅房，我总不能当着你的面撒尿吧？”

丁枫道：“有谁见到了？”

勾子长道：“没有人，那时厕所里正好一个人也没有。”

丁枫冷笑道：“勾兄不迟不早，正好在向二爷被害时去解手，厕所中又正好没有别的人……嘿嘿，这倒真是巧得很，巧得很。”

勾子长叫了起来，道：“我怎知什么时候尿会来？怎知厕所里有没有人……”

楚留香忽然道：“勾兄不必着急，事实俱在，勾兄绝不是凶手！”

丁枫道：“事实俱在？在哪里？”

楚留香道：“凶手既是在暗中行刺，和向二爷距离必定很近。勾兄与向二爷既然不睦，向二爷怎会容勾兄走到自己身边来？”

勾子长道：“是呀，他若见到我要走过去，只怕早就跳起来了。”

楚留香道：“瞧这地上的血渍，向二爷流血必定极多，那凶手贴身行刺，自己衣服上就难免要被溅上血渍。”

他瞧了勾子长一眼，道：“但勾兄此刻身上却是干干净净，而且穿戴整齐，若说他是在行刺后换的衣服，也绝不会换得如此快的。”

勾子长道：“不错，一听到惨呼，我就立刻赶到这里来了，哪有时间去换衣服？”

金灵芝忽然道：“这点我们可以作证，我来的时候，他已经在这里了。”

楚留香道：“无论谁是凶手，都万万来不及换衣服的，只有将那件溅血的衣服脱下来或是抛入水中，或者秘密藏起。”

胡铁花冷笑道：“如此说来，那凶手此刻一定是衣冠不整的了。”

他说这话时，眼睛是瞪着丁枫的，丁枫身上果然只穿着套短衫裤，未着长衫外衣。

但丁枫还是面不改色，淡淡道："在下本就没有穿着长衫睡觉的习惯。"

金灵芝道："不错，谁也不会穿得整整齐齐的睡觉，我一听到那声惨呼，马上就赶来了，也没有穿外衣，难道我会是凶手么？"

她果然也只穿着短衫裤，而且没有穿袜子，露出了一双雪白的脚。

胡铁花眼睛盯着她的脚，悠然道："未查出真凶前，人人都有嫌疑，就算再有钱的人，也不能例外。有钱人也未必就不会杀人的，金姑娘你说是么？"

金灵芝本已快跳了起来，但瞧见胡铁花的眼睛，脸突然红了起来，情不自禁将脚往后面缩了缩，居然没有回嘴。

这时张三已自水中探出头，大声道："找不到，什么都找不到，这么急的水里，连条死鱼都瞧不见，莫说是人了。"

海阔天抛下条长索，道："无论如何，张兄已尽了力，海某与向二弟一生一死，俱都感激不尽。江水太急，张兄还是快请上来吧！"

天已亮了。

一回到屋里，关起房来，胡铁花就一把拉住了楚留香的衣襟，道："好小子，现在你在我们面前也不说老实话了，你以为真能骗得过胡先生么？"

楚留香失笑道："谁骗了你？你犯了什么毛病？"

胡铁花瞪眼道："你难道没有骗我？云从龙临死前要你替他喝的那杯酒，杯子里明明有样东西，你为什么说没有？"

张三已换上了海阔天为他准备的干净衣服，舒舒服服地躺在床上，跷着脚，悠然笑着道："以前有人说胡铁花是草包，我还不太相信，现在才知道那真是一点也不假。"

胡铁花道："放你的狗臭屁，你懂得什么？"

张三道："你呢？你懂什么？懂屁？他方才不愿意说老实话，只不过是为了有海阔天在旁边而已，你生的哪门子气？"

胡铁花道："海阔天在旁边又怎样？我看他也不是什么坏人，而且和我们又是站在一条线上的，我们为什么要瞒他？"

张三叹了口气，道："本来我以为你至少还懂个屁的，原来你简直连屁都不懂。海阔天只不过带你去看了几坛酒而已，你就巴不得把心都掏出来给他了。"

胡铁花冷笑道："我不像你们，对什么人都疑神疑鬼，照你们这样说，天下还有一个能够令你们信任的人么？"

张三道："没有，有时候，我简直连自己都信不过自己，何况别人？"

胡铁花冷冷道："你这人至少还很坦白，不像这老臭虫。"

张三道："你真的很信任海阔天？"

胡铁花道："他把什么话都说出来了，一点也没有隐瞒。"

张三冷笑道："要钓鱼，就得用鱼饵，你怎知海阔天说的那些话不是在钓鱼？"

胡铁花道："钓鱼？钓什么鱼？"

张三道："他要套出我们的话来，就得先说些话给我们听听。其实呢，他说的那些话全都只不过是猜测，他既能猜到，别人自然也就能猜到，他说了半天，根本就等于没有说。"

他不等胡铁花开口，接道："至于那六口棺材，谁也不知道究竟是谁送来的？说不定就是他自己。"

胡铁花抓着楚留香衣襟的手松开了。

楚留香这才笑了笑，道："不错，这船上的人既不聋，又不瞎，若说有人能神不知鬼不觉地将六口棺材送上来，这简直不太可能，只有他自己……"

胡铁花大声道："但他至少不是杀死向天飞的人。向天飞被害时，他明明和我们在一起，是不是？"

楚留香道："嗯。"

胡铁花道："依你说来，勾子长既不可能是凶手，那么嫌疑最大的就是金灵芝、丁枫和公孙劫余。"

楚留香道："不错。"

胡铁花道："要将六口棺材瞒着人送上来，虽不容易，但这三人都是又有钱又有势的人，常言道'有钱能使鬼推磨'，只要有钱，还有什么事做不出来的？"

楚留香道："但除了这三人外，还有两人的嫌疑也很大。"

胡铁花道："谁？"

楚留香道："那就是本该在那里掌舵的鲁长吉和钱风！"

胡铁花道："凭他们两人，能杀得了向天飞？"

楚留香道："今天既然本该由他们当值掌舵的，他们守在那里，向天飞自然绝不会怀疑。而且，像向天飞那么狂傲的人，自然也绝不会将他们放在心上，若说要在暗中行刺向天飞，只怕谁也不会比他们的机会更多了。"

张三道："就因为他们太不足轻重，根本也不会有人去留意他们，所以他们行凶之后，才有足够时间去换衣服。"

楚留香道："海阔天那时恰巧和我们在一起，说不定就是为了要我们证明向天飞被害时他不在那里，证明他不可能是凶手。"

张三道："但这却绝不能证明他也没有叫别人去杀向天飞。"

胡铁花道："如此说来，你难道认为他是凶手？"

张三道："我并没有指名他就是凶手，只不过说他也有嫌疑而已。"

胡铁花冷笑道："以我看来，嫌疑最大的还是金灵芝。"

张三道："为什么？"

胡铁花道："她若不是凶手，那颗珍珠又怎会跑到李得标的尸体上去了？"

楚留香道："每个人都有嫌疑，现在就断定谁是凶手，还嫌太早。"

胡铁花道："要等到什么时候？"

楚留香道："无论谁杀人都有目的，我们先得找出那凶手的目的是什么。"

胡铁花道："不错。"

楚留香道："无论多厉害的角色，杀了人后多多少少总难免会留下些痕迹线索，我们就得等他自己先露出破绽来。"

胡铁花冷笑道："你的意思是说，现在的线索还不够，还得等他再杀几个人？"

楚留香叹了口气，道："我只希望能在他第二次下手时，能先发制人，将他抓住。"

胡铁花道："他以后若不再杀人，我们难道就抓不住他了？"

楚留香叹息着，苦笑道："你莫忘了，棺材有好几口，他若不将棺材填满，只怕是绝不会住手的。"

胡铁花沉默了半晌，道："那么，你想他第二个下手的对象是谁呢？"

楚留香道："这就难说了……说不定是你，也说不定是我。"

胡铁花道："那么你就快趁还没有死之前，将那样东西拿出来给我们瞧瞧吧！"

楚留香笑了，道：“这人倒真是有双贼眼，那杯酒里，的确有样东西。”

张三忍不住问道：“究竟是什么东西？”

楚留香道：“是个蜡丸，蜡丸里还有张图。”

胡铁花道：“什么图？”

楚留香道：“我看了半天，也没看出那张图画的究竟是什么……”

图上画着的，是个蝙蝠。

蝙蝠四围画着一条条弯曲的线，还有大大小小的许多黑点，左上角还画了个圆圈，发着光的圆圈。

楚留香道：“这一条条弯弯曲曲的线，仿佛是代表流水。”

张三道：“嗯，有道理。”

楚留香道：“这圆圈画的好像是太阳。”

张三道：“不错。”

胡铁花道：“但这些大大小小的黑点是什么呢？”

楚留香道：“也许是水中的礁石……”

胡铁花道：“太阳下、流水中、礁石间，有个蝙蝠……这究竟是什么意思？可真把人糊涂死了。”

楚留香道：“这其中自然有极深的意义，自然也是个很大的秘密，否则云从龙也不会在临死前，慎重地交托给我了。”

胡铁花道：“他为什么不索性说明白呢？为什么要打这哑谜？”

楚留香道：“那时他根本没有说话的机会……”

胡铁花抢着道：“不错，那天在三和楼上，我也觉得他说话有些吞吞吐吐，而且简直有些语无伦次，连‘骨鲠在喉’这四个字都用错了。”

张三道：“怎么用错了？”

胡铁花道：“‘骨鲠在喉’四字，本是形容一个人心里有话，不吐不快，但他却用这四个字来形容自己喝不下酒去，简直用得大错而特错。”

张三失笑道：“云从龙又不是三家村里教书的老夫子，用错了个典故，也没有什么稀奇，只有像胡先生这么有学问的人，才会斤斤计较地咬文嚼字。”

楚留香笑道：“这两年来，小胡倒的确像是念了不少书，一个人只要还能念得下书，就不至于变得太没出息。”

胡铁花怒道：“你们这究竟是什么意思？每次我要谈谈正经事的时候，你们就来胡说八道。”

楚留香笑了笑，突然一步蹿到门口，拉开了门。

门口竟站着一个人。

第八章

谁是凶手

站在门口的竟是金灵芝。

楚留香一拉开门，她的脸立刻红了，双手藏在背后，手里也不知拿着什么东西，想说话却又说不出。

胡铁花冷笑道：“我们正在这里鬼扯，想不到金姑娘竟在门口替我们守卫，这倒真不敢当。”

金灵芝咬了咬嘴唇，扭头就走，走了两步，突又回头，大声道：“张三，你出来。”

张三立刻跳下床，赶出去，赔着笑道：“姑娘有什么吩咐？”

胡铁花冷冷道：“这奴才倒真听话，看来金姑娘就算要他杀人，他也会照办的。”

金灵芝也不理他，将藏在身后的一包东西拿了出来，道：“这包东西你替我收着。”

张三道：“是。”

金灵芝道：“这包东西是我刚捡来的，你可以打开来瞧，但你若替我弄丢了，小心我要你的脑袋。”

张三笑道：“姑娘只管放心，无论是什么东西，只要交到我手上，就算天下第一号神偷也休想把它偷去。”

金灵芝“哼”了一声，回头推开对面的房门走了进去，“砰”

地，又立刻将房门重重地关上了。

胡铁花道：“我们屋子里倒真有个天下第一神偷，你可得将这包东西抱紧些，脑袋被人拿去，可不是好玩的。”

他话未说完，对面另一扇门忽然被推开了，丁枫从门里探出头来，目光有意无意间瞧了张三手里的包袱一眼，笑道：“三位还未睡么？”

楚留香笑道：“丁公子想必也和我们一样，换了个新地方，就不大容易睡得着。”

丁枫目光闪动，悄声道：“在下有件事正想找楚香帅聊聊，不知现在方便不方便？”

楚留香还未说话，隔壁的一扇门也开了。从门里走出来的，不是白蜡烛，也不是公孙劫余，赫然竟是勾子长。

只见他脸色发青，眼睛发直，手里还是紧紧地提着那黑色的皮箱，忽然瞧见楚留香、丁枫他们都站在门口，立刻又吃了一惊。

丁枫淡淡道：“我还以为勾兄真的又去解手了哩，正想替勾兄介绍一位专治肾亏尿多的大夫瞧瞧。”

勾子长面上阵青阵红，讷讷道：“我本是去解手的，经过这里，忽然想找他们聊聊。”

丁枫目光闪动，盯着他，缓缓道：“原来勾兄和他们两位本就认得的，这我倒也没有想到。”

他瞟了楚留香一眼，带着笑道：“香帅你只怕也未想到吧？”

勾子长干咳着，道：“我和他们本来也只不过见过一两面，并不熟……并不熟……”

他一面说话，一面已从丁枫身旁挤进门去。

楚留香道：“丁兄若有什么指教，请过来这边说话好么？”

丁枫沉吟着，笑道：“大家累了一天，也该安息了，有什么事等到晚上再说也不迟。”

他身子立刻缩了回去，关上了门。

那边的门也关上了，公孙劫余和白蜡烛一直没有露面。

胡铁花早已忍不住了，不等门关好，就叹着气道：“看来这年头倒真是人心难测，想不到勾子长也不是一个老实人，他明明是认得公孙劫余和白蜡烛的，但他们上船的时候，他却一点声色也不露。”

张三道：“他口口声声说自己初出江湖，除了楚留香外，谁都不认得，原来都是骗人的，原来他认得的人比我们还多。”

胡铁花道：“我本来还以为他真的什么事都不懂，又会得罪人，又会惹麻烦，谁知道他比我们谁都沉得住气。”

张三道：“他那些样子也许全是故意装给我们看的，要我们对他不加防备，其实他说不定是早已和公孙劫余串通好了的……”

胡铁花突然跳了起来，道：“不对不对，我得去瞧瞧。”

张三道：“什么事不对？瞧什么？”

胡铁花道：“说不定他就是凶手，公孙劫余和白蜡烛就是他第二个下手的对象，现在说不定已遭了他的毒手！”

楚留香一直在沉思着，此刻才笑了笑，道：“勾子长出来后，屋里还有人将门关上，死人难道也会关门不成？”

胡铁花怔了怔，自己也笑了，喃喃道：“看来我也被你们传染了，变得和你们一样会疑神疑鬼。”

他瞧了张三一眼，又接着道：“你为什么还不将这包袱打开来瞧瞧？”

张三道：“我为什么要把它打开来瞧瞧？”

胡铁花道：“她自己说过，你可以打开来瞧的。”

张三道：“但我若不愿意呢？”

胡铁花道：“你难道不想知道包袱里是什么？”

张三淡淡道："我也许要等到你睡着了之后才打开来呢？"

胡铁花又怔住了，低着头怔了半晌，突然出手如风，一把将张三手里提着的包袱抢了过来，大笑道："我不是楚留香，不会偷，可是我会抢……"

他三把两把就将包袱扯开，笑声立刻停顿。

包袱里是件衣服。

一件染着斑斑血渍的长衫。

衣服是淡青色，质料很好，既轻又软，穿在身上一定很舒服，前襟上却溅满了鲜血。

胡铁花变色道："我见过这件衣服。"

张三忍不住道："在哪里见过？"

胡铁花道："丁枫那天去接枯梅大师的时候，穿的就是这件衣服。"

张三脸色也变了，动容道："衣服上的血呢？难道就是向天飞的？丁枫难道是杀死向天飞的凶手？"

胡铁花恨恨道："我早就怀疑他了，但金灵芝明明很听丁枫的话，为什么要将这件衣服故意送到我们这里来呢？"

张三沉吟着，道："也许她还不知道这是丁枫的衣服，也许……"

胡铁花忽然打断了他的话，道："也许这是金灵芝在故意栽赃。"

张三道："栽赃？"

胡铁花道："她知道我们已发现那尸身上的珍珠，知道我们已在怀疑她，所以，就故意偷了丁枫的衣服，弄上些血渍，来转移我们的目标。"

他冷笑着接道："你若穿了我的衣服去杀人，凶手难道就是我么？"

楚留香道："但这件事还有两点可疑。"

胡铁花道："哪两点？"

楚留香道："第一，金灵芝本是个千金小姐，要她去杀人，也许她会杀，但若要她去偷别人的衣服，她只怕就未必能偷得到。"

张三立刻道："不错，她怎会知道丁枫的衣服放在哪里？一偷就能偷到？"

楚留香道："第二，她若真想转移我们的目标，就不会自己将这件衣服送来了，做贼的人，终难免要有些心虚的。"

胡铁花道："你认为这件衣服本是别人故意放在金灵芝能看到的地方，故意要被她发现，好教她送到这里来的？"

楚留香道："这当然也有可能，但丁枫也可能就是凶手，在杀人之后，时间太匆忙，所以来不及将血衣藏好……"

张三接口道："勾子长和丁枫住在一间屋子里，要偷丁枫的衣服，谁也没有他方便，所以我认为勾子长的嫌疑愈来愈大。"

胡铁花道："你为什么不去问问你那女主人，这件衣服她究竟是在哪里找到的？"

张三摇头，笑道："我不敢，我怕碰钉子，你若想问，为什么不自己去问？难道你也不敢么？"

胡铁花跳了起来，冷笑道："我为什么不敢？难道她还能咬我一口不成？"

他一口气冲了出去，冲到金灵芝门口。

但等到他真举起手要敲门时，他这口气已没有了。

想到金灵芝手叉着腰，瞪着眼的样子，他只觉头皮有些发毛。

"她也许已经睡着了，我若吵醒了她，她发脾气也是应该的，别人吵醒我时，我又何尝不会发脾气？何况敲女人的房门，也是种很大的学问，那不但要有技巧，还得要有勇气，并不是人人都能敲得开的。"

胡铁花叹了口气，喃喃道：“大家反正今天晚上总要见面的，等到那时再问她也不迟。”

大多数男人都有件好处——他们若是不敢去做一件事时，总会替自己找到种很好的借口，绝不会承认自己没勇气。

屋子里只有两张床，另外还搭了个地铺。

胡铁花回房去的时候，两张床上已都睡着人了。

张三跷着腿，正喃喃自语着道：“奇怪奇怪，我怎么没听见敲门的声音呀？难道胡先生的胆子也不比我大，嘴里吹着大气，到时候却也不敢敲门的？”

胡铁花一肚子火，大声道：“这是我睡的床！你怎么睡在上面了？”

张三悠然道：“你睡的床？谁规定这张床你睡的？总督衙门规定的么？”

胡铁花恨得牙痒痒的，却也没法子，冷笑道：“船上的床简直就像是给小孩子睡的，又短又窄又小，像我这样的堂堂大丈夫，本就是睡在地上舒服。”

他刚睡下去，又跳起来，叫道：“你这人倒真是得寸进尺，居然把我的枕头也偷去了！”

张三笑道：“睡在地上既然又宽敞，又舒服，海阔天也许就怕你睡得太舒服了，爬不起来，所以根本就没有替你准备枕头。”

胡铁花气得直咬牙，眼珠子转了转，忽然笑道：“原来你也跟老臭虫一样，鼻子也不灵，否则怎会没有嗅到臭气？”

张三忍不住问道：“什么臭气？”

胡铁花道：“我方才就坐在这枕头上，而且还放了个屁……”

他话未说完，张三已将枕头抛了过去。

胡铁花大笑道："原来你这小子也会上当的。"

张三板着脸道："你说别的我也许不信，但说到放屁，你倒的确是天下第一，别人三十年放的屁，加起来也没有你一天这么多的。"

这两天发生的事实在太多，太可怕了，而且还不知有多少可怕的事就要发生，就在今天晚上……

胡铁花本来以为自己一定睡不着的。

他听说睡不着的时候，最好自己数数字，数着数着就会不知不觉地入睡，这法子对很多人都灵得很。

他准备拼着数到一万，若还睡不着，就出去喝酒。

他数到"十七"时就睡着了。

胡铁花是被一阵敲门声惊醒的。

敲门声很轻，"笃、笃、笃"，一声声地响着，仿佛已敲了很久。

"这屋子的生意倒不错，随时都有客人上门。"

胡铁花一骨碌爬了起来，脑袋还是昏昏沉沉的，用力拉开了门，一肚子火气都准备出在敲门的这人身上。

谁知门外竟连个鬼影子都没有。

"笃、笃、笃"，那声音却还是在不停地响着。

胡铁花定了定神，才发觉这声音并不是敲门声，而是隔壁屋子里有人在敲着这边的板壁。

"那小子干什么？存心想吵得别人睡不着觉么？"

胡铁花也在壁板上用力敲了敲，大声道："谁？"

敲墙的不是公孙劫余就是白蜡烛，他根本连问都不必问的。

隔壁果然有人说话了。

胡铁花耳朵贴上板壁，才听出那正是公孙劫余的声音。

他声音压得很低，一字字道："是楚香帅么？请过来一叙如何？"

原来是找楚留香的。

这两天好像人人都在找楚留香。

胡铁花一肚子没好气，正想骂他几句，转过头，才发现两张床都是空的。楚留香和张三竟都已不知溜到哪里去了。

隔壁的人又在说话了，沉声道："楚香帅也许还不知道在下是谁，但……"

胡铁花大声道："我知道你是谁，但楚留香却不在这里。"

隔壁那人道："不知他到哪里去了？"

胡铁花道："这人是属兔的，到处乱跑，鬼才知道他溜到哪里去了。"

隔壁那人道："阁下是……"

胡铁花道："我姓胡，你要找楚留香干什么？告诉我也一样。"

隔壁那人道："哦——"

他"哦"了一声后，就再也没有下文。

胡铁花等了半天，愈想愈不对。

公孙劫余本和楚留香一点关系也没有，忽然找楚留香干什么？而且又不光明正大地过来说话，简直有点鬼鬼祟祟的。

他难道也有什么秘密要告诉楚留香？

"这老臭虫愈来愈不是东西了，自己溜了，也不叫我一声。"

胡铁花用力捏着鼻子，喃喃道："昨天我又没喝醉，怎么睡得跟死猪一样？"

其实他自己并不是不知道，只要有楚留香在旁边，他就睡得特别沉，因为他知道就算天塌下来，也有楚留香去顶着，用不着他烦心。

他很快地穿好鞋子，想到隔壁去问问公孙劫余，找楚留香干什么？还想问问他是怎么认得勾子长的？

但他敲了半天门，还是听不到响应。

对面的门却开了。勾子长探出头来，道："胡兄想找他们？"

胡铁花头也不回，冷冷道："我又没有毛病，不找他们，为什么来敲他们的门？"

勾子长赔笑道："但他们两人刚刚都到上面去了，我瞧见他们去的！"

胡铁花霍然回过头，瞪着他道："看来你对别人的行动倒留意得很。"

勾子长怔了怔，讷讷道："我……我……"

胡铁花大声道："我自从认得了你，就一直拿你当朋友，是不是？"

勾子长叹道："我也一直很感激。"

胡铁花道："那么我希望你有什么话都对我老老实实地说出来，不要瞒我。"

勾子长道："我本来就从未在胡兄面前说过谎。"

胡铁花道："好，那么我问你，公孙劫余和那白蜡烛究竟是什么来路？你是怎么会认得他们的？"

勾子长沉吟了半晌，叹道："胡兄既然问起，我也不能不说了，只不过……"

他压低了语声，接着道："此事关系重大，现在时机却还未成熟，我对胡兄说了后，但望胡兄能替我保守秘密，千万莫在别人面前提起。"

胡铁花想也不想，立刻道："好，我答应你。"

勾子长道："就连楚香帅……"

胡铁花道："我既已答应了你，就算在我老子面前，我也绝不会说的。我这人说话一向比楚留香还靠得住，你难道信不过我？”

勾子长松了口气，笑道：“有胡兄这句话，我就放心了。”

他将胡铁花拉到自己屋子里，闩起了门。

丁枫也出去了。

勾子长先请胡铁花坐下来，这才沉声道：“两个多月前，开封府出了件巨案，自关外押解贡品上京的镇远将军本来驻扎在开封府的衙门里，突然在半夜失去了首级，准备进贡朝廷的一批东西，也全都失了踪。随行的一百二十人竟全被杀得干干净净，没有留下一个活口。”

胡铁花悚然道：“既然出了这种大事，我怎么没有听说过？”

勾子长叹道：“就因为这件案子太大，若是惊动了朝廷，谁也担当不起，所以只有先将它压下来，等查出了真凶再往上报。”

胡铁花皱眉道：“作案的人既未留下一个活口，手脚想必干净得很，要查出来，只怕不大容易。”

勾子长道：“但人算不如天算，他们以为这案子作得已够干净了，却不知老天偏偏留下了个人来做他们的见证，叫他们迟早逃不出法网。”

胡铁花道：“是什么人？”

勾子长说道：“是镇远将军的一个侍妾。那天晚上，她本在镇远将军房中侍寝，本也逃不过他们毒手的，但出事的时候，她正好在床后面解手，发现有变，就躲到床下去了，虽未瞧见作案那两人的面目，却将他们说的话全都听得清清楚楚。”

胡铁花失笑道：“看来女人的命，果然要比男人长些。”

勾子长道：“据她说，作案的是一老一少两个人，事成之后，就准备逃到海外去，找个‘销金窟’享受一辈子，我就是根据这条线索，才追到这里来的。”

胡铁花讶然道：“听你这么说，你难道是六扇门里的人？”

勾子长道："在下倒并不是官家的捕头，只不过是关外熊大将军的一个贴身卫士。此次入关，正是奉了熊大将军之命，特地来追查这件案子的。"

他笑了笑，接着道："就因为在下幼年时便已入了将军府，从未在外面走动，所以对江湖中的事才陌生得很，倒令胡兄见笑了。"

胡铁花已听得目瞪口呆，这时才长长吐出口气，摇着头笑道："原来是这么回事！你为何不早说？害得我们险些错怪了你，抓贼的反而被人当作强盗，岂非冤枉得很。"

勾子长苦笑道："只因在下这次所负的任务极重，又极机密，所以才不敢随意透露自己的身份。何况海阔天、向天飞、丁枫，又都不是什么规矩人，若知道我是来办案的公差，只怕也会对我不利。"

胡铁花点了点头，道："你这么一说，我就完全想通了……你是否怀疑公孙劫余和白蜡烛就是作案的那两个人？"

勾子长道："不错，这两人的嫌疑实在太大，所以今天早上我才会到他们房里去，正是想要探探他们的口风。"

胡铁花道："你可探听出什么？"

勾子长叹道："像他们这样的人，自然守口如瓶，我去了一趟，非但毫无结果，反而打草惊蛇，他们想必已看出我的身份，只怕……"

他脸色变了变，住口不语。

胡铁花道："不错，他们既已看出你的身份，只怕是不会放过你的。你以后倒真要多加小心才是。"

他拍了拍勾子长的肩头，又笑道："但现在我既知道这件事，就绝不会再容他们胡作非为，你只管放心好了。"

勾子长笑道："多谢多谢，有胡兄相助，我还有什么不放心的？只不过……"

他又皱起了眉，沉声道："这两人之毒辣奸狡绝非常人可比，我们现在又没有拿住他们的真凭实据，暂时还是莫要轻举妄动的好。”

胡铁花点了点头，缓缓道：“但这两人并没有理由要杀死向天飞呀，难道他们的目的是要将这条船上的人全都杀死灭口？”

第九章

朱砂掌印

薄暮。

满天夕阳，映照着无边无际的大海，海面上闪耀着万道金光，那景色真是说不出的豪美壮丽，气象万千。

楚留香和张三倚着船舷，似已瞧得出神。

张三叹道："我没有到海上来的时候，总觉得江上的景色已令人神醉，如今来到海上，才知道江河之渺小，简直不想回去了。"

楚留香微笑着，悠然道："这就叫作，曾经沧海难为水……"

他忽然发现了丁枫从船头那边匆匆赶了过来，神色仿佛很惊惶，还未走近，就大声呼唤着道："两位今天可曾看到过海帮主么？"

楚留香皱了皱眉，道："自从今晨分手，到现在还未见过。"

张三道："他累了一天，也许睡过了头，丁公子为何不到下面的舱房去找找？"

丁枫道："找过了，他那张床铺还是整整齐齐，像是根本没有睡过。"

楚留香动容道："别的人难道也没有见到他么？"

丁枫脸色灰白，那亲切动人的笑容早已不见，沉声道："我已经四处查问过，最后一个见到他的人是钱风。"

楚留香又皱了皱眉，道："钱风？"

丁枫道："据钱风说，他中午时还见到海帮主一个人站在船头，望着海水出神，嘴里还在不停地念着向二爷的名字。钱风请他用饭，他理都不理，自从那时之后，就再也没有人见到过他。"

楚留香道："那时甲板上有没有别的人？"

丁枫道："那时船上的水手大多数都在膳房用饭，只有后艄两个人掌舵，左舷三个人整帆，舵艄上还有个人在瞭望。"

他叹了口气，接着道："但这六个人却都未瞧见海帮主在船头。"

张三道："难道钱风是在说谎？"

丁枫道："但我却想不出他为何要说谎，也许别人都在忙着，所以没有注意海帮主走上甲板来，海帮主站在船头的时候也不久。"

张三道："那么，他到哪里去了？难道跳下海了么？"

丁枫黯然道："我只怕他心中悲悼向二爷之死，一时想不开，就寻了短见……"

楚留香断然道："海帮主绝不是这样的人，钱风呢？我想问他几句话。"

丁枫道："今天不是他当值，正在底舱歇着。"

楚留香道："我们去找他。"

底舱的地方并不大。十几个人挤在一间舱房里，自然又脏、又乱、又臭。

钱风的铺位就是右面一排的第三张床。他的人正躺在床上，用被盖着脸，蒙头大睡，却将一双脚露在被子外，还穿着鞋子，像是已累极了，一躺上床，连鞋都来不及脱，就已睡着。

鲁长吉却还没有睡，听说有人找他，就抢着要去将他叫醒。

叫了半天，钱风还是睡得很沉，鲁长吉就用手去摇，摇了半天，还是摇不醒。鲁长吉失笑道："这人一喝酒，睡下去就跟死猪一样。"

张三瞟了楚留香一眼，笑道：“这人的毛病倒和小胡差不多。”

他笑容突然冻结。鲁长吉一掀起棉被，他就发觉不对了。钱风躺在床上，神情看来虽很安详，但脸色却已变得说不出的可怕，那模样正和他在货舱门外发现的两个死尸一样。

鲁长吉只觉双腿发软，再也站不稳，“噗”地坐倒在地上。

无论谁都可看出，躺在床上的已不是个活人。

楚留香一步蹿了过去，拉开了钱风的衣襟。他前胸果然有个淡红色的掌印！是左手的掌印！

钱风也已遭了那人的毒手！

丁枫悚然道：“这是朱砂掌！”

张三冷冷瞅了他一眼，道：“丁公子果然好眼力，想必也练过朱砂掌的了。”

丁枫似未觉出他这话中是有刺的，摇头道：“近年来，我还未听说江湖中有练朱砂掌的人！”

楚留香目光闪动，道：“不知这船舱中方才有谁进来过？”

鲁长吉满头冷汗，颤声道：“我也是刚下来的，那时钱风已睡着了……这里的人全睡着了，像我们这种粗人，一睡就很难吵醒。”

他说得不错，张三将正在睡觉的九个人全都叫醒一问，果然谁也没有瞧见有外人进来过。

楚留香淡淡道：“但丁公子方才明明是到这里来问过钱风话的，你们难道也没有瞧见么？”

大家都在摇头。

丁枫也还是神色不变，道：“我方才的确来过，但那时钱风还是活着的，而且我问他话的时候，金姑娘也在旁边，可以证明。”

他接着又道：“然后我就到膳房中去问正午时在甲板上的那六个

人，再去找楚香帅和张兄，前后还不过半个时辰。”

张三忍不住问道：“金姑娘呢？”

丁枫道：“金姑娘和我在楼梯上分了手，去找胡兄、勾兄和那位公孙先生，也不知找着了没有？”

楚留香沉吟着，道：“不知那膳房在哪里？”

膳房就在厨房旁，也不大，那两张长木桌几乎就已将整个屋子都占满了。水手们不但睡得简陋，吃得也很马虎。桌上摆着三只大海碗，一碗装的是海带烧肥肉，一碗装的是大蒜炒小鱼，还有一碗汤，颜色看来简直就像是洗锅水。饭桶却很大——要人做事，就得将人喂饱。现在碗中的菜已只剩下一小半，饭桶也几乎空了。

吃饭的六个人，两个伏在桌上，两个倒在椅子下，还有两个倒在门口，竟没有一个活的。

他们致命的伤痕，也全都是一样，是个淡红的掌印。又是朱砂掌！

伏在桌上的两个人，死得最早，旁边两个人刚站起来，就被击倒在椅子下，还有两个人已逃到门口，却也难逃一死！这六个人显见在一刹那间就已全都遭了毒手！

张三咬着牙，恨恨道：“看来这人的手脚倒真快得很！”

楚留香叹道：“如此看来，海帮主想必也是凶多吉少的了。”

丁枫也长叹道：“不错，海帮主被害时，钱风和这六人想必已有发觉，所以那凶手才不得不将他们也杀了灭口！”

他摇着头，惨然道：“他们方才若将秘密对我说出来，只怕就不会落得如此下场！那凶手是用什么法子能令这些人守口如瓶的呢？”

张三冷冷道：“也许还没有机会说。”

他眼角瞟着丁枫，冷冷接着道：“丁公子一问过他们，他们就死了，这岂非巧得很？”

丁枫还是面不改色，黯然道：“不错，我若不问他们，他们也许还不至于死得这么快……这件事发生前后还不到半个时辰，在这半个时辰中，有谁可能下此毒手呢？”

张三冷冷道：“每个人都有可能。”

丁枫目光闪动，道：“在这半个时辰中，两位可曾看到过公孙劫余和勾子长么？”

现在，所有的人都聚齐了。

胡铁花失声道：“我可以证明，勾子长一直和我在聊天，绝没有出去杀人的机会。”

丁枫道：“公孙先生呢？”

公孙劫余道：“我们师徒一直在屋子里，胡兄总该知道的。”

胡铁花冷笑道：“不错，我的确和你隔着墙说过两句话，但那以后呢？”

公孙劫余道：“以后我们还是留在屋子里，直到金姑娘来找我们……”

金灵芝道：“不错，我去找他们的时候，他们的确在屋里。”

胡铁花沉着脸道：“但在我和你们说过话之后、金姑娘去找你们之前那段时候，你们到哪里去了？那段时候已足够去杀几个人了。”

公孙劫余道：“今日我们师徒根本就未出过房门一步。”

胡铁花冷笑道：“但勾兄却明明瞧见你们出来过的，那又是怎么回事呢？”

公孙劫余目光一闪，瞪着勾子长，一字字道：“阁下几时瞧见我们走出去过的？”

勾子长脸色变了变，道：“我听到外面有脚步声，就走出去看，正好看到一个人在上楼梯，我以为就是公孙先生。”

公孙劫余冷冷道：“原来阁下只不过是‘以为’而已，并没有真的看到是我。”

勾子长勉强笑道：“当时那人已快上楼了，我只看到他的脚，实在也不能确定他是谁。”

胡铁花瞪了他一眼，也只好闭上了嘴，忽然间，大家都不说话了。船舱中忽然静得如同坟墓。只听外面传来“扑通”一响。

隔了半晌，又是“扑通”一响。

大家心里都明白，这必定是水手们在为他们死去的同伴海葬。这一声声“扑通”之声，听来虽沉闷单调，却又充满了一种说不出的阴森恐怖之意，就像是阎王殿前的鬼卒在敲着丧钟。

还不到一天，船上就已死了九个人。别的人还能活多久？下一个该轮到谁了？

凶手明明就在这个船舱里，大家却偏偏猜不出他是谁！

楚留香本想等他第二次下手，查出些线索来的，谁知他出手一次比一次干净，这次竟连一点痕迹都没有留下来。

大家眼睛发直，谁也没去瞧别人一眼，仿佛生怕被别人当作凶手，又仿佛生怕被凶手当作下一次的目标。

桌上不知何时已摆下了酒菜，却没有人举箸。

又过了很久，胡铁花忽然道：“一个人只要没有死，就得吃饭的……”

他刚拿起筷子，张三已冷冷道：“但吃了之后，是死是活就说不定了。”

胡铁花立刻又放下筷子。

谁也不敢说这酒菜中有没有毒。

楚留香淡淡一笑，道：“但不吃也要被饿死，饿死的滋味可不好受，毒死至少要比饿死好。”

他竟真的拿起筷子，将每样菜都尝了一口，又喝了杯酒。

勾子长失声赞道：“好，楚香帅果然是豪气干云，名下无虚！”

胡铁花笑道：“你若以为他真有视死如归的豪气，你就错了！他只不过有种特别的本事，能分辨食物中有毒无毒，连我也不知道他这种本事是从哪里来的。”

公孙劫余叹了口气，道：“和楚香帅在一起，真是我们的运气。”

胡铁花又沉下了脸，道：“你若是凶手，只怕就要自叹倒霉了。”

公孙劫余也不理他，举杯一饮而尽。

谁也不知道胡铁花今天为什么处处找公孙劫余的麻烦，但几杯酒下肚，大家的心情已稍微好了些。

丁枫忽然道：“事际非常，大家还是少喝两杯的好。金姑娘和胡兄虽约好今日拼酒的，也最好改期，两位无论是谁醉倒，都不太好。”

他不提这件事也还罢了，一提起来，金灵芝第一个沉不住气，冷笑道：“喝不喝都没关系，但醉倒的绝不会是我。”

胡铁花也沉不住气了，也冷笑着道：“醉倒的难道是我么？”

金灵芝再也不说别的，大声道：“拿六壶酒来！”

凡是在江湖中混过几年的人都知道，是哪几种人最难应付，能不惹他们时，最好避开些。

第一种是文质彬彬的书生秀才，第二种是出家的和尚道士，第三种是上了年纪的老头子。

但最不好惹的，还是女人。

这几种人若敢出来闯江湖，就一定有两下子。

胡铁花打架的经验丰富得很，这道理他自然明白。但喝酒就不同了。

一个人的酒量再好，上了年纪，也会退步的。至于女人，先天的体质就差些，后天的顾虑也多些，喝酒更没法子和男人比。

胡铁花喝酒的经验也丰富得很，这道理他自然也明白，他喝酒从来也不怕老头子和女人。

但天下事都有例外的。

这次金灵芝刚喝下第一杯酒，胡铁花就已知道上当了。

江湖中人有句俗话："行家一伸手，便知有没有。"这句话用来形容喝酒，也同样恰当得很。

有经验的人，甚至只要看到对方拿酒杯的姿势，就能判断出他酒量的大小了——酒量好的人，拿起酒杯来当真有"举重若轻"的气概，不会喝酒的，小小一个酒杯在他手上，也会变得好像有几百斤重。

只不过，金灵芝毕竟是个女人，喝酒至少还要用酒杯。

胡铁花就没有这么斯文了。

他拿起酒壶，就嘴对嘴往肚子里灌。

在女人面前，他是死也不肯示弱的，金灵芝第一壶酒还未喝完，他两壶酒已下了肚。

勾子长拍手笑道："胡兄果然是好酒量，单只这'快'字，已非人能及。"

胡铁花面有得色，眼睛瞟着金灵芝，大笑道："拼酒就是要快，若是慢慢地喝，一壶酒喝上个三天三夜，就连三岁大的孩子都不会喝醉。"

金灵芝冷笑道："无论喝得多快，醉倒了也不算本事，若是拼着一醉，无论谁都能灌下几壶酒的……张三，你说这话对不对？"

张三道："对对对，对极了！有些人的酒量其实并不好，只不过是敢醉而已，反正已经喝醉了，再多喝几壶也没关系。"

他笑着接道："一个人只要有了七八分酒意，酒喝到嘴里，就会变得和白开水一样，所以喝得多并不算本事，要喝不醉才算本事。”

胡铁花板着脸，道：“我若真喝醉了，你第一个要当心。”

张三道：“我当心什么？”

胡铁花道：“我发起酒疯时，看到那些马屁精，就好像看见臭虫一样，非一个个地把他掐死不可。”

他忽然向楚留香笑了笑，又道：“但你却不必担心，你虽是个老臭虫，却不会拍马屁。”

楚留香正在和丁枫说话，像是根本全未留意他。

张三却叹了口气，喃喃道：“这人还未喝醉，就已像条疯狗一样，在乱咬人了，若是真喝醉了时，大家倒真得当心些。”

丁枫就坐在楚留香旁边，此刻正悄声道：“金姑娘说的话倒也并非全无道理。像胡兄这样喝酒，实在没有人能不喝醉的。”

楚留香微笑道：“他喝醉了并不奇怪，不醉才是怪事。”

丁枫道：“但现在却不是喝醉酒的时候，楚兄为何不劝劝他？”

楚留香叹道：“这人只要一开始喝酒，就立刻六亲不认了，还有谁劝得住他？”

他忽又笑了笑，眼睛盯着丁枫，缓缓接道：“何况，此间岂非正有很多人在等着看他喝醉时的模样，我又何必劝他？”

丁枫默然半晌，道：“楚兄莫非认为我也在等着他喝醉么？”

楚留香淡淡道：“若非丁兄方才那句话，他们此刻又怎会拼起酒来的？既已拼起了酒，又怎能不醉？”

丁枫道：“但……但在下方才本是在劝他们改期……”

楚留香笑道：“丁兄不劝也许还好些，这一劝，反倒提醒了他们——丁兄与他相处已有两三天，难道还未看出，他本是个‘拉着不走，赶着倒退’的山东驴子脾气？”

丁枫沉默了半晌，长长叹了口气，苦笑道："楚兄现在想必对我还有些误解之处，但迟早总有一日，楚兄总可了解我的为人……"

楚留香忽然打断了他的话，道："张三，那样东西你为何还不拿来给丁兄瞧瞧？"

张三笑道："只顾看着他们拼酒，我几乎将这件大事忘了。"

他嘴里说着话，人已走入了后舱。

丁枫目光闪动，试探着问道："却不知楚兄要我瞧的是什么？"

楚留香微笑道："这样东西实在妙得很，无论谁只要将它接了过去，他心里的秘密，立刻就会被别人猜到。"

丁枫也笑了，道："如此说来，这样东西莫非有什么魔法不成？"

楚留香道："的确是有些魔法的。"

丁枫虽然还在笑着，却已笑得有些勉强。

这时张三已自后舱提了个包袱出来，并没有交给丁枫，却交给了楚留香。

楚留香接在手里，眼睛盯着丁枫的眼睛，一字字道："丁兄若有什么心事不愿被别人知道，还是莫要将这包袱接过去的好。"

丁枫勉强笑道："楚兄这么说，难道还认为在下有什么不可告人的秘密不成？"

楚留香微笑不语，慢慢地将包袱递了过去。

大家本在瞧着金灵芝和胡铁花拼酒的，这时已不约而同向这边瞧了过来，只有金灵芝和胡铁花两个人是例外。他们都已有了好几分酒意，除了"酒"之外，天下已没有任何别的事能吸引他们了。

丁枫终于将包袱接了过去。

他的手也伸得很慢，像是生怕这包袱里会突然钻出条毒蛇来，在他手上狠狠地咬一口。

别的人心里也充满了好奇，猜不透这包袱究竟有什么古怪？

这包袱实在连一点古怪也没有。

丁枫手里拿着包袱，又笑了，道："楚兄此刻可曾看出在下的秘密么？"

楚留香淡淡道："多少已看出了一些。"

丁枫道："看出了什么？"

楚留香眼睛里发着光，道："我已看出丁兄本来是用左手的。"

丁枫面不改色，笑道："不错，在下幼年时本连吃饭写字都用左手，因此，也不知被先父教训过多少次，成年后才勉强改了过来，但只要稍不留意，老毛病就又犯了。"

楚留香道："如此说来，丁兄的左手想必也和右手同样灵便了？"

丁枫道："只怕比右手还要灵便些。"

楚留香笑了笑，淡淡道："这秘密不该说出来的。"

丁枫道："这又不是什么了不得的秘密，为何不该说出来？"

楚留香正色道："以我看来，这秘密关系却十分重大。"

丁枫道："哦？"

楚留香缓缓道："别人只要知道丁兄的左手比右手还灵便，下次与丁兄交手时，岂非就要对丁兄的左手加意提防了么？"

丁枫笑道："楚兄果然高见，幸好在下并没有和各位交手之意，否则倒真难免要吃些亏了。"

张三忽然道："那倒也未必，反正丁公子右手也同样可以致人死命，别人若是提防着丁公子左手，丁公子用右手杀他也一样。"

丁枫居然还是面不改色，还是笑道："张兄莫非认为在下杀过许多人么？"

张三冷冷道："我只不过是说，用两只手杀人，总比一只手方便得多，也快得多。"

丁枫淡淡笑道："如此说来，三只手杀人岂非更方便了？"

张三说不出话来了。

他就算明知丁枫在骂他是个“三只手”，也只有听着——一个人只要做过一件见不得人的事，就算挨一辈子的骂，也只有听着的。

幸好丁枫并没有骂下去。

他手里捧着包袱，笑问道：“不知楚兄还看出了什么别的秘密？”

楚留香道：“还有个秘密，就在这包袱里，丁兄为何不解开包袱瞧瞧？”

丁枫道：“在下正有此意。”

他解开包袱，脸色终于变了。

包袱里正是金灵芝找到的那件血衣。

楚留香的目光一直没有离过丁枫的脸，沉声道：“丁兄可认得出这件衣服是谁的么？”

丁枫道：“自然认得，这件衣服本是我的。”

楚留香道：“衣服上的血呢？也是丁兄的么？”

丁枫勉强笑道：“在下并未受伤，怎会流血？”

勾子长忽然冷笑了一声，抢着道：“别人的血，怎会染上了丁公子的衣服？这倒是怪事了！”

丁枫冷冷道：“勾兄只怕是少见多怪。”

勾子长道：“少见多怪？”

丁枫道：“若有人想嫁祸于我，偷了我的衣服穿上，再去杀人，这种事本就常见得很，有何奇怪？何况……”

他冷笑着接道：“那人若是和我同屋住的，要偷我的衣服，正如探囊取物，更一点也不奇怪了。”

勾子长怒道：“你自己做的事，反来含血喷人？”

丁枫冷笑道：“含血喷人的，只怕不是丁某，而是阁下。”

勾子长霍然长身而起，目中似已喷出火来。

丁枫却还是声色不动，冷冷道："阁下莫非想将丁某的血也染上这件衣服么？"

公孙劫余突然笑道："丁公子这是多虑了。勾兄站起来，只不过是想敬丁公子一杯酒而已！"

他眼睛瞪着勾子长，淡淡道："是么？"

勾子长眼睛也在瞪着他，脸色阵青阵白，忽然大笑了两声，道："不错，在下正有此意，想不到公孙先生竟是我的知己。"

他竟真的向丁枫举起酒杯，道："请。"

丁枫目光闪动，瞧了瞧公孙劫余，又瞧了瞧勾子长，终于也举杯一饮而尽，微笑道："其实，这件衣服上的血，也未必就是向天飞的，说不定是猪血狗血也未可知，大家又何苦因此而伤了和气。"

说到这里，他身子忽然一震，一张脸也跟着扭曲了起来。

楚留香悚然道："什么事？"

丁枫全身颤抖，嗄声道："酒中有……"

"毒"字还未出口，他的人已仰面倒了下去。

就在这一刹那间，他的脸已由惨白变为铁青，由铁青变为乌黑，嘴角已沁出血来，连血都是死乌黑色的。

只见他目中充满了怨毒之意，狠狠地瞪着勾子长，厉声道："你……你……你好狠！"

勾子长似已吓呆了，连话都说不出来。

楚留香出手如风，点了丁枫心脏四周六处要穴，沉声说道："丁兄先沉住气，只要毒不攻心，就有救药。"

丁枫摇了摇头，凄然一笑，道："太迟了……太迟了……我虽已知道此事迟早必会发生，想不到还是难免遭了毒手。"

他语声已含糊不清，喘息了半晌，接着道："香帅高义，天下皆知。我只想求楚兄一件事。”

楚留香道：“丁兄只管放心，凶手既在这条船上，我就绝不会让他逍遥法外。”

丁枫黯然道：“这倒没什么，一个人若已快死了，对什么事都会看得淡了。只不过……老母在堂，我已不能尽孝，只求楚兄能将我的骸骨带归……”

说到这里，他喉头似已堵塞，再也说不下去。

楚留香亦不禁为之黯然，道：“你的意思，我已明白，你托我的事，我必定做到。”

丁枫缓缓点了点头，似乎想笑一笑，但笑容尚未露出，眼帘已阖起。他那亲切动人的微笑，竟是永远不能重见了。

楚留香默然半晌，目光缓缓转到勾子长身上。

每个人的眼睛都在瞪着勾子长。

勾子长面如死灰，汗如雨下，忽然嘶声大呼道：“不是我！下毒的不是我！”

公孙劫余冷冷道：“谁也没有说下毒的是你。”

勾子长道：“我也没有想向他敬酒，是你要我敬他这杯酒的！”

公孙劫余冷笑道：“他已喝过几杯酒，酒中都无毒，我的手就算再长，也无法在这杯酒中下毒的。”

他坐得的确离丁枫很远。

勾子长嗄声道：“难道我有法子在这杯酒中下毒么？这么多双眼睛都在瞧着，他自己也不是瞎子。”

楚留香手里拿着酒杯，忽然叹了口气，道：“两位都没有在这杯酒中下毒，只因为无论谁都不可能在这杯酒中下毒。”

张三皱眉道：“但壶中的酒并没有毒，否则我们岂非也要被毒死了？”

楚留香道："不错，只有他最后喝的这杯酒中才有毒，但毒却不在酒里。"

张三道："不在酒里在哪里？"

楚留香道："在酒杯上！"

他缓缓放下酒杯，接着又道："有人已先在这酒杯里涂上了极强烈的毒汁，丁枫先喝了几杯酒都未中毒，只因那时毒汁已干，酒却是冷的，还未将毒融化。"

勾子长这才透了口气，喃喃道："幸亏有楚香帅在这里，能和楚留香在一起，的确是运气。"

公孙劫余道："但无论如何，毕竟总有个人下毒的，这人是谁？"

楚留香道："人人都知道酒杯必在厨房里，谁也不会对空着的酒杯注意，所以无论谁要想在酒杯里涂上毒汁，都很容易。"

勾子长道："可是……那凶手又怎知有毒的酒杯必定会送到丁枫手上呢？"

楚留香道："他不知道，他也不在乎……无论这酒杯在谁手上，他都不在乎。"

勾子长想了想，苦笑道："不错，在他眼中看来，我们这些人反正迟早都要死的，谁先死，谁后死，在他来说都一样。"

张三捡起了那件血衣，盖在丁枫脸上，喃喃道："十个人上了这条船，现在已死了三个，下一个该轮到谁了呢？"

突听"扑通"一声，胡铁花连人带椅子都摔倒在地上。

第十章

第八个人

最有可能练过“朱砂掌”的人是丁枫。

左右双手都同样灵活的人是丁枫。

最有机会下手杀人的是丁枫。

血衣也是丁枫的。

凶手简直非是丁枫不可。

但现在丁枫却死了。

胡铁花躺在床上，就像死猪。

他唯一和死猪不同的地方，就是死猪不会打鼾，他的鼾声却好像打雷一样，远在十里外的人都可能听到。

张三揉着耳朵，摇着头笑道：“这人方才倒下去的时候，我真以为下一个轮到的就是他，还真忍不住吓了一跳。”

楚留香也笑了，道：“我却早就知道他死不了。‘好人不长命，祸害遗千年’，这句话你难道没听说过？”

张三笑道：“我虽然没想到他会死，却也没想到他会醉得这么快，更想不到那位金姑娘喝起酒来倒真有两下子。”

楚留香道：“你以为她自己就没有醉？连丁枫死了她都不知道，还直着眼睛到处找他来做裁判。”

张三叹道："这两人醉得可真不是时候。"

楚留香苦笑道："这你就不懂了，他选这时候喝醉，简直选得再好也没有了。"

张三道："为什么？"

楚留香道："他现在一醉，就什么事都再也用不着操心，凶手也绝不会找到他头上。因为他们知道我们一定会在旁边守着的。"

张三失笑道："一点也不错，我还以为他是个呆子，其实他真比谁都聪明。"

楚留香道："奇怪的是，该死的人没有死，不该死的人却偏偏死了。"

张三道："你是说丁枫本不该死的？"

楚留香道："我算来算去，不但只有他的嫌疑最大，而且也只有他才有杀人的动机。"

张三道："动机？"

楚留香道："没有动机，就没有理由杀人。"

张三道："丁枫的动机是什么？"

楚留香道："他不愿我们找到那海上销金窟去。"

张三道："他若不愿意，为什么又要请这些人上船呢？"

楚留香道："因为他知道这些人自己也有可能找得去的，所以还不如将所有的人都集中到一个地方，再一个个杀死。"

张三道："但现在他自己却先死了。"

楚留香叹了口气，苦笑道："所以我说的这些话全都等于放屁。"

张三沉默了半晌，道："除了丁枫之外，难道别人全没有杀人的动机？"

楚留香道："杀人的动机只有几种，大多数是为情、为财、为了嫉恨，也有的人为要灭口——丁枫的动机就是最后这一种。"

他接着又道：“现在丁枫既已死了，这理由就不能成立。因为这些人彼此并不相识，谁也不会知道别人的秘密，可见那凶手绝不是为了灭口而来杀人的。”

张三道：“那么他是为了什么呢？为了情？不可能，这些人谁也没有抢过别人的老婆；为了财？也不可能，除了公孙劫余，别人都是穷光蛋。”

他想了想，接着又道：“金灵芝和海阔天虽是财主，却并没有将钱带在身上，那凶手杀了他们，也得不到什么好处。”

楚留香叹道：“不错，我算来算去，除了丁枫外，简直没有一个人有杀人的理由，所以我本来已认定了丁枫是凶手。”

张三道：“公孙劫余呢？我总觉得这人来路很有问题。”

楚留香道：“这十个人中，也许有一两个和他有旧仇，但他却绝没有理由要将这些人全都杀死。”

张三道：“但事实摆在这里，凶手不是他就是勾子长，他的嫌疑总比勾子长大些。”

刚说到这里，已有人在敲门。

敲门的人正是公孙劫余。

船舱中已燃起了灯。

公孙劫余的目中仿佛带着种很奇特的笑意，望着楚留香，缓缓道：“有件事香帅一定很奇怪。”

楚留香道：“哦？”

公孙劫余道：“在下这次到江南来，除了要找那海上销金窟外，还要找一个人。”

楚留香道：“哦。”

还没有明白对方说话的目的时，楚留香绝不会多说一个字。

公孙劫余接道："在下查访这人已有很久，一直都得不到消息，直到昨天，我才知道他原来就在这条船上！"

楚留香沉吟道："你说的莫非是勾子长？"

公孙劫余道："正是他。"

张三抢着问道："他究竟是怎么样一个人？是不是和你有旧仇？"

公孙劫余道："在下以前也从未见过此人，又怎会有什么仇恨？"

张三道："那么，你苦苦找他是为了什么？"

公孙劫余笑了笑，神情似乎很得意，道："香帅直到现在还未认出在下是谁么？"

楚留香瞧着他，眼睛慢慢地亮了起来，道："你莫非是……"

忽然间，门外又传来一声凄厉的惨呼。

呼声竟是勾子长发出来的。

公孙劫余第一个冲了出去。

勾子长就站在楼梯口，满面都是惊恐之色，左臂鲜血淋漓，还有把短刀插在肩上。

楚留香皱眉道："勾兄怎会受了伤？"

勾子长右手还紧紧地抓着那黑箱子，喘息着道："我刚走下来，这柄刀就从旁边飞来了，出手不但奇快，而且奇准，若非我躲得快，这一刀只怕早已刺穿了我的咽喉。"

楚留香道："下手的人是谁？勾兄没有瞧见？"

勾子长道："我骤出不意，大吃了一惊，只瞧见人影一闪，再追也来不及了。"

楚留香道："那人是从什么方向逃走的？"

勾子长眼角瞟着公孙劫余，没有说话。

其实他根本就用不着说。

船上的人除了楚留香和胡铁花外，能刺伤他的就只有白蜡烛。

公孙劫余冷笑道："你莫非瞧见那人逃到我屋子去了？"

勾子长道："好……好像是的，但……我也没有看清楚。"

公孙劫余再也不说第二句话，转身走回自己的屋子，拉开了门。

屋子里一个人也没有。

勾子长似乎怔住了。

公孙劫余冷冷道："白蜡烛是个傻小子，脾气又古怪，本来一定会留在这屋子里的，那么他的冤枉就很难洗得清了。"

张三忍不住问道："现在他的人呢？"

公孙劫余道："金姑娘醉了后，他就一直在旁边守护着，但孤男寡女在一个屋子里，总得避避嫌疑，所以我又找了个人陪着他们。"

他淡淡一笑，接着道："这就叫傻人有傻福。"

他说的话果然一个字也不假。

白蜡烛的确一直在守护着金灵芝，陪着他们的水手已证实了，他根本就没有走开过一步。

张三皱眉道："金姑娘和小胡都已醉得不省人事，公孙先生又和我们在一起，出手暗算勾兄的人，会是谁呢？"

他脸色变了变，缓缓接着道："难道这船上除了我们七个人外，还有第八个人？难道这凶手竟是个隐形的鬼魂？"

船上其实并不止七个人。

除了楚留香、胡铁花、勾子长、金灵芝、公孙劫余、白蜡烛和张三外，还有十几个水手，杀人的凶手难道是这些水手之一？

楚留香、勾子长、公孙劫余、张三，四个人还未走出金灵芝的屋子，就又听到一声大呼。

这次的呼声赫然竟是胡铁花发出来的。

张三变色道："不好，小胡已醉得人事不知，我们不该留他一个人在屋子里的。"

这句话还未说完，他已冲了回去。

胡铁花正坐在床上，喘着气。他眼睛已张得很大，却还是布满了红丝，手里紧紧抓着个面具——纸板糊成的面具，已被他捏碎。

看到胡铁花还好好地活着，张三的火气反而来了，怒道："你鬼叫什么？还在发酒疯？"

胡铁花眼睛发直，瞪着对面的板壁，就好像那上面忽然长出几百朵花来似的，张三叫的声音那么大，他居然没有听见。

张三冷笑道："总共只喝了那么点酒，就醉成这副样子，我看你以后最好还是少逞逞能，少找别人拼酒的好。"

胡铁花还像是没听见他说话，又发了半天呆，忽然在床上翻了个跟斗，拍手大笑道："凶手果然是这小子，我早知他总有一天要被我抓着小辫子的。"

张三道："你说凶手是谁？"

胡铁花瞪着眼道："丁枫，当然是丁枫，除了丁枫还有谁？"

张三上上下下、仔仔细细瞧了他几眼，才叹了口气，道："我早就知道你这小子酒还没有醒，否则又怎会见到鬼？"

胡铁花跳了起来，道："你才撞见鬼了，而且是个大头鬼。"

楚留香目光闪动，沉吟着，忽然道："你方才真的瞧见了丁枫？"

胡铁花道："当然。"

楚留香道："他在哪里，这屋子里？"

张三冷冷道："你方才明明已睡得跟死猪一样，还能看得见人？"

胡铁花道："也许我就因为醉得太深，难受得要命，睡得好好的，忽然想吐，就醒了，虽然醒了，又没有力气爬起来。"

喝到六七分醉时，一睡，就睡得很沉，但若喝到九分时，就可能没法子安安稳稳地睡了。

楚留香点了点头，因为他也有这种经验。

胡铁花道："就在我迷迷糊糊地躺在床上时，忽然觉得有个人走进屋子，走到我床前，仿佛还轻轻唤了我一声。"

楚留香道："你张开眼睛没有？"

胡铁花道："我眼睛本是眯着的，只看到一张白苍苍的脸面，也没看清他是谁，他叫我，我也懒得答应，谁知他忽然来扼我的脖子了。"

他手摸了摸他的咽喉，长长喘了口气，才接着道："他的手很有力，我挣也挣不脱，喊也喊不出，胡乱往前面一抓，抓着了他的脸。"

楚留香望着他手里的面具，道："他的脸是不是就被你抓了下来？"

胡铁花道："一点也不错。那时我才看清这人原来就是丁枫，他也似吓了一跳，我就乘机一拳打在他肚子上。"

他笑了笑，接着道："你总该知道，我这拳头很少有人能挨得住的。"

楚留香道："那么，他的人呢？"

胡铁花道："他挨了我一拳，手就松了，一跤跌在对面的床上，但等我跳起了要抓他时，他的人竟忽然不见了。"

张三笑了笑，道："你知道这是怎么回事？"

胡铁花道："我实在也想不通，他的人怎会忽然不见了的。"

张三道："我告诉你好不好？"

胡铁花道："你知道？"

张三淡淡道："因为你这只不过是做了场噩梦而已，梦中的人，常常都是忽来忽去……"

他话未说完，胡铁花已跳了起来，一把扭住他衣襟，怒道："我的话你不信？你凭什么？"

张三几乎连气都喘不过来了，嗄声道：“你若不是做梦，怎么会瞧见了丁枫的？”

胡铁花道：“我为什么不会瞧见丁枫？”

张三道：“也没什么别的原因，只不过因为丁枫已死了！”

胡铁花这才吃了一惊，失声道：“丁枫死了？什么时候死的？”

张三道：“死了最少已有三四个时辰。”

胡铁花道：“真的？”

张三道：“当然是真的，而且是我跟勾子长亲手将他抬入棺材的。”

胡铁花缓缓转过头，望着勾子长。

勾子长道：“死人还在棺材里，绝不会假。”

胡铁花脸色渐渐发白，手也慢慢松开，喃喃道：“那人若不是丁枫是谁？……难道我真的遇见了鬼么？”

瞧见他这种样子，张三又觉得不忍了，柔声道：“一个人酒喝得太多，眼睛发花，做做噩梦，都是常有的事。有一次我喝醉了，还见过孙悟空和猪八戒哩，你信不信？”

这一次胡铁花什么话都不说了，仰面倒在床上，用枕头盖住脸。

张三笑道：“这就对了，喝了酒之后，什么事都比不上睡觉的好。”

勾子长忽然道：“我知道凶手藏在哪里了。”

楚留香道：“哦？”

勾子长道：“那凶手一定扮成了个水手的样子，混在他们中间。只怪我们以前谁也没有想到这点，所以才会彼此猜疑，否则他也许还不会如此容易得手。”

楚留香慢慢地点了点头，道：“这也有可能。”

勾子长道：“非但有可能，简直太有可能了。”

他神情显得很兴奋，接着又道："你想，谁最有机会接近那些酒杯？"

楚留香道："厨房里的水手。"

勾子长拍手道："一点也不错……还有，就因为他是个水手，所以向天飞和海阔天才会对他全没有提防。"

张三道："不错，的确有道理。"

勾子长道："亡羊补牢，犹未晚也，现在我们将他查出来，还来得及。"

张三道："怎么样查呢？"

勾子长沉吟着，道："船上的水手，一定有个名册，我们先将这名册找出来，然后再一个个去问，总可以问出点名堂来。"

这想法的确不错，人手却显然不足，所以大家只有分头行事。

张三还是留守在屋里，照顾胡铁花，白蜡烛还是在守护金灵芝。

两间屋子的门全是开着的，还可以彼此照顾。

本和白蜡烛在一起的那水手叫赵大中，是个老实人，他知道水手的名册就在金灵芝这屋里的衣柜中。

因为这是船上最精致的一间屋子，海阔天本就住在这里。

名册既已有了，勾子长就提议："现在我和楚留香、公孙先生分头去找，将船上的水手全都召集到这里来，最迟半个时辰内在这里会面。"

这主意也的确不错，因为根本就没有第二个主意。

底舱中很暗，只燃着一盏孤灯。

水手们都睡得很沉。

楚留香叫了一声，没有回应，拉起一个人的手，手已冰冷！

底舱中所有的水手竟已全都变成死人！

每个人致命的伤痕赫然还是朱砂掌！

楚留香的手也有些凉了，已沁出了冷汗。

他一步步向后退，退出船舱，忽然转身，奔上楼梯，奔上甲板。

甲板上也只有四个死人。

星已疏，海风如针，船在海上慢慢地打着圈子。

掌舵的水手尸体已冰冷，胸膛上也有个淡红色的掌印。

勾子长呢？勾子长怎么也不见了？

放眼望去，海天无限，一片迷茫，千里内都不见陆地。

楚留香很少发抖。

他记得有一次和胡铁花去偷人的酒喝，若非躲到大酒缸里去，险些就被人抓住，那天冷得连酒都几乎结了冰。

他躲在酒缸里，也不知是因为冷，还是因为怕，一直抖个不停。

但那已是二十多年前的事，那时他才七岁，自从那一次之后，他就没有再发过抖。

但现在，他身子竟不停地颤抖起来，因为他第一次感觉到天地之大，自身的渺小，第一次感觉到世事的离奇，人智之有限。

他拉紧了衣襟，大步走下船舱。

公孙劫余已回来了，看他的脸色，就可知道他也没有找着一个活人。

楚留香第一句就问："勾子长呢？回来了没有？"

张三道："他不是和赵大中一起到甲板上去找人了么？"

楚留香叹了口气，道："他不在甲板上。"

张三悚然道："莫非他也遭了毒手？"

楚留香并没有回答这句话。

他已用不着回答。

公孙劫余神情竟也变了，道："这人……"

他一句话还未说完，胡铁花已跳了起来，揪住他的衣襟，大喝道："勾子长若死了，杀他的没有别人，一定是你！"

公孙劫余神情又变了变，勉强笑道："胡兄的酒莫非还没有醒？"

张三也急着赶过去拉他，道："现在可不是你发酒疯的时候，快放手。"

胡铁花怒道："你叫我放手？你可知道他是谁？可知道他的来历？"

张三道："你知道？"

胡铁花大声道："我当然知道。他就是在京城里连伤七十多条人命的大盗！勾子长却是关外熊大将军派来查访这件案子的密使，他知道事机已败露，所以就将勾子长杀了灭口！"

这次张三才真的怔住了。

楚留香似也觉得很意外。

白蜡烛本已赶了过来，一听这句话，反而停下了脚步。

最奇怪的是，公孙劫余反而笑了。

胡铁花怒道："你笑什么？你笑也没有用，屁用都没有，还是老实招出来吧！"

公孙劫余笑道："幸好楚香帅认得我，还可以为我作证，否则这件事倒真是死无对证了。"

他一面说着话，一面已将披散着的长发拉了下来，露出了他的秃顶和耳朵。一双合银铸成的耳朵。

他不但头发是假的，竟连耳朵也是假的。

假头发不稀奇，假耳朵却很少见。

胡铁花失声道："白衣神耳！"

张三立刻接着道：“莫非是人称天下第一名捕，‘神鹰’英老英雄？”

“公孙劫余”笑道：“不敢，在下正是英万里。”

张三失笑道：“这下子可真有错把冯京当作了马凉，居然将名捕当作了强盗。”

胡铁花的脸红了，道：“这不能怪我，只能怪老臭虫，他明明早就认得英老先生了，却偏偏要咬着个地瓜，不肯说出来。”

楚留香苦笑道：“其实这也不能怪我，只能怪英老先生的易容术太高明了，竟连我这自命老手的人都没有看出来。”

英万里道：“在下哪有如此高明的手段？”

他忽然笑了笑，接着道：“在下就为了要易容改扮，所以特地不远千里，去请教了当今天下易容第一名家，这副脸就是出自她的妙手。”

张三道：“易容第一名家？那岂非是……”

他眼睛刚瞟着楚留香，胡铁花已打断了他的话，笑道：“别人都以为楚留香就是天下第一易容名家，我却知道不是。”

张三道：“不是他是谁？”

胡铁花道：“是一位很美丽的小姑娘，老臭虫只不过是她的徒弟而已。”

张三恍然道：“我想起来了！别人说楚留香有三位红颜知己，一位博闻强记，一位妙手烹调，还有一位精于易容，你们说的莫非就是她？”

胡铁花道：“一点也不错，正是那位苏蓉蓉，苏姑娘。”

楚留香不由自主，又摸了摸鼻子，道：“英兄难道真的去见过蓉儿了么？”

英万里道：“在下本想去求教楚香帅的，谁知却扑了个空，只见到苏姑娘、宋姑娘和李姑娘，但那也可算是不虚此行了。”

他又笑了笑，道：“苏姑娘为我易容之后，就对我说过，非但别人再也认不出我来，就连楚香帅也休想能认得出。”

楚留香笑道：“女人的手本就巧些，心也细些，所以金针这一类的暗器、易容这一类的功夫，男人练起来总比女人差些。”

胡铁花恨恨道：“我还以为勾子长真是个老实人，谁知他说起谎来，比女人还强。”

张三笑道：“你上女人的当上多了，偶尔上男人一次当，也是应该的。”

胡铁花瞪了他一眼，才转向英万里，道：“楚留香纵未认出你来，你也该对他说明才是呀。”

英万里叹了口气，道：“在下生怕勾子长已和海阔天、丁枫等人有了勾结，所以也不敢当众说出来，只想在暗中找个机会和香帅一叙。”

胡铁花说道：“我明白了，难怪勾子长一直不肯让你单独和我们见面，原来为的就是生怕被你揭穿他的秘密。”

张三道：“如此说来，他肩上挨的那一刀，只怕就是他自己下的手，为的就是要将大家引出去，免得英老先生和楚留香单独说话。”

英万里道：“不错，那时我已想到这点了，只不过一时还无法证明。何况，我此来不但要捉贼，还要追赃，所以也不敢轻举妄动。”

楚留香道：“这位白兄呢？”

白蜡烛道：“在下白猎。”

英万里道：“这位白兄才真正是熊大将军麾下的第一高手，练的混元一气童子功，内力之强，关外已无人能及。”

楚留香笑道：“莫说关外，就连关内只怕也没有几人能比得上。”

白猎道：“不敢。”

他也许是因为久在军纪最严、军威最隆的熊大将军麾下，也许是因为面上也已经易过容，是以无论说什么话，面上都全无表情。

楚留香道："两位莫非早已知道勾子长就在这条船上？"

白猎道："上船后才知道的。"

他不但面无表情，说的话也很少超过十个字。

英万里替他说了下去，道："那时我只算定勾子长必定逃往海外，既然找不着香帅，又久闻张三兄之名，是以才到此来寻访，想不到却误打误撞，撞上了这条船。"

楚留香道："两位又是怎么认出他的呢？难道已见过他的面么？"

英万里道："虽未见过他面，却听过他的声音。"

他补充着道："那日他在镇远将军行辕中下手时，只剩下了一个活口。"

胡铁花道："是不是那位将军的如夫人？"

英万里道："不错，这位姑娘本是九城名妓，不但丝竹弹唱样样精通，而且还有种最大的本事。"

胡铁花道："什么本事？"

英万里道："学人说话——无论谁说话，她只要听过一次，学起来就惟妙惟肖，据说她学熊大将军说话，连熊夫人都听不出。"

胡铁花道："莫非勾子长行刺时，说话的声音被她听到了？"

英万里苦笑道："正因如此，所以熊大将军才会将这差事派到我这糟老头子身上。"

楚留香笑道："你们也许还不知道，英老先生非但耳力之灵，天下无双，而且别人是'过目不忘'，英老先生却是'过耳不忘'。"

胡铁花道："过耳不忘？"

楚留香道："无论谁说话，只要被英老先生听到过一次，以后无论那人改扮成什么模样，英老先生只要听他一说话，就可认得出他来。"

胡铁花道："我明白了！那位姑娘将勾子长说话的声音学给英老先生听，英老先生就凭这一点线索，就认出了勾子长。"

楚留香道："想必正是如此。"

胡铁花叹了口气，道："这种事我若非亲自遇见，无论谁说我也不会相信的。看来那勾子长倒真是流年不利，才会遇见这么样两个人。"

英万里道："这就叫，'天网恢恢，疏而不漏'。"

胡铁花默然半晌，又道："勾子长也许是强盗，但却绝不会是凶手！"

楚留香道："哦？"

胡铁花道："有几件事可以证明他绝不是凶手，第一，他和你们在外面的时候，确实有个人到了我屋子里来杀我，那人也绝不是鬼。"

英万里皱眉道："如此说来，这船上难道真还有第八个人么？"

胡铁花道："第二，他自己若是凶手，现在也不会被人杀死了。"

楚留香淡淡道："谁也没有瞧见他的尸身，又怎知他是死是活？"

白猎道："他也许是畏罪而逃。"

胡铁花道："大海茫茫，他能逃到哪里去？他若在这条船上，又能藏在哪里？何况他既不会朱砂掌，他也不能左右开弓，我们在死人身上找到的那颗珍珠，也不是他的。"

只听一人冷冷道："那颗珍珠是我的！"

金灵芝面上自然还带着醉态，但这句话却说得清清楚楚，绝不含糊，看来比胡铁花还清醒些。

胡铁花长长吐出口气，道："你的珍珠，怎会到死人身上去了？难道死人也会做小偷？"

金灵芝非但不理他，连眼角都没有瞧他，缓缓道："前天晚上，我睡不着，本想到甲板上去走走，刚出门，就发觉一个人蹑手蹑脚地走下楼梯，我忍不住动了好奇心，也想跟着去瞧瞧。"

胡铁花喃喃道："女人最大的毛病，就是什么事她都想瞧瞧。"

金灵芝还是不睬他，接着道："我走上去时，就发觉本来守在库门外的两个人已死了，方才那人却已不见踪影。"

胡铁花道："他走得那么快？"

金灵芝冷冷道："无论谁杀了人后，都不会慢慢走的。"

胡铁花道："你没有看清他是谁？"

金灵芝道："我……当然没有瞧清，那时门是关着的，我本想进去瞧瞧，就听到海阔天的喝声，我生怕被他误会，也只好一走了之，至于那粒珍珠……"

她瞪了张三一眼，才接着道："自从被人拿走过一次后，就一直没有装牢，所以才会落在那两具死尸上，我回房后才发觉。"

胡铁花淡淡道："那只怕是因为你那时做贼心虚，心慌意乱，所以珍珠丢了也不知道。"

金灵芝怒道："杀人的又不是我，我为何要做贼心虚？"

胡铁花道："杀人的虽不是你，你却看到杀的是谁了，只不过因为你有把柄被那人捏在手里，所以不敢说出来。"

金灵芝涨红了脸，竟说不出话来。

胡铁花道："但现在丁枫既已死了，你为何还不敢说出来呢？"

金灵芝咬了咬牙，道："他既已死了，可见凶手并不是他，我说出来又有什么用？"

胡铁花想了想，叹着气，道："这话倒也有道理，至少凶手绝不会是个死人，死人也做不了凶手。"

张三道："凶手既不是丁枫，也不是勾子长，既不会是海阔天和向天飞，也不会是英老先生和白少英雄，更不会是金姑娘和楚留香。"

他叹了口气，苦笑道："看来这凶手只怕不是你，就是我了。"

胡铁花冷笑道："你还没有这么大的本事。"

张三笑道："就算你有本事，就算你是凶手，你高兴了么？"

胡铁花也说不出话来了。

英万里叹道："现在船上只剩下我们六个人，我们自然都绝不会是凶手，那么凶手是谁呢？"

楚留香忽然笑了笑，道："除了我们之外，船上的确还有个人。"

英万里道："你已知道他是谁？"

楚留香道："嗯。"

英万里还算沉得住气，胡铁花已忍不住跳了起来，道："你知道他在哪里？"

楚留香淡淡一笑，道："我若不知道，也就不会说了。"

胡铁花他们睡的舱房中，本有两张床，其中有张床竟是活的。

楚留香并没有费多大工夫，就找到了翻板的机簧。

翻板下居然有条秘道。

胡铁花眼睛发直，失声道："难怪那人在床上一滚，就踪影不见，原来他就是从这里跑的。"

楚留香道："很多船上都有秘道复壁，这点张三只怕也早就想到了。"

张三的脸好像红了红，却道："但我却想不通这秘道是通向何处的。"

楚留香道："货舱。"

货舱中还是阴森森的，带着种说不出的霉气。

六口棺材还摆在那里。

英万里叹了口气，道："楚香帅果然是料事如神，秘道果然直通货舱。"

胡铁花道："只可惜货舱里非但没有人，简直连个鬼都没有。"

楚留香笑了笑，道："人虽没有，至少鬼总是有一个的。"

胡铁花眼睛突然亮了，问道："你说的莫非就是丁枫？"

张三道："但丁枫只不过是个死人，还不是鬼，我亲手将他放入这口棺材……"

他就站在第一口棺材旁，说到这里，他突然打了个寒噤，道："你……你莫非说他已复活？"

楚留香叹了口气，道："死人复活的事，其实我已不止见过一次了……"

胡铁花抢着道："不错，那'妙僧'无花，也曾死后复活的。"

白猎忍不住问道："人死了真能复活？"

他自幼生长在将军府，对江湖中的诡秘变化，自然了解得很少。

楚留香道："人若真的死了，自然不能复活，但有些人却能用很多方法诈死！"

白猎道："诈死？用什么法子？"

楚留香道："内功练到某一种火候，就能闭住自己的呼吸，甚至可以将心跳停顿，血脉闭塞，使自己全身僵硬冰冷。"

他接着又道："但这种法子并不能维持很久，最多也不会超过半个时辰。而且，有经验的江湖客，很快就会发觉他是在诈死。"

白猎道："除此之外，还有什么别的法子？"

楚留香道："据说世上还有三种奇药，服下去后，就能令人身一切活动机能完全停顿，就好像毒蛇的冬眠一样。"

英万里道："不错，我就知道其中有一种叫'西方豆蔻'，是由天竺、波斯以西，一个叫'基度山'的小岛上传来的。"

楚留香道："但其中最著名的一种，还要算是'逃情酒'。"

白猎道："'逃情酒'？这名字倒风雅得很。"

楚留香道："只因制造这种药酒的人，本就是位风流才子。"

他笑了笑，接着道："有关这'逃情酒'的由来，也是段很有趣的故事。"

白猎道："愿闻其详。"

楚留香道："据说这位才子风流倜傥，到处留情，到后来麻烦毕竟来了。"

白猎道："什么麻烦？"

楚留香道："常言道，'烈女怕缠郎'，其实男人最怕的也是被女子纠缠，尤其是像他那么样的风流才子，最好是一留过情，就'事如春梦了无痕'了。"

他笑了笑，接着道："但到了后来，却偏偏有三个女人都对他痴缠不放，他逃到哪里，这三个女子就追到哪里，他是个文弱书生，这三个女子却偏偏都有些本事，他打也打不过，逃也逃不了，简直被她们缠得快发疯了。"

张三目光在楚留香、胡铁花面上一转，笑道："这叫作，'天作孽，犹可违；自作孽，不可活'。"

楚留香道："幸而他博览群书，古籍中对毒药的记载也不少，他被缠得无可奈何时，就参照各种古方秘典，制出了一种药酒，服下去后，就会进入假死状态。那三位姑娘虽然痴心，但对死人还是没有多大兴趣，他总算逃脱了她们的纠缠，孤孤单单，却安安静静、快快乐乐地过了下半辈子。"

他微笑着，接道："所以这种酒，就叫作'逃情酒'。"

胡铁花失笑道："看来你也应该将这种酒准备一点在身上的。"

英万里目光闪动，道："香帅莫非认为丁枫也是在诈死？"

楚留香没有回答这句话，却将那口棺材的盖子掀了起来。

棺材中哪里还有丁枫的尸体？

丁枫果然也"复活"了！

第十一章

凶　手

棺材里也不知是用鲜血，还是朱砂写了十个血红的字："楚留香，这地方我让给你！"

胡铁花跺了跺脚，将其他五口棺材的盖子也掀了起来。

每口棺材里都写着一个人的名字："胡铁花、金灵芝、英万里、白猎、张三。"

英万里苦笑道："他不但已将棺材替我们分配好了，而且居然也早就看出了我们的来历。"

楚留香沉吟着，缓缓道："他并没有看出来，是勾子长告诉他的。"

英万里道："香帅认为勾子长也跟他串通了？"

楚留香道："勾子长有求于他，自然不能不跟他勾结在一起，他知道了勾子长的秘密，也正好利用勾子长的弱点来为他做事。"

胡铁花摸着鼻子，道："这件事我虽已隐约有些明白了，却还不大清楚。"

楚留香道："要弄清楚这件事，就得从头说起。"

胡铁花道："好，你一件件说吧！"

楚留香道："你有耐心听下去？"

胡铁花笑道："如此复杂诡秘的事，不把它弄清楚，我怎么睡得着觉？就算你要说三年，我也会听得很有趣的。”

楚留香道：“这件事情的关键，就是那‘海上销金窟’。”

他忽然向金灵芝笑了笑，道：“那地方的情形，金姑娘想必知道得比别人都多。”

金灵芝垂着头，沉吟了很久，才咬着嘴唇道：“不错，海上的确是有那么样一个地方，但那地方并没有琼花异草，更没有酒池肉林。”

楚留香道：“那地方有什么？”

金灵芝道：“那里只有许许多多令人无法想象的秘密，而且每件秘密都在待价而沽。”

楚留香皱了皱眉，道：“待价而沽？”

金灵芝道：“因为那些秘密不是价值极大，就是关系重大，所以那里的主人每年都会将一些有关系的人请去，要他们收购那些秘密。有时一件秘密有很多人都要抢着买，大家就要竞争，看谁出的价最高。”

楚留香道：“譬如说……清风十三式？”

金灵芝又用力咬了咬嘴唇，道：“不错，清风十三式的心法，就是他们卖给我的。因为华山门下有个人欺负过我，用的正是清风十三式，所以我不惜一切也要将这秘密买来，叫那人也在我手下栽一次跟斗。”

她接着道：“但那销金窟的主人却警告过我，千万不能将这种剑法公开使出，否则他就要将剑法追回去。”

张三皱眉道：“已经学会的剑法，怎么还能追回呢？”

金灵芝道：“他们……他们自然有法子的！”

说到这里，这天不怕、地不怕的女孩子，目中竟也露出了恐惧之意，显然对“他们”手段之毒辣，了解得很清楚。

楚留香道：“但那天你一时气愤，毕竟还是当众将‘清风十三式’使了出来，恰巧又被丁枫瞧见，所以才被他所胁，做出了一些你本不愿做的事？”

金灵芝点了点头，眼圈儿已红了。

楚留香叹了口气，道："如此说来，那地方金姑娘是去过的了？"

金灵芝道："嗯。"

楚留香道："那地方的首脑，究竟是个怎么样的人？"

金灵芝道："不知道，我没见过，谁也无法看得到！"

胡铁花忍不住问道："为什么看不到他？难道他会隐身法？"

金灵芝瞪了他一眼，冷冷道："到了那里，你就会明白是为什么了。"

胡铁花叹了口气道："照现在的情况来看，我们也许永远也到不了那里，你为什么不先说来听听？"

金灵芝道："我不高兴。"

胡铁花还想再问，但楚留香却知道像她这种女孩子若说"不高兴"时，你就算跪下来，就算把嘴都说破，她也不会改变主意的。

因为她知道你若问不出，一定会生气。

她就是要你生气。

楚留香道："现在，想必又到了他们出售秘密的会期，丁枫就是特地出来迎客的，但我们这些客人，他显然不欢迎。"

胡铁花道："但他又怕我们会找到那里去，所以最好的法子，就是想法子将所有不受欢迎的客人全都聚在一个地方，然后再一个个杀死！"

张三苦笑道："最理想的地方，自然就是船上了，上不着天，下不着地，想跑也没地方跑，除非跳到海里去喂鲨鱼。"

胡铁花道："但他为什么要故意摆几口棺材在这里呢？难道生怕我们太马虎了，觉得下手太容易，所以特地要我们提防着些？"

楚留香笑了笑道："他当然不是这意思。"

胡铁花道："不是这意思，是什么意思？我实在猜不透了。"

楚留香道："他这么样做，只不过是要我们互相猜忌，互相提防。我们若彼此每个人都不相信，他才好从中取利，乘机下手。"

他缓缓接着道："而且，一个人若对任何事都有了猜疑恐惧之心，就会变得疑神疑鬼，反应迟钝，判断也不会正确了。"

英万里点头，道："不错，这种就是'攻心'的战术，先令人心大乱，他才好浑水摸鱼。"

他笑了笑，接着道："只可惜，他还是算错了一样事。"

胡铁花道："算错了什么？"

英万里道："他低估了楚香帅，还是不能'知己知彼'。他自以为这件事已做得天衣无缝，却未想到还是有破绽被楚香帅看了出来。"

张三道："他自知有些事已瞒不下去了，所以就先发制人，自己诈死，他认为无论谁也想不到死人会是凶手！"

楚留香苦笑道："他这一招倒的确厉害，我本来就一直怀疑是他，但他一死，连我也混乱了。"

胡铁花道："那时你怎么没有想到他是在'诈死'？这种事你以前又不是没有遇见过！"

楚留香叹道："那时我的确该想到的，他为何要再三叮咛我，要我将他的骸骨带回去？……"

胡铁花冷笑道："因为他并不是真死，生怕别人给他来个海葬。"

楚留香道："但一天内船上已接连死了好几个人，而且大家又都知道很快还会有人死的，所以他突然死了，别人才不会想到他是在'诈死'，因为每个人心里都有种惰性。"

胡铁花道："惰性？什么叫惰性？"

楚留香道："譬如说，群羊出栏，你若将一根木头横挡在栏门外，羊自然就会从木棍上面跳过去。"

胡铁花又在摸鼻子，显然还不懂他说这番话是什么意思。

楚留香道：“第一只羊跳了过去，第二只跟着跳了过去，第二十只羊也跳了过去，那时你若突然将木棍撤开，栏门外明明已没有东西挡着了，但第二十一只羊还是照样跳出去……”

胡铁花打断他的话，道：“我们是人，不是羊。”

楚留香道：“这就叫惰性，不但羊有这种惰性，人也有的。”

胡铁花摸着鼻子想了很久，摇着头喃喃道：“这人说的话有时谁都听不懂，但却偏偏会觉得他很有道理，这是怎么回事呢？”

楚留香笑了笑道：“丁枫的确将每件事算得很准，只可惜到最后他又算错了一件事。”

张三道：“他又算错了什么？”

楚留香道：“他低估了胡铁花，认为小胡一醉就会醉得人事不知，所以才会乘机去向小胡下手，却未想到时常喝醉的人，醒得总比别人快些的。”

张三道：“不错，醉得快，醒得也一定快。”

楚留香道：“他一击不中，虽然自翻板秘道中逃脱，但已被小胡认出了他的面目，虽还不能断定我们是否会发现他‘诈死’的秘密，但这种人做事是绝不肯冒险的，所以才不得不使出了这最后一招！”

英万里叹道：“不错，他无论做什么事，都已先留好了退路，‘诈死’就是他第一条退路，等到这条路也走不通时，就再换一条。”

楚留香道：“他想必已和勾子长商量好，等到必要时，就由勾子长将我们引开，他才有机会逃走。”

白猎忍不住道：“大海茫茫，能逃到哪里去？”

楚留香道：“甲板上本有一条危急时救生用的小艇，我方才到甲板上去时，这条小艇已经不见了。”

白猎道：“那种小艇在海上又能走多远？遇着一个大浪就可能会被打翻。”

英万里道："以丁枫行事之周密，这附近想必有他们的船只接应。"

白猎默然半晌，忽然笑道："但他毕竟还是自己逃走了，毕竟还是没有杀死我们。"

英万里突然不说话了。

楚留香却苦笑道："他留我们在这里，因为他知道我们活不长的。"

情况无论多么恶劣，楚留香也总是充满了希望。

他似乎永远都不会绝望。

但现在，"活不长"这三个字，竟从他嘴里说了出来。

白猎动容道："活不长？为什么活不长？"

楚留香道："大海茫茫，我们既无海图指示方向，也不知道哪里有岛屿陆地；他离船之前，将船上的水手全都杀死，就是要将我们困死在海上！"

胡铁花道："但我们至少还可以从原路回去。"

楚留香叹道："这是条很大的船，张三虽精于航行之术，我也勉强通晓一二，但以我们两人之力，总无法将这么大一条船操纵如意，何况……"

胡铁花道："何况怎样？"

楚留香道："最大的问题还是食物和饮水……"

胡铁花接着道："这倒不成问题，我已经到厨房后面的货舱去看过了，那里食物和饮水都准备得很是充足。"

楚留香叹道："若是我猜得不错，丁枫绝不会将那些东西留下来的。"

胡铁花怔了怔，转身道："我去瞧瞧，也许他忘记了……"

英万里道："用不着瞧，他没有忘！"

胡铁花就像是突然被根钉子钉在地上。

英万里长叹着道："我方才找人的时候，已发现所有的水箱都被打破，连一杯水都没有剩下来。"

胡铁花道："吃的东西呢？"

英万里道："食物倒原封未动，因为他知道渴死比饿死更快，而且难受得多。"

金灵芝忽然道："没有水又何妨？海里的水这么多，我们喝一辈子也喝不完的。"

这位姑娘的确是娇生惯养，什么事都不懂，连英万里都忍不住笑了。

金灵芝瞪大了眼睛，道："这有什么好笑的，难道我说的不对？"

胡铁花忍住笑道："对，对极了。"

他眼珠一转，接着道："从前有位很聪明的皇帝，出巡时看到城里的人都快饿死了，就问，'这是怎么回事呀？'别人就说，因为连年旱灾，田里没有收成，所以，大家都没饭吃。这位皇帝更奇怪了，就问，'没有饭吃，为什么不吃鸡，不吃肉呢？'"

这种时候，居然还有心情说笑话的人，除了胡铁花，大概很难再找出第二个。

金灵芝眼睛瞪得更大，居然还没有听懂。

白猎望着她，目光立刻变得温柔起来，柔声道："海水是咸的，不能喝，喝了不但会呕吐，而且有时还会发疯。"

金灵芝脸红了，咬着嘴唇，扭过头，忽又失声道："你们看，那是什么？"

大家随着她目光瞧过去，才发现角落里有个黑色的箱子。

那正是勾子长时时刻刻都提在手里，从未放开过的箱子。

胡铁花第一个赶了过去，将箱子提了起来，仔细地瞧了瞧，道：“不错，这的确是勾子长的箱子。”

张三道：“他把这箱子看得比命还重，怎么掉在这里了？”

白猎道：“莫非箱子已是空的？”

胡铁花用手掂了掂，道：“不是空的，还重得很，至少也有百把斤。”

张三笑了笑，道：“我一见他面就在奇怪，这箱子里装的究竟是什么？他为什么要将这箱子看得那么珍贵？”

他得意地笑着，道：“但现在，用不着打开来瞧，我也能猜出来。”

胡铁花道：“哦？你几时也变得这么聪明了？”

张三道：“这箱子装的，一定就是他抢来的那些珍宝，所以他才会说这箱子的价值比黄金还重。”

白猎眼睛亮了，忍不住伸出手，想去接箱子。

楚留香忽然笑了笑，道：“你只怕猜错了。”

张三道：“怎么会猜错？”

楚留香笑了笑，道：“这口箱子里装的若真是无价之宝，就算勾子长自己会忘记，丁枫也绝对不会忘记的。”

英万里叹道：“不错，若没有那些珍宝，他根本就无法到那海上销金窟去。”

白猎慢慢地缩回手，脸却已有些发红。

胡铁花眼角瞟着张三，笑道：“我还以为你变聪明了，原来你还是个笨蛋。”

张三瞪了他一眼，道：“好，那么你猜，这箱子里是什么？”

胡铁花道：“我猜不出，也用不着猜，箱子就在我手上，我只要打开一看，就知道了。”

箱子是锁着的，两把锁，都制作得很精巧，而且很结实。

胡铁花喃喃道："既然连箱子都留下来，为什么不将钥匙也留下来？"

他正想用手去将锁扭开，突然又停下，笑道："既然有位小偷中的大元帅在这里，我又何苦费劲？"

楚留香淡淡一笑，接过箱子，也仔细瞧了几眼，道："这锁是北京卷帘子胡同赵麻子制造的，我也未必能打得开。"

白猎忽然道："让我来试试好不好？"

他毕竟还是不放心将这箱子交在别人手里。

楚留香道："你最好小心些，有些箱子中也装着有机簧毒弩、毒烟迷药。依我看，能不开，还是莫要打开的好。"

白猎勉强一笑，道："此间反正已是绝境，又何妨冒冒险？"

他左手接着箱子，右手突然自靴筒中拔出一柄寒光四射的匕首，无论谁一看，都可看出这必是柄削金断玉的利器。

胡铁花第一个忍不住脱口赞道："好刀！"

白猎面有得色，道："此乃熊大将军所赐，据说是千载以上的古物。"

他正想用刀去削锁，谁知左肘突然被人轻轻一托。箱子忽然间已到了楚留香手里。

白猎面色变了变，道："香帅莫非……"

英万里立刻打断了他的话，道："香帅一向最谨慎，听他的话，绝不会错的。"

白猎虽然没有再说什么，但神色看来显然还有些不服。

楚留香道："我总觉得他们绝不会无缘无故将箱子留在这里，纵然要看，也还是小心些好。"

他嘴里说着话，已将箱子放在远处的角落中。

白猎冷冷道："香帅莫非还会魔法，隔这么远就能将箱子打开？"

楚留香淡淡一笑，道："不知可否借宝刀一用？"

白猎迟疑着，终于还是将手中的匕首递了过去。

楚留香轻抚着刀锋，叹道："果然是吹毛断发的宝刀！"

"刀"字出口，匕首也已出手！

寒光一闪！只听"叮叮"两响，箱子上的两把锁已随着刀锋过处落下。

白猎悚然动容，失声道："好……"

他这"好"字才出口，突然又是一阵山崩地裂般的大震，整个船舱都被震动得摇晃起来。

那黑色的箱子竟突然爆炸了起来！

船舱立刻被震破了一角，海水汹涌而入！

白猎已吓得呆住了，满头冷汗如雨。方才开箱子的如果是他的话，此刻他早就已经身化劫灰，尸骨无存了。

胡铁花恨恨道："混账王八蛋，他难道还怕我们死得不够快！"

他还想再骂几句，但现在却已连骂人的时间都没有了。海水倒灌而入，片刻间已将淹没膝盖。

英万里嗄声道："快退，退上甲板！"

张三苦笑道："这条船不出一刻就要沉入海底，退上甲板又有什么用？"

胡铁花恨恨道："这厮的心真毒，连那艘救生的小艇都不留下。"

张三咬着牙道："看来他乘那条小艇逃生，也是早就计划好的。"

英万里叹道："此人当真是算无遗策，令人不得不佩服。"

事变之后，楚留香一直站在那里，仿佛也呆住了，此刻突然道："他还是算漏了一样。"

胡铁花抢着问道："算漏了什么？"

楚留香道："棺材！"

一口棺材，就好像一条小船。六口棺材很快就被抬上甲板，放下海。

每个人恰巧都分配到一口棺材。

坐在棺材里，瞧着那艘船渐渐地沉没——这种心情除了身历其境的人之外，只怕任谁也没法子体会得到的。

于是一望无际的大海上，就只剩下了六口棺材。棺材里还坐着六个人。

这种景象除了亲眼看到的人之外，只怕谁也无法想象。

胡铁花突然笑了，道："这六口棺材本是他准备来送我们终的，谁知反而却救了我们的命。"

张三也笑了，道："最妙的是，他好像还生怕我们坐得太挤，恰巧替我们准备了六口。"

胡铁花大声笑道："他自己只怕做梦也想不到这种事。"

张三笑道："我希望以后有一天能当面告诉他，看看他脸上是什么表情。"

胡铁花笑道："用不着看，我也想象得出，那种表情一定好看得很。"

白猎瞧着他们，似已呆了。大海茫茫，不辨方向，船已沉，饮食无着，只能坐在棺材里等死。

但这两人居然还笑得出，居然还好像觉得这种事很有趣。

白猎实在有点莫名其妙。

他却不知道：一个人只要还能笑，就表示他还有勇气！只要还有勇气，就能活下去！

他们比大多数人都强些，原因就在这里。

楚留香忽然从棺材里拿出几捆绳子，道："你们若已笑够了，就快想法子将这六口棺材捆在一起，大海无际，我们绝不能再失散。"

胡铁花笑道："你居然还带了绳子，真亏你能想得到。"

张三道："但这些棺材盖又有什么用？你为什么也要我们带着？"

楚留香道："正午前后，阳光太烈，我们又没有水喝，被烈日一晒，哪里还能支持得住？所以只有盖起棺盖，躺在棺材里睡觉。"

白猎忍不住长长叹了口气，道："香帅的确是思虑周密，非人能及。丁枫纵然心狠手辣，算无遗策，但比起香帅来，还是差了一筹。"

直到现在，他才真的服了楚留香的。

胡铁花也叹道："这老臭虫的确不是人，连我也有点佩服他了。"

无论是谁，迟早总会佩服楚留香。

英万里叹道："不到非常之时，还看不出楚香帅的非常之处，到了生死存亡的危急关头，才知道楚留香毕竟是楚留香，绝没有第二个人能比得上的。"

楚留香坐在那里，他们说的话，他像是完全没有听见。

他心里只在想着一件事：要怎么样才能活着踏上陆地！

海天无际，谁知道陆地在哪里？旭日刚从东方升起，海面上闪耀着万道金光。

胡铁花揉了揉眼睛，苦笑道："看来我们只有将这条命交给海水了，我运气一向不太坏，说不定会将我们带到陆地上去。"

张三叹了口气，道："你们看，这人还没有睡着，就在做梦了。"

胡铁花瞪眼道："做梦？这难道不可能？"

张三道："当然不可能。"

胡铁花道："为什么？"

他这句话是问楚留香的，因为他知道张三非但不会为他解释，说不定反而会再臭几句。

楚留香道："海水不同江河，是顺着一定的方向流动的，所以我们若只是坐着不动，再过三个月，还是在这里兜圈子。"

胡铁花怔了半晌，问道："那么，我们应该怎么办呢？"

楚留香道："海水不动，我们只有自己动了。"

胡铁花道："该怎么动？"

楚留香道："这棺材盖有第二样用处，就是用它来作桨，除了金姑娘外，我们五个人都要卖些力。"

金灵芝突然问道："为什么要将我除外？"

楚留香笑了笑，没有说话。

胡铁花却忍不住道："因为你是女人，他对女人总是特别优待些的。"

金灵芝瞪了他一眼，第一个拿起棺材盖，用力划了起来。

胡铁花瞟了楚留香一眼，笑道："看来这次你的马屁是拍到马脚上了，有些女人总觉得自己比男人还强，你就该将她们也当作男人才对，只不过……"

他淡淡接着道："一个人若是有福不会享，就算聪明，也有限得很。"

金灵芝像是又要叫了起来。

白猎赶紧抢着道："金姑娘本就是位女中豪杰，我们本就不该视她为普通女子。"

楚留香道："既然如此，我们六人分为两班，金姑娘、白兄和英老前辈是第一班，然后再由我和张三、小胡接下去。"

白猎道："朝哪边划？"

楚留香沉吟着，道："东南。"

白猎忍不住又问了句：“东南方现在正迎着日光，很刺眼，为什么不向西北？何况，我们岂非正是由西北方来的，那边一定有陆地。”

楚留香道：“但我们的船已走了两天，才来到这里，以我们现在的体力，绝对无法划回去。”

白猎道：“但东南方……”

楚留香打断了他的话，道：“据说东南海面上有很多不知名的小岛，而且是往东瀛扶桑通商的海船必经之路，我们无论是遇到只海船，还是碰上个小岛，就都有救了。”

白猎想了想，叹息着道：“香帅的确比我高明得多，我又服了一次。”

棺材盖方而沉重，很难使力，本不宜用来作桨。

幸好这些人都是武林高手，臂力自然比一般人强得多。三个人一齐使力，居然将这六口棺材编成的“木筏”划得很快。最卖力的，竟是金灵芝。她显然是存心要给胡铁花一点颜色看看。

白猎的眼睛，一直没有离开过她，赔笑道：“看来金姑娘非但无论哪方面都不输给男人，简直比男人还要强得多。”

胡铁花闭着眼睛，躺在棺材里，悠然道：“她的确很能干，只不过——太无用的女人，男人见了固然头疼，太能干的女人，男人见了也一样受不了的。”

他这话说得并非没有道理。男人在女人面前本就喜欢以“保护人”和“强者”的姿态出现，有时他们嘴里虽在埋怨女人太无用，其实心里却在沾沾自喜。

所以聪明的女人在男人面前，总会装出弱不禁风的样子，乐得将吃苦受气的事都留给男人去做。

这次金灵芝居然没有瞪眼睛、发脾气，也没有反唇相讥。这只因她实在已累得没力气发脾气了。她的手已磨出了泡，疼得要命，手臂更是又酸又痛，几乎已将麻木。她纵然还是咬紧了牙关在拼命，但动作却已慢了下来，这位千金小姐，几时受过这样的罪？

胡铁花一直在用眼角瞟着她，此刻忽然跳了起来，道："该换班了吧？"

白猎也瞟了金灵芝一眼，笑道："换班也好，我的确有些累了。"

英万里瞧了瞧他，又瞧了瞧金灵芝，目中虽带着笑意，却又有些忧郁——这老狐狸的一双眼睛什么都见得多了，又怎会看不出这些少年男女们的事？

他欢喜的是，白猎一向自视极高，现在居然有了意中人；忧虑的却是，只怕白猎这一番情意，到头来终要成空。他发现金灵芝就算在大发脾气，狠狠地瞪着胡铁花时，那眼色也和她在瞧别人时不同。

他也很了解，女人的恨和爱，往往是分不开的。

第十二章

棺材里的灵机

棺材盖一交到楚留香、胡铁花和张三的手上，就大不相同了。

六口棺材竟像是真的变成了一艘轻舟，破浪前行。

金灵芝垂头坐在那里，瞧了自己一双春笋般的玉手，已变得又红又紫，掌心还生满了黄黄的水泡。

瞧着瞧着，她眼泪已经在眼睛里打转了。

但这罪本是她自己要受的，怨不得别人，有眼泪，也只好往肚里吞。

胡铁花仿佛并没有看她，嘴里却喃喃道："女人就是女人，就和男人不同，至少一双手总比男人嫩些，所以女人若定要将自己看得和男人一样，就是在自讨苦吃。"

白猎忽然跳了起来，瞪着胡铁花，沉声道："说话也很费力的，胡兄为何不留些力气划船？"

胡铁花淡淡一笑，根本不理他。

白猎的脸反而有些红了，讪讪地转过身，赔笑道："金姑娘莫要生气，有些人说的话，姑娘你最好莫要去听他。"

他这倒的确是一番好意，谁知金灵芝反而瞪起眼，厉声道："我要听谁说话，不听谁说话，都和你没半点关系，你多管什么闲事？"

白猎怔住了，脸红得像番茄，简直恨不得跳到海里去。

英万里干咳了两声，勉强笑道：“太阳太大，又没水喝，人就难免烦躁，心情都不会好，不如还是盖起棺盖来睡觉吧。有什么话，等日落后再说。”

楚留香舔了舔已将干得发裂的嘴唇，道：“不错，若是再撑下去，只怕连我都要倒下了。”

“砰”地，金灵芝第一个先将棺材上的盖子盖了起来。

英万里也拉着白猎躺下，道：“莫要盖得太紧，留些空透风。”

张三打了个呵欠，喃喃道：“现在若有一杯冻透的酸梅汤，我就算将人都卖了，也没关系。”

胡铁花也不禁舔嘴唇，笑骂道：“你莫忘记，你已卖过一次了。”

张三瞪眼道：“一次也是卖，两次也是卖，有了开头，再卖起来岂非更方便？”

胡铁花叹了口气，笑道：“谢天谢地，幸好你不是女人……”

躺在棺材里，其实并不如他们想象中那么舒服。

阳光虽然没有直接晒到他们身上，但烤起来却更难受。

胡铁花实在忍不住了，推开棺盖，坐了起来，才发觉张三早已坐出来了，正打着赤膊，用脱下来的衣服在扇风。

胡铁花笑道：“原来你也受不了！”

张三叹着气，苦笑道：“实在受不了，我差点以为自己也变成了条烤鱼。”

胡铁花笑道：“烤人者人恒烤之，你鱼烤得太多了，自己本也该尝尝被烤的滋味。”

他眼珠一转，又道：“老臭虫呢？”

张三道：“只怕睡着了。”

胡铁花道：“除了死人外，若说还有个活人也能在棺材里睡觉，这人就一定是老臭虫。”

张三失笑道：“不错，这人就算躺在粪坑里，只怕也能睡着的。”

胡铁花向四下瞧了一眼，还是连陆地的影子都瞧不见。

但阳光总算已弱了些。

张三忽又道：“我刚才躺在棺材里，想来想去，总有件事想不通。”

胡铁花道：“你说吧，让我来指教指教你。”

张三缓缓地说道：“丁枫要杀我们，都有道理，但他为什么要杀掉海阔天呢？海阔天岂非和他是一党的？”

胡铁花摸着鼻子，正色道：“也许海阔天半夜里将他当作女人，办了事了。”

张三笑骂道：“放你的屁，你这就算指教我？”

胡铁花也不禁笑了，道：“你的嘴若还不放干净些，小心我拿它当夜壶。”

突听一人道：“两张臭嘴加在一起，简直比粪坑还臭，我怎么睡得着？”

楚留香也坐起来了。

胡铁花忍不住笑道：“这人的耳朵真比兔子还长，以后要骂他，可得小心些。”

楚留香伸手舀了捧海水，泼在身上，忽又道：“丁枫要杀海阔天，只有一个理由。”

胡铁花道：“什么理由？”

楚留香道：“他们每年都有一次会期，接客送客，自然需要很多船只，海阔天纵然已被他们收买，但总不如自己指挥方便。”

张三恍然道：“不错，他杀了海阔天，紫鲸帮的几十条船就都变成他们的了。”

楚留香道："向天飞是海阔天的生死之交，要杀海阔天，就得先杀向天飞！"

胡铁花点着头，道："有道理。"

楚留香道："但紫鲸帮的活动范围只是在海上，他们的客人，却大多是由内陆来的，要到海上，势必要经过长江。"

张三道："不错。"

楚留香道："要经过长江，就得要动用武维扬和云从龙属下的船只，所以在杀海阔天之前，还得先杀了他们。"

胡铁花不懂了，道："但武维扬非但没有死，而且还兼任了两帮的帮主。"

楚留香道："谁说武维扬没有死？"

胡铁花道："我们那天岂非还亲眼看到他杀了云从龙？"

楚留香道："那人是假的！"

胡铁花愕然道："假的？"

楚留香道："丁枫早已杀了武维扬，再找一个和武维扬相似的人，改扮成他的模样。"

他接着又解释道："他们故意以武维扬的箭，杀了那两个人，也正是要我们认为武维扬还没有死。"

胡铁花摸着鼻子，道："我还是不懂。"

楚留香道："那天在酒楼上，我们并没有看出武维扬是假的，因为我们和武维扬并不熟，但却有个人看出来了。"

胡铁花道："谁？"

楚留香道："云从龙。"

他接着道："正因他已看出了武维扬是别人易容假冒的，所以当时才会显得很惊讶。"

胡铁花道："可是……我们既未看出，他又怎会看出来的？"

楚留香说道："因为江湖中的传说并不假，这几年来，云从龙的确已和武维扬由仇敌变成了朋友，所以他才会在遗书中吩咐，将帮主之位传给武维扬，由此可见，他非但已和武维扬交情不错，而且还信任有加。"

胡铁花又在摸鼻子了，苦笑道："我非但还是不懂，简直愈来愈糊涂了。"

楚留香道："云从龙想必已知道丁枫他们有了杀他之心，所以才会预先留下遗书。"

胡铁花道："嗯。"

楚留香道："那两个死在箭下的人，的确本是云从龙属下。只因他已和武维扬成为好友，所以才令他们投入十二连环坞。"

胡铁花道："你是说……武维扬本就知道这件事的？"

楚留香道："不错，所以那天在酒楼上，那'武维扬'指责他们是混入十二连环坞刺探消息的，云从龙就更判定他是假的了。"

胡铁花道："你再说清楚些。"

楚留香道："就因为这几年来云从龙和武维扬时常相见，所以云从龙一进去就已发觉'武维扬'的异样，因为易容术是很难瞒得过熟人的。"

胡铁花道："但英万里的易容术却瞒过了你。"

楚留香笑了笑，道："那只因他假扮的不是我们熟悉的人，而且又故意扮得怪模怪样，他若扮成你，我一眼就可瞧出来了。"

胡铁花说道："如此说来，易容术岂非根本就没有用？"

楚留香道："易容术的用处，只不过是要掩饰自己本来面目，令别人认不出他，并不能使他变成另一个人。"

张三突然道："但我却听说过一件事，以前有个人……譬如说是王二吧，王二假扮成李四，混入李四家里，将李四家里大大小小几十个人全都骗过了，居然没有一个认出他。”

楚留香道：“那是鬼话。”

张三道：“你说这绝不可能？”

楚留香道：“当然不可能，世上若真有这种事，就不是易容术，而是变戏法了。”

胡铁花道：“云从龙既然已看出那武维扬是假的，为何不说破？”

楚留香道：“因为那时丁枫就在他身旁，他根本就没有说话的机会，不过……”

胡铁花道：“不过怎样？”

楚留香道：“云从龙是用别的法子暗示了我们，只可惜那时大家全没有留意而已。”

胡铁花道：“他用的是什么法子？”

楚留香道：“他故意用错成语，说出‘骨鲠在喉’四字，就是要我们知道，他心里有件事是‘不吐不快’的，只是无法吐出而已。”

胡铁花道：“这你已说过了。”

楚留香道：“后来，他又故意将那鱼眼睛抛出，弹到武维扬碟子里，也就是想让我们知道，那武维扬是‘鱼目混珠’，是假的。”

胡铁花叹了口气，苦笑道：“这暗示虽然巧妙，却未免太难懂了些。”

楚留香笑了笑，道：“若是很容易懂，也就不算暗示了。”

他接着又道：“云从龙既已知道那武维扬是假的，所以在交手之前，他就已知道此去必无生望，所以才会作那些暗示。只要我们能明白，他的死，也总算多少有些代价。”

张三叹道：“这就难怪他临出门之前，会那么悲愤消沉了。”

胡铁花也叹道：“我本就在奇怪，云从龙的武功本和武维扬相差无几，武维扬怎能一出手就杀了他？”

楚留香道："丁枫利用那'武维扬'杀了云从龙，再让那武维扬接掌'神龙帮'，从此以后，凤尾、神龙两帮属下所有的船只，他们都已可调度自如，长江上下游千里之地，也都在他们的控制之下……"

张三叹了口气，道："如此说来，丁枫真是个了不起的人物，这'一石二鸟'之计，实在用得妙透，也狠透了。"

楚留香沉吟着，道："我若猜得不错，丁枫只怕还没有这么高的手段，他幕后想必还有个更厉害、更可怕的人物！"

胡铁花苦笑道："无论这人是谁，我们只怕永远都看不到了。"

张三忽又道："我还有件事想不通。"

楚留香道："哪件事？"

张三道："既然连云从龙都认得出那武维扬是假冒的，凤尾帮属下和他朝夕相处已有多年，又怎会认不出？这秘密岂非迟早还是要被人看破？"

楚留香道："你错了。"

他接着又道："武维扬为人严峻，执法如山，凤尾帮属下对他不但爱戴，而且还有敬畏之心，又有谁敢对他逼视？"

张三想了想，叹道："不错，本来说不通的事，被你一说，就完全合情合理了。"

楚留香也叹了口气，道："这件事的确是诡秘复杂，其中的关键至少有七八个之多，只要有一点想不通，这件事前后就连不起来了。"

胡铁花苦笑道："这种事莫说要我去想，就算要我再重说一遍，都困难得很。"

他盯着楚留香，道："我真不懂你是怎么想出来的？难道你脑袋的构造和别人不同？"

楚留香失笑道："我本来也有几点想不通，刚才在棺材里想了很久，才点点滴滴地将这件事从头到尾拼凑了起来。"

胡铁花笑道："原来这是棺材给你的灵机。"

楚留香正色道："这倒不假，一个人若想找个地方来静静地思索一件事，棺材里实在是个好地方。"

胡铁花道："哦？"

楚留香道："因为一个人若是躺进了棺材，就会忽然觉得自己与红尘隔绝，变得心静如水，许多平时想不到的地方，这时都想到了，许多平时本已忘记了的事，这时也会一一地全都重现在眼前。"

张三笑道："如此说来，小胡就该整天躺在棺材里才对，他实在喝得太多，想得太少了。"

胡铁花瞪了他一眼，才皱着眉道："我的确也有件事还没有想通。"

楚留香道："是不是那张图？"

胡铁花道："不错，云从龙临死之前，郑重其事地将那张图偷偷交给你，由此可见，那张图的关系必定很大，是不是？"

楚留香道："是。"

胡铁花叹了口气，道："但那张图上却只画着个蝙蝠。"

楚留香沉吟着，道："这蝙蝠想必也是个关键，其中的含意必很深。"

胡铁花道："你想出来了没有？"

楚留香道："没有。"

他这答复的确干脆得很。

胡铁花笑了，看样子像是又想臭他两句。

突听一人道："那蝙蝠的意思我知道。"

说话的人，是金灵芝。

张三笑了笑，悄悄道："原来她的耳朵也很长。"

胡铁花道：“女人身上就有两样东西比男人长的，其中一样就是耳朵。”

张三道：“还有一样呢？”

胡铁花道：“舌头。”

他声音说得很低，因为金灵芝已从棺材里坐了起来，自从她给白猎碰了个大钉子之后，胡铁花就好像对她客气多了。

楚留香道：“金姑娘知道那图上蝙蝠的含意？”

金灵芝点了点头，道：“嗯。”

她眼睛红红的，像是偷偷地哭过。

楚留香道：“那蝙蝠是不是代表一个人？”

金灵芝道：“不是，是代表一个地方。”

楚留香道：“什么地方？”

金灵芝道：“蝙蝠岛，那‘销金窟’所在之地，就叫作蝙蝠岛。”

楚留香眼睛亮了，道：“如此说来，那些曲线正是代表海水！”

张三抢着道：“那圆圈就是太阳，指示出蝙蝠岛的方向。”

胡铁花大喜道：“如此说来，我们只要照着那方向，就能找到蝙蝠岛；只要能找到蝙蝠岛，一切问题就可解决了。”

金灵芝冷冷道：“只怕到了蝙蝠岛时，你的问题早就全都解决了！”

胡铁花道：“这是什么意思？”

金灵芝闭着嘴，不理他。

楚留香道：“人一死，所有的问题就都解决了——金姑娘是不是这意思？”

金灵芝终于点了点头，道：“上次我们出海之后，又走了五六天才到蝙蝠岛，现在我们就算是坐船，也至少还有三四天的行程，何况……”

说到这里，她就没有再说下去。

但她的意思大家都已很明白。

就算航程很顺利，既没有遇着暴风雨，也没有迷失方向，就算他们六个人都是铁打的，也能不停地划——

以他们最快的速度计算，也得要有七八天才能到得了蝙蝠岛。

他们还能支持得住七八天么？

这简直绝无可能。

胡铁花摸着鼻子道：“七八天不吃饭，我也许还能挺得住，但没有水喝，谁也受不了。”

张三苦笑道：“莫说再挺七八天，我现在就已渴得要命。”

胡铁花冷冷地道：“那只怕是因为你话说得太多了。”

张三板着脸，道：“渴死事小，憋死事大。就算渴死，话也不能不说的。”

英万里仰面瞧着天色，忽然笑了笑，道：“也许大家都不会渴死。”

胡铁花道：“为什么？”

英万里的笑容又苦又涩，缓缓道：“天像愈来愈低，风雨只怕很快就要来了。”

天果然很低，穹苍阴沉，似已将压到他们头上。

大家忽然都觉得很闷，闷得几乎透不过气来。

张三抬头望了望天色，眉锁得更紧，道：“果然像是要有风雨的样子。”

胡铁花道：“是风雨？还是暴风雨？”

张三叹了口气，道：“无论是风雨还是暴风雨，我们都很难挨过去。”

大家呆了半晌，不由自主都垂下头，瞧了瞧自己坐着的棺材。

棺材是用上好的楠木做的，做得很考究，所以到现在还没有漏水。

但棺材毕竟是棺材，不是船。

风雨一来，这六口棺材只怕就要被大浪打成碎片。

胡铁花忽然笑了笑，说道："我们这里有个智多星，无论遇着什么事，他都有法子对付的，大家又何必着急？"

他显然想别人都会跟着他笑一笑，但谁都没有笑。

此时此刻，就算他说的是世上最好笑的笑话，也没有人笑得出来，何况这句话实在一点也不好笑。

因为大家都知道楚留香毕竟不是神仙，对付敌人，他也许能百战百胜，但若要对付天，他也一样没法子。

"人力定可胜天"，这句话只不过是坐在书房里，窗子关得严严的，火炉里生着火，喝着热茶的人说出来的。

若要他坐在大海中的一口棺材里，面对着无边巨浪，漫天风雨，他就绝对不会说这句话了。

太阳不知何时已被海洋吞没，天色更暗。

只有楚留香的一双眼睛，仿佛还在闪着光。

胡铁花忍不住，又道："你是不是已想出了什么主意？"

楚留香缓缓道："现在我只有一个主意。"

胡铁花喜道："快，快说出来让大家听听，是什么主意？"

楚留香道："等着。"

胡铁花怔了怔，叫了起来道："等着！这就是你的主意？"

楚留香叹了口气，苦笑道："我只有这主意。"

英万里长叹道："不错，只有等着。到了现在，还有谁能想得出第二个主意？"

胡铁花大声道："等什么？等死吗？"

楚留香和英万里都闭上了嘴，居然默认了。

胡铁花怔了半晌，忽然睡了下去，喃喃道：“既然是在等死，至少也该舒舒服服地等，你们为何还不躺下来……至少等死的滋味，并不是人人都能尝得到的。”

无论是站着，是坐着，还是躺着，等死的滋味都不好受。

但大家也只有等着，因为谁也没有第二条路可走。

楚留香这一生中，也不知遇到过多少可怕的对手，但无论遇到什么人，无论遇到什么事，他的勇气都始终未尝丧失过。

他从来也没有觉得绝望。

遇着的敌人愈可怕，他的勇气就愈大，脑筋也就动得愈快。他认为无论任何事，都有解决的法子。

只有这一次，他脑中竟似变成了一片空白。

风已渐渐大了，浪头也渐高。

棺材在海面上跳跃着，大家除了紧紧地抓住它之外，什么事也不能做。

他们只要一松手，整个人只怕就会被抛入海中。

但那样子也许反而痛快些——“死”的本身并不痛苦，痛苦的只是临死前那一段等待的时候。

一个人若是还能挣扎，还能奋斗，还能抵抗，无论遇着什么事都不可怕，但若只能坐在那里等着，那就太可怕了。

只有在这种时候，才能看得出一个人的勇气。

楚留香脸色虽已发白，但神色还是很镇定，几乎和平时没什么两样。

胡铁花居然真的一直睡在那里，而且像是已经睡着了。

英万里低垂着头，金灵芝咬着嘴唇，张三嘴里念念有词，仿佛在自言自语，又仿佛在低低唱着一首渔歌。

只有白猎，始终挺着胸，坐在那里，瞪大了眼睛瞧着金灵芝，满头大汗雨点般往下落。

也不知道过了多久，白猎突然站了起来，盯着金灵芝，道："金姑娘，我要先走一步了，我……我……"

这句话尚未说完，他的人突然跃起，竟似要往海里跳。

金灵芝惊呼一声，楚留香的手已闪电般抓住了他的腰带。

就在这时，张三也叫了起来，大叫道："你们看，那是什么？"

黑沉沉的海面上，突然出现了一点星光。

暴风雨将临，怎会有星光?

胡铁花喜动颜色，大呼道："那是灯！"

第十三章

海上明灯

有灯的地方，没有陆地，就有船。

这一点灯光的确就是星星，救星！

大家用尽全力，向灯光划了过去，风虽已急，浪虽已大，但这时在他们眼中，却已算不得什么了。

灯光渐亮，渐近。

他们划得更快，渐渐已可听到船上的人声。

楚留香看了白猎一眼，沉声道：“一个人只要还没有死，无论在任何情况下，都得忍耐——我总认为这是做人最基本的条件。”

英万里道：“不错，有句话楚香帅说得最好——人非但没有权杀死别人，也没有权杀死自己！”

船很大。

船上每个人举止都很斯文，穿着都很干净，说话也都很客气。

楚留香一上了船，就觉得这条船很特别。

因为在他印象中，海上的水手们大多数都是粗鲁而肮脏的——在海上，淡水甚至比酒还珍贵，他们洗澡的机会自然不多。

暴风雨虽已将临，但船上每个人还是都很镇定，很沉着，对楚留香他们更是彬彬有礼。

无论谁都可看出他们必定受过很好的训练，从他们身上也可看出这条船的主人一定很了不起。

楚留香很快就证明了他的想法不错。

只不过这条船的主人，比他想象中还要年轻些，是个很秀气，很斯文的少年，穿着虽华丽，但却不过火。

甲板上飘扬着清韵的琴声。

楚留香他们远远就已从窗中看到少年本在抚琴。自从“无花”故世之后，楚留香已有很久没有听到过如此悦耳的琴声了。

但他们还未到舱门外，琴声便戛然而止。

这少年已站在门口含笑相迎。

他笑容温柔而亲切，但一双眼睛里，却带着种说不出的空虚、寂寞、萧索之意，向楚留香他们长长一揖，微笑着道：“佳客远来，未能远迎，恕罪恕罪。”

胡铁花本走在楚留香前面，但他却没有说话！

因为他知道楚留香平时说话虽也和他一样有点离谱，但遇着了斯文有礼的人，也会说得很文绉绉的。

文绉绉的话，胡铁花并不是不会说，只不过懒得说而已。

楚留香果然也一揖到地，微笑着道：“劫难余生，承蒙搭救，能有一地容身，已是望外之喜，主人若再如此多礼，在下等就更不知该如何是好了。”

少年再揖道：“不敢，能为诸君子略效绵薄，已属天幸，阁下若再如此多礼，在下也置身无地了。”

楚留香也再揖道：“方才得闻妙奏，如聆仙乐，只恨来得不巧，打扰了主人雅兴。”

少年笑道：“阁下如此说，想必也妙解音律，少时定当请教。”

胡铁花又累、又饿、又渴，眼角又瞟着了舱内桌上摆着的一壶酒，只恨不得早些进去，找张舒服的椅子坐下来，喝两杯。

但楚留香偏偏文绉绉地在那里说了一大堆客气话，他早就听得不耐烦了，此刻忍不住插口道：“妙极妙极，琴旁有酒，酒旁有琴，不但风雅之极，如能早闻雅奏，实是不胜之喜。”

他心里想的明明是“早喝美酒”，嘴里却偏偏说“早闻雅奏”，说得居然也蛮斯文客气。

只可惜他的意思，别人还是听得出的。

楚留香忍不住笑道：“敝友不但妙解音律，品酒亦是名家……”

胡铁花瞪了他一眼，截口道：“实不相瞒，在下耳中虽然无琴，眼中却已有酒矣。”

少年也忍不住笑了，道：“闻弦歌岂能不知雅意？胡大侠固酒中之豪也，在下也早有耳闻。”

胡铁花刚想笑，又怔住，失声道：“你认得我？”

少年道：“恨未识荆。”

胡铁花道：“你怎知我姓胡？”

那少年淡淡笑道：“彩蝶双飞翼，花香动人间——能与楚香帅把臂而行的，若不是‘花蝴蝶’胡大侠又是谁？”

楚留香也怔住了。

胡铁花道：“原来你认得的不是我，而是老……”

少年道：“香帅大名，早已仰慕，只恨始终缘悭一面而已。”

胡铁花愕然道：“你既也未见过他，又怎知他就是楚留香？”

少年并没有直接回答这句话，只是微笑着道：“风急浪大，海水动荡，诸位立足想必不稳，此船船舷离水约有两丈，若是一跃而上，落下时总难免要有足音。”

胡铁花道：“不错，若在陆上，一跃两丈倒也算不了什么，在水上就不同了。”

少年道："但六位方才上船时，在下却只听到五位的足音，在水上一跃两丈，也能落地无声的，轻功之高，当世已无人能及。"

他笑了笑，接着道："楚香帅轻功妙绝天下，已是不争之事……"

胡铁花抢着道："但你又怎知那人就是他，他就是楚留香？"

少年笑道："怒海孤舟，风雨将临，经此大难后，还能谈笑自若，潇洒如昔的，放眼天下，除了楚香帅又有几人？"

他转向楚留香，三揖道："是以在下才敢冒认，但望香帅勿罪。"

胡铁花瞪着眼，说不出话来了。

这少年果然是个很了不起的人物，比他想象中还要高明得多。

酒，醇而美。

醇酒三杯已足解颐。

胡铁花五杯下肚，已觉得有些醺醺然了，话也多了起来——一个人又累又饿时，酒量本已要比平时差很多的。

这时大家都已通过了姓名，只有英万里说的名字还是"公孙劫余"，做了几十年捕头的人，疑心病总是特别重些的。

这也许是因为他们见的盗贼比好人多，所以无论对任何人都带着三分提防之心，说的假话总比真话说得多。

少年笑道："原来各位都是名人，大驾光临，当真是蓬荜生辉。"

胡铁花抢着道："若说像阁下这样的人，会是无名之辈，我第一个不信。"

英万里立刻也笑道："在下正想请教主人尊姓。"

少年道："敝姓原，草字随云。原来如此的原。"

胡铁花笑道："这个姓倒少得很。"

英万里道："却不知仙乡何处？"

原随云道："关中人。"

英万里目光闪动，道：“关中原氏，声望本隆，‘无争山庄’，更是渊源有自，可称武林第一世家，却不知原东园原老庄主和阁下怎样称呼？”

原随云道：“正是家父。”

这句话说出，大家全都怔住，就连楚留香面上都不禁露出惊愕之色，就好像听到了什么最惊人、最奇怪的事一样。

三百年前，原青谷建“无争山庄”于太原之西，这“无争”二字，却非他自取的，而是天下武林豪杰的贺号。

只因当时天下，已无人可与他争一日之长短了。

自此之后，“无争”名侠辈出，在江湖中也不知做出了多少件轰轰烈烈、令人侧目的大事！

英万里说的“武林第一世家”这六字，倒也不是恭维话。

近五十年来，“无争山庄”虽然已没有什么惊人之笔，但三百年来的余威仍在，武林中人提起“无争山庄”，还是尊敬得很。

当今的山庄主人原东园生性淡泊，极少在江湖中露面，更从未与人交手，固然有人说他：“深藏不露，武功深不可测。”却也有人说他：“生来体弱，不能练武，只不过是个以文酒自娱的饱学才子而已……”

但无论怎么说，原老庄主在江湖中的地位仍极崇高，无论多大的纠纷，只要有原老庄主的一句话，就立可解决。

就连号称“第一剑客”的薛衣人，在他锋芒最露、最会惹事的时候，也未敢到“无争山庄”去一撄其锋。

原东园本有无后之恨，直到五十多岁的晚年，才得一子，他对儿子的宠爱之深、寄望之厚，自然是不必说了。

这位原少庄主也的确没有令人失望。

江湖中人人都知道原随云少庄主是个“神童”，长成后更是文武双全，才高八斗，而且温文尔雅，品性敦厚。

武林前辈们提起这位原少庄主，嘴上虽然赞不绝口，心里却都在暗暗地同情、惋惜——

只因他自从三岁时得了一场大病后，就已双目失明，是个瞎子！

原随云竟是个瞎子。

这一眼就认出了楚留香的人，竟是个瞎子？

大家全都怔了。

他们都是有眼睛的，而且目力都很好，但他们和他交谈了这么久，非但没有人能看出他是个瞎子，简直连想都没有想到过。

他举止是那么安详，走起路来又那么稳定，为人斟酒时，更从未溢出过一滴，别人的身份来历，他一眼就能看破。

有谁能想到他居然是个瞎子！

大家这才终于明白，他眼睛为什么看来总是那么空虚寂寞了。

惊叹之余，又不禁惋惜。

他人才是这么出众，长得又这么英秀，出身更是在武林第一世家，正是天之骄子，这一生本已无憾。但老天却偏偏要将他变成个瞎子。

难道天公也在妒人，不愿意看到人间有无缺无憾的男子？

胡铁花忍不住又喝了三杯酒下去。

他开心的时候固然要喝酒，不开心的时候更要多喝几杯。

原随云却淡淡一笑，说道：“各方佳客光临，在下方才却未曾远迎，各位现在想必已能恕在下失礼之罪了。”

这虽然只不过是句客气话，却令人听得有些难受。

要回答这句话更难，大家都在等着让别人说。

胡铁花忽然道："你方才判断的那些事，难道都是用耳朵听出来的？"

原随云道："正是。"

胡铁花叹了口气，道："原公子目力虽不便，但却比我们这些有耳朵的人还要强多了。"

这句话他分了三次才说完，只因说话间他又喝了三杯。

座上若有个他很讨厌的人，他固然非喝酒解气不可，座中若有个他真佩服的人，他也要喝两杯的。

英万里忽然也说话了，含笑道："在下本觉九城名捕英万里耳力之聪，已非人能及，今日一见公子，才知道人外有人，天外有天。"

原随云道："不敢，阁下莫非认得英老前辈？"

英万里居然能声色不动，道："也不过只有数面之雅。"

原随云笑了笑，道："英老前辈'白衣神耳'前无古人，后无来者，在下早已想请示教益，他日若有机缘，还得烦阁下引见。"

英万里目光闪动，缓缓道："他日若有机缘，在下定当效劳。"

两人这一番对答，表面上看来仿佛并没有什么意思，只不过是英万里在故弄玄虚，掩饰自己的身份而已。

但也不知为了什么，楚留香却觉得这番话里仿佛暗藏机锋，说话的两人也都别有居心。

只不过他们心里究竟在打着什么主意，楚留香一时间还未能猜透。

原随云话锋一转，突然问道："张三兄固乃水上之雄，香帅据说也久已浮宅海上，以两位之能，又怎会有此海难？"

张三和楚留香还没有说话，胡铁花已抢着道："船若要沉，他两人又有什么法子？"

原随云道："前两日海上并无风暴，各位的座船又怎会突然沉没？”

胡铁花揉了揉鼻子，道：“我们若知道它是为什么沉的，也就不会让它沉了。”

这句话回答得实在很绝，说了和没有说几乎完全一样，除了胡铁花这种人，谁也说不出这种话。

原随云笑了，慢慢地点着头道：“不错。灾变之生，多出不意，本是谁都无法预测的。”

胡铁花忽又发现这人还有样好处——无论别人说什么，他好像都觉得很有道理。

船已开始摇荡。

风暴显然已将来临。

英万里突又问道：“原公子久居关中，怎会远来海上？”

原随云沉吟着，道：“对别人说，在下是动了游兴，想来此一览海天之壮阔；但在各位面前，在下又怎敢以谎言相欺？”

胡铁花抢着道：“原公子是位诚实君子，大家早已看出来了。”

原随云道：“不敢……只不过，明人面前不说暗话，在下此行之目的，只怕也和各位一样。”

英万里动容道：“哦？原公子知道在下等要到哪里去么？”

原随云笑了笑，道：“这两天海上冠盖云集，群雄毕至，所去之处，也许都是同一个地方。”

英万里目光闪动，道：“是哪里？”

原随云笑道：“彼此心照不宣，阁下又何必定要在下说出来？”

胡铁花又抢着道：“是不是那号称‘海上销金窟’的蝙蝠岛？”

原随云抚掌道：“毕竟还是胡大侠快人快语。”

胡铁花大喜道：“好极了，好极了……我们正好可以搭原公子的便船，那就省事多了。”

这人只要遇见他看得顺眼的人，肚子里就连半句话也藏不住了。

张三忍不住瞪了他一眼，冷冷地道："你先莫欢喜，原公子是否肯让我们同船而行，还不一定哩。"

胡铁花道："我看原公子也是个好客的人，绝不会赶我们下船去的。"

原随云抚掌笑道："在下与各位萍水相逢，不想竟能得交胡大侠这样的义气知己。"

他再次举杯，道："请……各位请。"

这条船不但比海阔天的船大得多，船舱的陈设也更华丽。

原随云也比海阔天招待得更周到。

船舱里早已准备了干净的衣服，而且还有酒。

胡铁花倒在床上，叹了口气，道："世家子毕竟是世家子，毕竟和别人不同。"

张三道："有什么不同？难道他鼻子是长在耳朵上的？"

胡铁花道："就算他没有鼻子，我也瞧着顺眼。你瞧人家，不但说话客气，对人有礼，而且又诚恳，又老实，至少比你强一百八十倍。"

张三冷笑道："这就叫，王八瞧绿豆——对了眼。"

胡铁花摇着头，喃喃道："这小子大概有毛病，说话就好像吃了辣椒炒狗屎似的，又冲又臭，也不知人家哪点惹了他。"

张三道："他当然没有惹我，可是我却总觉得他有点讨厌。"

胡铁花跳了起来道："讨厌？你说他讨厌？他哪点讨厌？"

张三道："就凭他说话那种文绉绉、酸溜溜的样子，我就觉得讨厌，就觉得他说的并不是老实话。"

胡铁花瞪眼道："人家什么地方骗了我们？你倒说说看！"

张三道："我说不出来了。"

胡铁花眼睛瞪得就好像个鸡蛋，瞪了半晌，突又笑了，摇着头笑道：“老臭虫，你看这人是不是有毛病？而且病还很重。”

每次两个人斗嘴的时候，楚留香都会忽然变成个聋子。

这时他才笑了笑，道：“原公子的确有很多非人能及之处，若非微有缺陷，今日江湖中只怕已没有人能和他争一日之长短。”

胡铁花瞟了张三一眼，冷笑道：“小子，你听见了没有？”

张三道：“我不是说他没本事，只不过说他热心得过了度，老实得也过了度。”

胡铁花道：“热心和老实又有什么不好？”

张三道：“好是好，只不过一过了度，就变成假的了。”

他不让胡铁花说话，抢着又道：“像他这种人，城府本极深，对陌生人本不该如此坦白的；何况，他此行本来就很机密。”

胡铁花大声叫道：“那是因为人家瞧得起我们，把我们当朋友。你以为天下人都跟你一样，既不懂好歹，也不分黑白。”

张三冷笑道：“至少我不会跟你一样，喝了人家几杯老酒，听了人家几句好话，就恨不得将自己的心肝五脏都掏出来给人了。”

胡铁花好像真的有点火了，道：“朋友之间，本就该以肺腑相见，肝胆相照。只有你这种小人，才会以小人之心去度君子之腹。”

张三道：“你以为人家会拿你当朋友？交朋友可不是捡豆子，哪有这么容易！”

胡铁花道：“这就叫——白首如新，倾盖如故。”

他自己刚学会这两句话，还生怕别人听不懂，又解释着道：“这句话就是说，有些人认识了一辈子，到头发都白了的时候，交情还是和刚见面时一样；有些人刚认识，就变成了知己。”

张三冷冷道：“想不到我们胡二爷真的愈来愈有学问了。”

胡铁花道：“何况，骗人总有目的，人家为什么要骗我们？论家世，论身份，论名声，我们哪点能比得上人家？人家要贪图我们什么？”

张三道：“也许……他跟我们其中的一个人有仇。”

胡铁花道：“他根本没有在江湖中混过，这些人他一个也不认得，会跟谁有仇？”

张三也开始摸鼻子——这毛病就像是会传染的。

胡铁花忍不住笑道：“你就算把鼻子都揉破，这道理还是一样说不通的。老臭虫，你说对不对？”

楚留香笑道：“对，很对——只不过张三说的话也不很错。我们大劫余生，一口气还没有缓过来，能小心些总是好的。”

张三忽又道：“这条船倒很规矩，既没有秘道，也没有复壁，我已经查过了。”

胡铁花笑道：“这小子总算说了句良心话。”

张三道：“可是，有件事我还是觉得很奇怪。”

胡铁花道：“什么事？”

张三道：“每条船的构造，都是差不多，只不过这条船大些，所以，正舱的船舱一共有八间。”

胡铁花道：“不错。”

张三道：“现在，金姑娘住了一间，英老头和白小子住了一间，我们三个人挤在一间。”

胡铁花叹了口气，喃喃道：“这小子又开始在说废话了。”

张三道：“这绝不是废话……既然有八间舱房，原随云就应该让我们住得舒服些才是，为什么要将我们三个人挤在一起？”

胡铁花道：“也许……他知道我们这三个臭皮匠是分不开的。”

张三道：“可是……”

胡铁花打断了他的话，抢着又道：“这也可以证明他对我们没有恶意；否则他若将我们分开，下手岂非就容易了……你难道已忘了丁枫对付我们的法子？”

这次张三等他说完了，才慢慢地问道：“可是，剩下的那五间给谁住呢？”

胡铁花道：“当然是他自己。”

张三道：“他只有一个人，一个人总不能住五间屋子。”

胡铁花道：“另外四间也许是空的。”

张三道：“绝不会是空的。”

胡铁花道：“为什么不会是空的？我们没有来的时候，这三间岂非也是空的。”

张三道：“这三间也许是，那四间却绝不是。”

胡铁花道：“为什么？”

张三道：“我刚才已留意过，那四间舱房的门都是从里面闩住的。”

胡铁花道：“就算有人住又怎么样？屋子本就是给人住的，有什么好奇怪？”

张三道：“可是那四个舱房里住的人，一直都没有露面，好像见不得人似的。”

胡铁花眨了眼睛，道：“也许……那里面住的是女人，知道有几条大色狼上船来了，自然要将房门关得紧紧的，也免得引狼入室。”

张三道：“原随云既然是个正人君子，又怎么会藏着女人？”

胡铁花笑道：“君子又怎样？君子也是人呀，也一样要喝酒，要女人的。‘窈窕淑女，君子好逑’这句话你难道没听过？”

张三也笑了，笑骂道：“所以你也觉得自己很像是个君子了，是不是？”

胡铁花笑道：“胡先生正是个不折不扣的大大的君子，老臭虫也是个……”

他转过头，才发现楚留香已睡着了。

除非真的醉了，胡铁花总是最迟一个睡着的。有时候他甚至会终宵难以成眠，所以常常半夜起来找酒喝。

别人说他是酒鬼，他笑笑；别人说他是浪子，他也笑笑。

别人看他整天嘻嘻哈哈，胡说八道，都认为他是世上最快乐、最放得开、最没有心事的人。

他自己的心事，只有他自己知道。

他用尽千方百计甩脱了高亚男，到处去拈花惹草，别人认为他“很有办法”，他自己似乎也觉得很得意。

可是他的心，却始终是空的，说不出的寂寞，说不出的空虚，尤其是到了夜深人静的时候，他寂寞得简直要发疯。

他也想能找到个可以互相倾诉、互相安慰、互相了解的伴侣，却又始终不敢将自己的情感付出去。

他已在自己心的外面筑了道墙，别人的情感本就进不去。

他只有到处流浪，到处寻找。

但寻找的究竟是什么，他自己也不知道。

他常常会后悔，后悔自己为什么要对高亚男那么残忍。

也许他始终都是在爱着高亚男的。

可是他自己却又拒绝承认。

“人们为什么总是对已得到的情感不知加以珍惜，却在失去后再追悔呢？”

这种痛苦，也许只有楚留香才能了解。

因为楚留香也有着同样的痛苦，只不过他比胡铁花更能克制自己——但克制得愈厉害，痛苦是否也就愈深呢？

胡铁花暗中叹了口气，告诉自己，“我的确累了，而且有点醉了，我应该赶快睡着才是。”

痛苦的是，愈想赶快睡着的人，往往愈睡不着。

张三也睡了，而且已开始打鼾。

胡铁花悄悄爬起来，摸着酒瓶，本想将张三弄醒，陪他喝几杯。

也就在这时，他忽然听到外面有脚步声。

脚步声很轻，轻得就仿佛是鬼魂。

如此深夜，还有谁在走动？难道也是个和胡铁花同样寂寞，同样睡不着的人？却不知是不是也和胡铁花同样想喝酒。

喝酒正和赌钱一样，人愈多愈好，有时甚至连陌生人都无妨；酒一喝下去，陌生人也变成了朋友。

“不管他是谁，先找他来陪我喝两杯再说。”

胡铁花心里正在打着主意，忽又想到在海阔天船上发生的那些事情，想起张三方才所说的那些话。

“难道这条船上真藏着对我们不怀好意的人？”

想到这里，胡铁花立刻开了门，一闪身，鱼一般滑了出去。

走道里没有人影，连脚步声都听不到了。

对面一排四间舱房，果然有人住，门缝下还有灯光漏出。

胡铁花真恨不得撞开门瞧瞧，躲在里面的人究竟是谁？

但里面住的若真是原随云的姬妾，那笑话可真闹大了。

胡铁花伸出手，又缩回。

他觉得那脚步声仿佛是向甲板上走过去的。

他也跟了过去。

风暴并不如想象中那么大，现在似已完全过去，满天星光灿烂，海上风平浪静，点点星火，尽都映入了碧海里。

船舷旁，痴痴地站着一个人，似乎正在数着海里的星影。

轻轻的风，吹得她发丝乱如相思。

是谁?

如此星辰如此夜，她又是“为谁风露立中宵”？

胡铁花悄悄地走过去，走到她身后，轻轻地咳嗽了一声。

听到这声咳嗽，她才猝然转身。

是金灵芝。

满天星光，映上了她的脸，也闪亮了她目中晶莹的泪光。

她在哭。

这豪气干云，甚至比男人还豪爽的巾帼英雄，居然会一个人站在深夜的星光下，一个人偷偷地流泪。

胡铁花怔住了。

金灵芝已转回头，厉声道：“你这人怎么总是鬼鬼祟祟的，三更半夜还不睡觉，到处乱跑干什么？”

她声音虽然还是和以前一样凶，却再也骗不过胡铁花了。

胡铁花反而笑了，道：“你三更半夜不睡觉，又为的是什么？”

金灵芝咬着嘴唇，大声道：“我的事，你管不着，走开些。”

胡铁花的脚就好像钉在甲板上了，动也没有动。

金灵芝跺脚道：“你还站在这里干什么？”

胡铁花叹了口气，悠悠道：“我也和你一样睡不着，想找个人聊聊。”

金灵芝道：“我……我跟你没什么好聊的。”

胡铁花瞧了瞧还在手里的酒樽，道：“就算没什么好聊的，喝杯酒总是可以吧？”

金灵芝突然沉默了下来，过了很久，突然回头，道：“好，喝就喝。”

星光更亮，风露也更重了。

胡铁花却觉得温暖了起来，虽然两人连一句话都没有说。

一樽酒，已很快地喝了下去。

胡铁花这才开口，道：“还有没有意思再喝？”

金灵芝目光遥注着远方，慢慢道：“你去找来，我就喝。”

胡铁花找酒的本事，比猫找老鼠还大。

这次他找来了三瓶。

第二瓶酒喝光的时候，金灵芝的眼波已蒙眬，蒙眬得正如海里的星影。

星影在海水中流动。

金灵芝忽然道：“今天的事，不准你对别人说。”

胡铁花眨了眨眼，道：“什么事？说什么？”

金灵芝咬着嘴唇，道：“我有个很好的家，有很多兄妹，生活一直过得很安逸，别人也都认为我很快乐，是么？”

胡铁花道：“嗯。”

金灵芝道：“我要别人永远认为我很快乐，你明白么？”

胡铁花慢慢地点了点头，道：“我明白，你方才只不过是在看星星，根本没有流泪。”

金灵芝扭转头，道：“你能明白就好。”

胡铁花长长叹息了一声，道：“我也希望别人都认为我快乐，但快乐又是什么呢？”

金灵芝道：“你……你也不快乐？”

胡铁花笑了笑，笑得已有些凄凉，缓缓道：“我只知道表面上看来很快乐的人，却往往会很寂寞。”

金灵芝猝然回头，凝注着他。

她的眼波更蒙眬，也更深邃，比海水更深。

她仿佛第一次才看到胡铁花这个人。

胡铁花也像是第一次才看清她，才发现她是女人。

很美丽的女人。

后艄有人在转舵，航行的方向突然改变。

船，倾斜。

金灵芝的身子也跟着倾斜。

她伸出手，想去扶船舷，却扶住了胡铁花的手。

现在，连星光似也渐渐朦胧。

朦胧的星光，朦胧的人影。

没有别人，没有别的声音，只有轻轻的呼吸，温柔的呼吸。

因为现在无论说什么都已多余。

也不知过了多久……

金灵芝幽幽道："我……我一直都认为你很讨厌我。"

胡铁花道："我也一直都认为你很讨厌我。"

两人目光相遇，都笑了。

满天星光，似乎都已溶入了这一笑里。

金灵芝慢慢地提起个酒瓶，慢慢地倾入海水里。

有了情，又何必再要酒?

金灵芝眨着眼道："我把酒倒了，你心不心疼?"

胡铁花道："你以为我真是个酒鬼?"

金灵芝柔声道："我知道……一个人若是真的很快乐，谁也不愿当酒鬼的。"

胡铁花凝注着她，忽然笑了笑，道："老臭虫自以为什么事都瞒不过他，但有些事情，他也一定想不到。”

金灵芝道：“什么事？”

胡铁花的手握得更紧，柔声道：“他一定想不到你也会变得这么温柔。”

金灵芝咬着嘴唇，嫣然道：“他一定总认为我是个母老虎，其实……”

她忽然又轻轻地叹了口气，幽幽地接着说道：“一个人若是真的很快乐，谁也不愿意做母老虎的。”

突听一人冷笑着道：“母老虎配酒鬼，倒真是天生的一对儿。”

船舷的门，是朝外开的。

门背后有个阴影。

这冷笑声正是从门后的阴影中发出来的。

金灵芝猝然转身，挥手，手里的空酒瓶箭一般打了出去。

阴影中也伸出只手，只轻轻一抄，就已将这只酒瓶接住。

星光之下看来，这只手也很白，五指纤纤，柔若无骨。

但手的动作却极快，也很巧妙。

胡铁花身形已展开，大鸟般扑了过去。

酒瓶飞回，直打他面门。

胡铁花挥掌，“啵”地，瓶粉碎，他身形已穿过，扑入阴影。

阴影中也闪出了条人影。

胡铁花本可截住她的，但也不知为了什么，他的人似乎突然怔住。

人影再一闪，已不见。

金灵芝赶过去，胡铁花还怔在那里，眼睛直勾勾地向前瞪着，目中充满了惊奇之色，就好像突然见到了鬼似的。

船艄后当值掌舵的水手，什么人也没有瞧见。

那人影到哪里去了？莫非躲入了船舱？

金灵芝转了一圈，再折回。

胡铁花还是呆呆地怔在那里，连动都没有动过。

金灵芝忍不住道："你看到那个人了，是不是？"

胡铁花道："嗯。"

金灵芝道："她是谁？"

胡铁花摇了摇头。

金灵芝道："你一定认得她的，是不是？"

胡铁花道："好像……"

他只说了两个字，立刻又改口，道："我也没有看清。"

金灵芝瞪着他，良久良久，才淡淡道："她说话的声音倒不难听，只可惜，不是女人应该说的话。"

胡铁花道："哦，是么？"

金灵芝冷冷地道："有些人真有本事，无论走到哪里，都会遇见老朋友……这种人若还要说自己寂寞，鬼才相信。"

这句话还没有说完，她已扭过头，走下船舱。

胡铁花想去追，又停下，皱着眉，喃喃道："难道真的是她？……她怎会在这里？"

第十四章

人　鱼

天已亮了。

那四间舱房的门，始终是关着的，既没有人走进去，也没有人走出来，更听不到说话的声音。

胡铁花一直坐在梯口，盯着这四扇门。

他整个人都仿佛变得有些痴了，有时会微笑着，像是想到了什么很开心的事，有时忽然又会皱起眉，喃喃自语：“会不会是她？……她看到了什么？”

第一个走出门的，是张三。

在水上生活的人，就好像是鱼一样，活动的时候多，休息的时候少，所以起得总是比别人早。

他看到胡铁花一个人坐在楼梯上，也怔了怔，瞬即笑道：“我还以为又不知道到哪里去偷酒喝了，想不到你还这么清醒，难得难得。”

胡铁花道：“哼。”

张三道：“但你一个人坐在这里发什么怔？”

胡铁花正一肚子没好气，几乎又要叫了起来，大声道：“你打起鼾来简直就像条死猪，而我又不是聋子，怎么受得了？”

张三上上下下瞧了他两眼，喃喃道：“这人只怕是吃错药了……有些女人听不到我打鼾的声音，还睡不着觉哩。”

他手里提着脸盆，现在就用这脸盆作盾牌，挡在面前，仿佛生怕胡铁花会忽然跳起来咬他一口似的。

胡铁花横了他一眼，冷冷道："你挡错地方了，为什么不用脸盆盖着屁股？我对你的脸实在连一点兴趣也没有。"

张三道："你倒应该找样东西来把脸盖住才对，你的脸简直比屁股还难看。"

话未说完，他已一溜烟逃了上去。

跟着走出来的是楚留香。

他看到胡铁花一个人坐在那里，也觉得很惊讶，皱着眉打量了几眼，才道："你的脸色怎么会这么难看？"

胡铁花本来已经火大了，这句话更无异火上加油，脸拉得更长，道："你的脸好看！你真他妈的是个小白脸。"

楚留香反而笑了，摇着头笑道："看起来我刚好又做了你的出气筒，却不知是谁又得罪了你，还是张三？"

胡铁花冷笑道："我才犯不着为那条疯狗生气，他反正是见人就咬的。"

楚留香又上上下下瞧了他两眼，沉声道："昨天晚上莫非出了什么事？"

胡铁花用力咬着嘴唇，发了好一会儿呆，忽然拉着楚留香跑上甲板，跑到船舱后，目光不停地四下搜索，像是生怕有人来偷听。

胡铁花说话一向很少如此神秘的。

楚留香忍不住又问道："昨天晚上你究竟瞧见了什么事？"

胡铁花叹了口气，道："什么也没有瞧见，只不过瞧见了个鬼而已。"

他一脸失魂落魄的样子，倒真像是撞见了鬼。

楚留香皱眉道："鬼？什么鬼？"

胡铁花道："大头鬼，女鬼……女大头鬼。"

楚留香忍不住要摸鼻子了，苦笑道："你好像每隔两天要撞见一次女鬼，看上你的女鬼倒真不少。"

胡铁花道："但这次我撞见的女鬼是谁，你一辈子也猜不到。"

楚留香沉吟着道："那女鬼难道我也见过？"

胡铁花道："你当然见过，而且还是很老的老朋友哩。"

楚留香笑了笑，道："总不会是高亚男吧？"

胡铁花道："一点也不错，就是高亚男。"

楚留香反倒怔住了，喃喃道："她怎会在这条船上？你会不会看错人？"

胡铁花叫了起来，道："我会看错她？！……别的人也许我还会看错，可是她……她就算烧成灰，我也认得的。"

楚留香沉吟着，道："她若真的在这条船上，枯梅大师想必也在。"

胡铁花道："我想了很久，也觉得这很有可能，因为她们的船也沉了，说不定也都是被原随云救上来的。"

楚留香道："而且，她们的目的地也正和原公子一样。"

胡铁花道："那老怪物脾气一向奇怪，所以才会整天关着房门，不愿见人。"

楚留香慢慢地点了点头。

胡铁花道："原随云想必也看出她的毛病了，所以才没有为我们引见。"

楚留香忽然道："她看到你，说了什么话没有？"

胡铁花道："什么也没有说……不对，只说了一句话。"

楚留香道："她说什么？"

胡铁花的脸居然也有点发红，道："她说，母老虎配酒鬼，倒真是天生的一对。”

楚留香又怔了怔，道：“母老虎？……母老虎是谁啊？”

胡铁花苦笑道：“你看谁像母老虎，谁就是母老虎了。”

楚留香更惊讶，道：“难道是金灵芝？”

胡铁花叹了口气，道：“其实她倒并不是真的母老虎，她温柔的时候，你永远也想象不到。”

楚留香盯着他，道：“昨天晚上，你难道跟她……做了什么事？”

胡铁花叹道：“什么事也没有做，就被高亚男撞见了。”

楚留香摇头笑道：“你的本事倒真不小。”

胡铁花道：“我就知道你一定会吃醋的。”

楚留香笑道：“吃醋的只怕不是我，是别人。”

胡铁花眨着眼，道：“你的意思是……她？”

楚留香笑道：“那句话里的醋味，你难道还嗅不出来？”

胡铁花也开始摸鼻子了。

楚留香道：“她还在吃你的醋，就表示她还没有忘记你。”

胡铁花长长叹了口气，道：“老实说，我也没有忘记她。”

楚留香用眼角瞟着他，淡淡道：“她也正是个母老虎，和你也正是天生的一对。只不过……”

他叹息着，接着道：“一个男人同时见两个母老虎，若是还能剩下几根骨头，运气已经很不错了。”

胡铁花咬着牙，道：“好小子，我找你商量，你反倒想看我出洋相。”

楚留香悠然道：“老实说，我倒真想看看你这出戏怎么收场。”

胡铁花沉默了半晌，忽然道：“无论如何，我都得去找她一次。”

楚留香道：“找她干什么？”

胡铁花道：“我去跟她解释解释。”

楚留香道："怎么样解释？"

胡铁花也怔住了。

楚留香道："这种事愈描愈黑，你愈解释，她愈生气。"

胡铁花点着头，喃喃道："不错，女人本就不喜欢听真话，我骗人的本事又不如你……看来还是你替我去解释解释的好。"

楚留香笑道："这次我绝不会再去替你顶缸了。何况……枯梅大师现在一定还不愿暴露自己的身份，我们若去见她，岂非正犯了她的忌？"

他苦笑着，接道："你知道，这位老太太，我也是惹不起的。"

胡铁花鼻子已摸红了，叹道："那么，你说我该怎么办呢？"

楚留香道："我只问你，你喜欢的究竟是谁？是金姑娘？还是高姑娘？"

胡铁花道："我……我……我也不知道。"

楚留香又好气又好笑，道："既然如此，我也没法子了。"

胡铁花又拉住了他，道："你想不管可不行。"

楚留香苦笑道："我该怎么管法？我又不是你老子，难道还能替你选老婆不成？"

胡铁花苦着脸道："你看这两人会对我怎么样？"

楚留香失笑道："你放心，她们又不是真的母老虎，绝不会吃了你的。"

胡铁花道："可是……可是她们一定不会再理睬我了。"

楚留香道："现在当然不会理你，但你若能沉得住气，也不理她们，她们迟早会来找你的。"

他笑了笑接道："这就是女人的脾气，你只要摸着她们的脾气，无论多凶的女人，都很好对付的。"

原随云正站在楼梯上。

船舱里有阵阵语声传来，声音模糊而不清，一千万人里面，绝不会有一个人能听得清这么轻微的人语声。

但原随云却在听。

他是否能听得清？

楚留香果然没有猜错，胡铁花也居然很有些自知之明。

金灵芝非但没有睬他，连瞧都没有瞧他一眼，仿佛这世上根本就没有这个人存在似的。

她有意无意间坐到白猎旁边位子上，而且居然还对他笑了笑，居然还笑得很甜。

白猎的魂都已飞了。

等胡铁花一走进来，金灵芝居然向白猎嫣然笑道："这螺蛳很不错，要不要我夹一点给你尝尝呀？"

当然要，就算金灵芝夹块泥巴给他，他也照样吞得下去。

金灵芝真的夹了一个给他，他几乎连壳都吞了下肚。

女人若想要男人吃醋，什么法子都用得出的——女人若想故意惹那男人吃醋，也就表示她在吃他的醋。

这道理胡铁花很明白。

所以他虽然也有一肚子火，表面看来却连一点酸意都没有。

金灵芝的戏再也唱不下去了。

等白猎回敬她一块皮蛋的时候，她忽然大声道："你就算想替别人夹菜，至少也得选双你自己没有用过的筷子，你不嫌你自己脏，别人都会嫌你脏的，这规矩你难道不懂？"

话未说完，她已站了起来，头也不回地走了出去。

白猎傻了，一张脸简直变得比碟里的红糟鱼还红。

胡铁花实在忍不住想笑，就在这时，突听甲板上传来一阵欢呼！

鱼汛。

大家都拥到船舷旁，海水在清晨的阳光下看来，就仿佛是一大块透明的翡翠，鱼群自北至南，银箭般自海水中穿过。

船，正好经过带着鱼汛的暖流。

胡铁花已看得怔住了，喃喃道："我一辈子里见过的鱼，还没有今天一半多，这些鱼难道都疯了么，成群结队地干什么？"

张三道："搬家。"

胡铁花更奇怪了，道："搬家？搬到哪里去？"

张三笑了笑，道："刚说你有学问，你又没学问了……鱼也和人一样怕冷的，所以每当秋深冬至的时候，就会乘着暖流游。"

他接着又道："这些鱼说不定已游了几千里路，所以肉也变得特别结实鲜美，海上的渔夫们往往终年都在等着这一次丰收。"

胡铁花叹了口气，道："你对鱼懂得的的确确不少，只可惜却连一点人事也不懂。"

原随云一直远远地站着，面带着微笑，此刻忽然道："久闻张三先生快网捕鱼，冠绝天下，不知今日是否也能令大家一开眼界？"

他自己虽然什么都瞧不见，却能将别人的快乐当作自己的快乐。

张三还在犹疑着，已有人将渔网送了过来。

捕鱼，下网，看来只不过是件很单调、很简单的事，一点学问也没有，更谈不上什么特别的技巧。

其中的巧妙，也许只有鱼才能体会得到。

这正如武功一样，明明是同样的一招"拨草寻蛇"，有些人使出来，全无效果，有些人使出来，却能制人的死命。

那只因他们能把握住最恰当的时候、最好的机会。

机会总是稍纵即逝的，所以要能把握住机会，就得要有速度。

其中自然还得有点运气——无论做什么事都得要有点运气。

但“运气”也不是从天上掉下来的。一个人若是每次都能将机会把握住，他的“运气”一定永远都很好。

船行已渐缓。

船艄有人在呼喝：“落帆，收篷……”

船打横，慢慢地停下。

张三手里的渔网突然乌云般撒出。

原随云笑道：“好快的网，连人都未必能躲过，何况鱼？”

只听那风声，他已可判断别人出手的速度。

张三的脚，就像钉子般钉在甲板上，全身都稳如泰山。

他的眼睛闪着光，一个本来很平凡的人，现在却突然有了魅力，有了光彩，就好像忽然间完全变了个人似的。

胡铁花叹了口气，喃喃地道：“我真不懂，为什么每次张三撒网的时候，我就会觉得他可爱多了。”

楚留香微笑道：“这就好像王琼一样。”

胡铁花道：“王琼是谁？”

楚留香道：“是多年前一位很有名的剑客，但江湖中知道他这人的却不多。”

胡铁花道：“为什么？他和张三又有什么关系？”

楚留香道：“这人又脏、又懒、又穷，而且还是个残废，所以从不愿见人，只有在迫不得已的时候，才肯拔剑。”

胡铁花道：“拔了剑又如何呢？”

楚留香道：“只要剑一拔出，他整个人就像是突然变了，变得生气勃勃，神采奕奕。那时绝不会有人再觉得他脏，也忘了他是个残废。”

胡铁花想了想，慢慢地点了点头，道：“我明白了，因为他这一生，也许就是为了剑而活着的，他已将全部精神寄托在剑上，剑，就是他的生命。”

楚留香笑了笑，道：“这解释虽然不太好，但意思已经很接近了。”

这时张三的呼吸已渐渐开始急促，手背上的青筋已一根根暴起，脚底也发出了摩擦的声音。

已在收网。

这一网的分量显然不轻。

原随云笑道：“张三先生果然好手段，第一网就已丰收。”

胡铁花道：“来，我帮你一手。”

网离水，“哗啦啦”一阵响，飞上了船，“砰”地，落在甲板上。

每个人都怔住。

网中竟连一条鱼都没有。

只有四个人，女人。

四个赤裸裸的女人。

四个健康、丰满、结实、充满野性诱惑力的女人。

虽然还蜷曲在网中，但这层薄薄的渔网非但未能将她们那健美的胴体遮掩，反而更增加了几分诱惑。

船上每个男的呼吸都急促——只有看不见的人是例外。

原随云面带着微笑，道：“却不知这一网打起的是什么鱼？”

胡铁花摸了摸鼻子，道：“是人鱼。”

原随云也有些吃惊了，失声道：“人鱼？想不到这世上真有人鱼。”

楚留香道：“不是人鱼，是鱼人——女人。”

原随云道：“是死是活？”

胡铁花道：“想必是活的，世上绝没有这么好看的死人。”

他嘴里说着话，已想赶过去放开渔网，却又突然停住。

他忽然发现金灵芝正远远地站在一边，狠狠地瞪着他。

大家心里虽然都想去，但脚下却像是生了根；若是旁边没有人，大家只怕都已抢着去了。但被几十双眼睛盯着，那滋味并不是很好受的。

有的人甚至已连头都扭过去，不好意思再看。

楚留香笑了笑，道：“原公子，看来还是由你我动手的好。”

原随云微笑道：“不错，在下是目中无色，香帅却是心中无色，请。”

他虽然看不到，但动作却绝不比楚留香慢。

两人的手一抖，渔网已松开。

每个人的眼睛都亮了，扭过头的人也忍不住转回。

初升的阳光照在她们身上，她们的皮肤看来就像是缎子。

柔滑、细腻，而且还闪着光。

皮肤并不白，已被日光晒成淡褐色，看来却更有种奇特的煽动力，足以煽起大多数男人心里的火焰。

健康，本也就是“美”的一种。

何况，她们的胴体几乎全无瑕疵，腿修长结实，胸膛丰美，腰肢纤细，每一处都似乎带种原始的弹性，也足以弹起男人的灵魂。

原随云却叹了口气，道：“是死的。”

胡铁花忍不住道：“这样的女人若是死的，我情愿将眼珠子挖出来。”

原随云道：“但她们已没有呼吸。”

胡铁花皱了皱眉，又想过去了，但金灵芝已忽然冲过来，有意无意间挡在他前面，弯下腰，手按在她们的胸膛上。

楚留香道："如何？"

金灵芝道："的确已没有呼吸，但心还在跳。"

楚留香道："还有救么？"

胡铁花又忍不住道："既然心还在跳，当然还有救了。"

金灵芝回头瞪着他，大声道："你知道她们是受了伤？还是得了病？你救得了么？"

胡铁花揉了揉鼻子，不说话了。

张三一直怔在那里，此刻才喃喃道："我只奇怪，她们是从哪里来的？又怎么会钻到渔网里去的？我那一网撒下去时，看到的明明是鱼。"

楚留香道："这些问题慢慢再说都无妨，现在还是救人要紧。"

英万里道："却不知香帅是否已看出她们的呼吸是为何停止的？"

楚留香苦笑道："呼吸已停止，心却还在跳，这情况以前我还未遇见过。"

英万里沉吟道："也许……她们是在故意屏住了呼吸。"

原随云淡淡道："她们似乎并没有这种必要。而且，这四位姑娘绝不会有那么深的内功，绝不可能将呼吸停顿这么久。"

英万里皱眉道："若连病因都无法查出，又如何能救得了她们？"

原随云道："能救她们的，也许只有一个人。"

胡铁花抢着道："这人在哪里？"

原随云道："幸好就在船上。"

胡铁花道："是谁？"

原随云道："蓝太夫人。"

胡铁花怔住了，过了半晌，才讷讷道："却不知道这位蓝太夫人又是什么人？"

其实他当然知道这位蓝太夫人就是枯梅大师。

原随云道："江左万氏，医道精绝天下，各位想必也曾听说过。"

英万里道："但'医中之神'蓝老前辈早已在多年前仙去，而且听说他并没有传人。"

原随云笑了笑，道："蓝氏医道，一向传媳不传女，这位蓝太夫人，也正是当今天下蓝氏医道唯一的传人，只不过……"

他叹了口气，道："却不知她老人家是否肯出手相救而已。"

胡铁花忽然想起枯梅大师的医道也很高明，忍不住脱口道："我们大家一齐去求她，她老人家想必也不好意思拒绝的。"

只听一人缓缓道："这件事家师已知道，就请各位将这四位姑娘带下去吧。"

胡铁花的人又怔住。

说话的这人，正是高亚男。

金灵芝瞟了她两眼，又瞪了瞪胡铁花，忽然转头，去看大海。

海天交界处，仿佛又有一朵乌云飘了过来。

这两排八间舱房，大小都差不多，陈设也差不多。

但这间舱房，却令人觉得特别冷。

因为无论谁看到了枯梅大师，都会不由自主从心里升起一股寒意。尤其是胡铁花，他简直就没有勇气走进去。

现在枯梅大师穿的虽然是俗家装束，而且很华贵，但那严峻的神情，那冷厉的目光，还是令人不敢逼视。

她目光扫过胡铁花时，胡铁花竟忍不住激灵灵打了个寒噤。

幸好那四位"人鱼"姑娘身上已覆着条被单，用木板抬了进来，躺在枯梅大师面前的地上。

所以舱房里面根本就站不下别的人了，胡铁花正好乘机躲在门外，却又舍不得马上溜走。

高亚男虽然根本没有瞧他一眼，但他却忍不住去瞧她。

何况舱房里还有四条神秘而又诱惑的美人鱼呢？

她们究竟是从哪里来的？

难道海底真有龙宫，她们本是龙王的姬妾，动了凡心，被贬红尘？

还是海上虚无缥缈间，有个神秘的仙山琼岛，她们本是岛上的仙女，为了贪图海水的清凉，却不幸在戏水时落入了凡人的网？

只要是男人，绝没有一个人会对这件事不觉得好奇的。

胡铁花怎么舍得走？既不舍得走，又不敢进去，只有偷偷地在门缝里窃望，舱房里没有声音，像是没有人敢说话。

突然身后一人悄悄地道："你对这件事倒真热心得很。"

胡铁花用不着回头，就知道是金灵芝了。

他只有苦笑，道："我本来就很热心。"

金灵芝冷冷道："网里的若是男人，你只怕就没有这么热心了吧？"

胡铁花忽然想起了楚留香的话！

"只要你沉得住气，她们迟早会来找你。"

"你只要摸着女人的脾气，无论多凶的女人，都很好对付的。"

想到了这句话，胡铁花的腰立刻挺直，也冷笑道："你若将我看成这样的男人，为什么还要来找我？"

金灵芝咬着嘴唇，呆了半晌，忽然道："今天晚上，还是老时候，老地方……"

她根本不等胡铁花答应，也不让他拒绝，这句话还没有说完，她已去了。等胡铁花回头时，早已瞧不见她了。

胡铁花叹了口气，喃喃道："没有女人冷冷清清，有了女人鸡犬不宁。这句话说得可真不差……”

冷冰冰的舱房里，唯一的温暖就是站在墙角的一位小姑娘。

楚留香自从上次远远地见过她一次，就始终没有忘记。

她虽然垂着头，眼角却也在偷偷地瞟着楚留香，但等到楚留香的目光接触到她时，她的脸就红了，头也垂得更低。

楚留香只望她能再抬起头，可惜枯梅大师已冷冷道：“男人都出去。”

她说的话永远很简单，而且从不解释原因。她说的话就是命令。

“砰”地，门关上。门板几乎撞扁了胡铁花的鼻子。

张三又在偷偷地笑，悄悄道：“下次就算要偷看，也不必站得这么近呀！鼻子被压扁，岂非是得不偿失？”

这两人似乎又要开始斗嘴了。

楚留香立刻抢着道：“原公子，此间距离那蝙蝠岛，是否已很近了？”

原随云沉吟着，道：“只有这条船的舵手，知道通向蝙蝠岛的海路。据他说，至少还得要再过两天才能到得了。”

楚留香道：“那么，不知道这附近你是否知道有什么无名的岛屿？”

原随云道：“这里正在海之中央，附近只怕不会有什么岛屿。”

楚留香道：“以原公子之推测，那四位姑娘是从何处来的呢？”

原随云道：“在下也正百思不得其解。”

他叹息了一声，又道：“故老相传，海上本多神秘之事，有许多也正是人所无法解释的。”

胡铁花也叹了口气，道：“如此看来，我们莫非又遇见鬼了，而且又是女鬼。”

张三说道：“她们若真是女鬼，就一定是冲着你来的。”

胡铁花瞪了他一眼，还未说话。

舱房里突然传出一声呼喊！

呼声很短促，很尖锐，充满了惊惧恐怖之意。每个人的脸色都变了。

英万里动容道：“这好像是方才到甲板上那位姑娘的声音。”

原随云道：“不错。”

他们两人的耳朵，是绝不会听错的。

但高亚男又怎会发出这种呼声？她绝不是个随随便便就大呼小叫的女人，连胡铁花都从未听过她的惊呼。

这次她是为了什么？舱房里究竟发生了什么可怕的事？

难道那四条鱼真是海底的鬼魂？此来就是为了要向人索命？

胡铁花第一个忍不住了，用力拍门，大声道：“什么事？快开门。”

没有回应，却传出了痛哭声。

胡铁花脸色又变了，道：“是高亚男在哭。”

高亚男虽也不是好哭的女人，但她的哭声胡铁花却是听过的。她为什么哭？舱房里还有别的人呢？

胡铁花再也顾不了别的，肩头用力一撞，门已被撞开。

他的人随着冲了进去。

然后，他整个人就仿佛突然被魔法定住，呼吸也已停顿。

每个人的呼吸都似已停顿。

无论谁都无法想象这舱房里究竟发生了什么事，无论谁都无法描述出此刻这舱房中悲惨可怖的情况。

血——

到处都是血。倒卧在血泊中的，赫然竟是枯梅大师。

高亚男正伏在她身上痛哭。另一个少女早已吓得晕了过去，所以才没有听到她的声音。

“人鱼”本是并排躺着的，现在已散开，诱人的胴体已扭曲，八条手臂都已折断。

最可怕的是，每个人的胸膛上，都多了个洞。

血洞！

再看枯梅大师焦木般的手，也已被鲜血染红。

金灵芝突然扭转身，奔了出去，还未奔上甲板，已忍不住呕吐起来。

原随云面色也变了，喃喃道：“这里究竟发生了什么事？血腥气怎会这么重？”

没有人能回答这句话。

这变化实在太惊人、太可怕，谁也无法想象。

枯梅大师的武功，当世已少敌手，又怎会在突然间惨死？

是谁杀了她？

原随云道：“蓝太夫人呢？难道已……”

高亚男忽然抬起头，瞪着他，嘶声道：“是你害了她老人家，一定是你！”

原随云道：“我？”

高亚男厉声道：“这件事从头到尾，都是你的阴谋圈套。”

她眼睛本来也很美，此刻却已因哭泣而发红，而且充满了怨毒之色，看来真是说不出的可怕。

只可惜原随云完全看不见。

他神情还是很平静，竟连一个字都没有辩。

难道他已默认？高亚男咬着牙，厉声道：“你赔命来吧！”

这五个字还未说完，她身形已跃起，疯狂般扑了过来，五指箕张，如鹰爪，抓向原随云的心脏。

这一招诡秘狠辣，触目惊心！

江湖中人都知道华山派武功讲究的是清灵流动，谁也想不到她竟也会使出如此毒辣的招式。

这一招的路数，和华山派其他的招式完全不同。

“难道枯梅大师就是用这一招将人鱼们的心摘出来？”

高亚男显然也想将原随云的心摘出来。

原随云还是静静地站在那里，仿佛根本未感觉到这一招的可怕。

无论如何，他毕竟是个瞎子，和人交手总难免要吃些亏的，高亚男若非已恨极，也不会用这种招式来对付个瞎子。

胡铁花忍不住大喝道：“不可以，等……”

他下面的一个字还未说出，高亚男已飞了出去。

原随云的长袖只轻轻一挥，她的人已飞了出去，眼看已将撞上墙，而且撞得还必定不轻。

谁知她身子刚触及墙壁，力道就突然消失，轻轻地滑了下去。

原随云这长袖一挥之力，拿捏得简直出神入化。而且动作之从容，更全不带半分烟火气。

纵然是以“流云袖”名动天下的武当掌门，也绝没有他这样的功力。

高亚男身子滑下，就没有再站起。

她已晕了过去。

胡铁花脸色又变了，一步蹿了过去，俯身探她的脉息。

原随云淡淡道：“胡兄不必着急，这位姑娘只不过是急痛攻心，所以晕厥，在下并未损伤她毫发。”

胡铁花霍然转身，厉声道："这究竟是不是你的阴谋？"

原随云叹道："在下直到此刻为止，还不知道这里发生的是什么事。"

胡铁花道："但你方才为何要默认？"

原随云道："在下并未默认，只不过是不愿辩驳而已。"

胡铁花道："为何不愿辩驳？"

原随云淡淡一笑，道："男人若想和女人辩驳，岂非是在自寻烦恼？"

他对女人居然也了解得很深。

女人若认为那件事是对的，你就算有一万条道理，也休想将她说服。

胡铁花不说话了，因为他也很了解这道理。

墙角的少女，已开始呻吟。

楚留香拉起了她的两只手，将一股内力送入她心脉。

她心跳渐渐加强了。

然后，她的眼张开，瞧见了楚留香，突然轻呼一声，扑入了楚留香怀里——似乎要将整个人都埋在楚留香胸膛里。

她身子不停地发抖，颤声道："我怕……怕……"

楚留香轻抚着她披肩的长发，柔声道："不用怕，可怕的事已过去了。"

少女恨恨道："但她们也休想活，我师父临死前，已为自己报了仇。"

原随云道："哦？"

少女道："她们得手后，立刻就想逃，却未想到我师父近年已练了摘心手。"

原随云动容道："摘心手？"

少女道：“她老人家觉得江湖中恶人愈来愈多，练这门武功，正是专门为了对付恶人用的。”

原随云沉吟着道：“据说这摘心手乃是华山第四代掌门‘辣手仙子’华琼凤所创，她晚年也自觉这种武功太毒辣，所以严禁门下再练，至今失传已久，却不知令师是怎会得到其中心法？”

少女似也自知说漏了嘴，又不说话了。

胡铁花却抢着道：“蓝太夫人本是华山枯梅大师的方外至交，原公子难道没听说过？”

胡铁花居然也会替人说谎了。

只不过，这谎话说得并不高明。

枯梅大师从小出家，孤僻冷峻，连话都不愿和别人说，有时甚至终日都不开口，又怎会和远在江左的蓝太夫人交上了朋友？

何况，华山门规素来最严，枯梅大师更是执法如山，铁面无私，又怎会将本门不传之秘私下传授给别人？

幸好原随云并没有追问下去。

这位门第高华的武林世家子，显然很少在江湖间走动，所以对江湖中的事，知道得并不多。

他只是慢慢地点了点头，缓缓道：“摘心手这种武功，虽然稍失之于偏激狠辣，但用来对付江湖中的不肖之徒，却再好没有了……那正是以其人之道，还治其人之身。”

楚留香也叹了口气，道：“她老人家若非练成这种武功，只怕就难免要让她们逃走了。”

胡铁花道：“为什么？她老人家若用别的武功，难道就杀不死她们？”

楚留香道：“别的武功大半要以内力为根基，才能发挥威力，那时她老人家全身骨骼已散，怎能再提得起真力？”

原随云道："不错。"

楚留香道："摘心手却是种很特别的外门功夫，拿的是种巧劲，所以她老人家才能借着最后一股气，将她们一举而毙。"

原随云道："香帅果然渊博，果然名下无虚。"

胡铁花道："纵然如此，她们还是逃不了的。"

楚留香道："哦？"

胡铁花冷笑道："我们又不是死人，难道还会眼看着她们逃走不成？"

楚留香叹道："话虽不错，可是，她们身无寸缕，四个赤裸着的女人，突然冲出来，又有谁会去拉她们？"

他苦笑着，又接道："而且，正如这位姑娘所说，她们身上又滑又腻，纵然去拉，也未必拉得住。"

胡铁花冷冷道："不用拉，也可以留住她们的。"

楚留香道："可是她们突然冲出，我们还不知道是怎么回事，又怎会骤下杀手？何况，这舱房又不是只有一扇门。"

舱房中果然有两扇门，另一扇是通向邻室的，也正是高亚男她们住的地方，此刻屋子里自然没有人。

胡铁花只好闭上嘴了。

楚留香道："由此可见，这件事从头到尾，她们都已有了很周密的计划，连故意赤裸着身子，也是她们计划中的一部分。"

原随云缓缓道："她们故意钻入渔网被人捞起，一开始用的就是惊人之举，已令人莫测高深，再故意赤裸着身子，令人不敢逼视，更不敢去动她们。"

他叹了口气，缓缓接着道："这计划不但周密，而且简直太荒唐、太离奇、太诡秘、太不可思议！"

楚留香叹道："这计划最巧妙的一处，就是荒唐得令人不可思议，所以她们才能得手。”

英万里突然道：“但其中有一点我却永远无法想得通。”

楚留香道：“却不知是哪一点？”

英万里道：“在下已看出，她们并没有很深的内功，又怎能屏住呼吸那么久？”

楚留香正在沉吟着，原随云突然道：“这一点在下或能解释。”

英万里道：“请教。”

原随云道：“据说海南东瀛一带岛屿上，有些采珠的海女，自幼就入海训练，到了十几岁时，已能在海底屏住呼吸很久；而且因为在海底活动，最耗体力，所以她们一个个俱都力大无穷。”

英万里道：“如此说来，这四人想必就是南海的采珠女了。”

胡铁花跌足道：“原公子既然知道世上有这种人，为何不早说？”

原随云苦笑道：“这种事本非人所想象，在下事先实也未曾想到。”

英万里道：“只不过，附近并没有岛屿，她们又是从哪里来的？”

张三道：“她们又怎会知道蓝太夫人在这条船上，怎知她老人家肯出手为她们医治？”

原随云叹道：“这些问题也许只有她们自己才能解释了。”

英万里也叹息着道：“只可惜蓝太夫人没有留下她们的活口。”

原随云沉吟着，忽然又道：“却不知令师临死前可曾留下什么遗言？”

那少女道：“我……我不知道。”

胡铁花皱眉道：“不知道？”

那少女嗫嚅着道：“我一看到血，就……就晕过去了。”

楚留香道：“我想，蓝太夫人也不会说什么的，因为她老人家想必也不知道这些人的来历，否则又怎会遭她们的毒手？”

原随云叹了口气，道："她老人家已有数十年未在江湖中走动，更不会和人结下冤仇，那些人为什么要如此处心积虑地暗算她？为的是什么？"

这也就正是这秘密的关键所在。

动机！

没有动机，谁也不会冒险杀人的。

楚留香并没有回答这句话，沉默了很久，才叹息着道："无论如何，这秘密总有揭穿的一日，现在我只希望这些可怕的事，以后永远莫要发生了……"

他永远也想不到要揭穿这些秘密所花的代价是多么惨重，更不会想到以后这几天中所发生的事，比以前还要可怕得多！

第十五章

虚　惊

丧礼简单而隆重。

是水葬。

佛家弟子虽然讲究的是火葬，但高亚男和那少女却并没有坚持，别的人自然更没有话说。

楚留香现在已知道那少女的名字叫华真真。

华真真。

她不但人美，名字也美。只不过她的胆子太小，也太害羞。

自从她离开楚留香的怀抱后，就再也不敢去瞧他一眼。

只要他的目光移向她，她的脸就会立刻开始发红。

他衣襟上还带着她的泪痕，心里却带着丝淡淡的惆怅。

他不知道下次要到什么时候才有机会能将她拥入怀里了。

高亚男更没有瞧过胡铁花一眼，也没有说话。

原随云也曾问她："令师临死前可曾留下什么遗言么？"

当时她虽然只是摇了摇头，但面上的表情却很是奇特，指尖也在发抖，仿佛有些惊慌，有些畏惧。

她这是为了什么？

枯梅大师临死前是否对她说了些秘密，她却不愿告诉别人，也不敢告诉别人？

天色很阴沉，似乎又将有风雨。

总之，这一天绝没有任何一件事是令人愉快的。

这一天简直闷得令人发疯。

最闷的自然还是胡铁花。

他心里很多话要问楚留香，却始终没有机会。一直到晚上，吃过饭，回到他们自己的舱房。

一关起门，胡铁花就立刻忍不住道：“好，现在你总可以说了吧？”

楚留香道：“说什么？”

胡铁花道：“枯梅大师就这样莫名其妙地死了，你难道没有话说？”

张三道：“不错，我想你多多少少总应该已看出了一点头绪。”

楚留香沉吟着，道：“我看出来的，你们一定也看出来了。”

胡铁花道：“你为何不说出来听听？”

楚留香道：“第一点，那些行凶的采珠女，绝不是主谋的人。”

胡铁花道：“不错，这点我也看出来了，但主谋的人是谁呢？”

楚留香道：“我虽不知道他是谁，但他却一定知道蓝太夫人就是枯梅大师。”

胡铁花点了点头，道：“不错，我也已看出他们要杀的本就是枯梅大师。”

楚留香道：“但枯梅大师也和蓝太夫人一样，已有多年未曾在江湖中走动，她昔日的仇家，也已全都死光了。”

胡铁花道：“所以最主要的关键，还是原随云说的那句话——这些人为什么要杀她？动机是什么？”

楚留香道：“杀人的动机不外几种，仇恨、金钱、女色——这几点和枯梅大师都绝不会有所牵涉。”

胡铁花道："不错，枯梅大师既没有仇家，也不是有钱人，更不会牵涉到情爱的纠纷……"

楚留香道："所以，除了这些动机外，剩下来的只有一种可能。"

胡铁花道："什么可能？"

楚留香道："因为这凶手知道他若不杀枯梅大师，枯梅大师就要杀他！"

胡铁花摸了摸鼻子，道："你的意思是不是说，这凶手就是出卖'清风十三式'秘密的人？"

楚留香道："不错。"

胡铁花道："也就是那蝙蝠岛上的人，是么？"

楚留香道："不错……他们已发现蓝太夫人就是枯梅大师，也知道枯梅大师此行是为了要揭穿他们的秘密，所以只有先下手为强，不惜用任何手段，也不能让她活着走上蝙蝠岛去。"

胡铁花道："既然如此，他们想必也知道我们是谁了，就该将我们也一齐杀了才是，但是为何没有下手？"

张三淡淡道："他们也许早已发现要杀我们并不是件容易的事，也许……"

楚留香接着说了下去，道："也许他们早已有了计划，已有把握将我们全都杀死，所以就不必急着动手。"

胡铁花道："难道他们要等到我们到了蝙蝠岛再下手么？"

楚留香道："这也很有可能，因为那本就是他们的地盘。天时、地利、人和，无论哪方面他们都占了绝对的优势，而我们……"

他叹了口气，苦笑道："我们却连蝙蝠岛是个怎么样的地方都不知道。"

张三沉吟着，道："我们要知道那是个怎么样的地方，只有问一个人。"

胡铁花忍不住道："问谁？"

张三道："问你。"

胡铁花怔了怔，失笑道："你又见了鬼么？我连做梦都没有到过那地方去。"

张三眨了眨眼，笑道："你虽未去过，金姑娘却去过，你现在若去问她，她一定会告诉你。"

他话未说完，胡铁花已跳了起来，笑道："我还有个约会，若非你提起，我倒险些忘了。"

冲出门的时候，胡铁花才想起金灵芝今天一天都没有露面，也不知是故意躲着高亚男，还是睡着了。

他指望金灵芝莫要忘记这约会。

也许他自己并没有很看重这约会，所以才会忘记；但金灵芝若是也忘记了，他就一定会觉得很难受。

男女之间，刚开始约会的时候，情况就有点像"麻秆儿打狼，两头害怕"，彼此都在防备着，都生怕对方会失约。

有时为了怕对方失约，自己反而先不去了。

胡铁花几乎已想转回头，但这时他已冲上楼梯。

刚上了楼梯，他就听到一声惊呼。

是女人的声音，莫非是金灵芝？

呼声中也充满了惊惶和恐惧之意。

接着，又是"扑通"一响，像是重物落水的声音。

胡铁花的心跳几乎又停止——难道这条船也和海阔天的那条船一样，船上躲着个凶手了？

难道金灵芝也和向天飞一样，被人先杀了，再抛入水里？

胡铁花用最快的速度冲了上去，冲上甲板。

他立刻松了口气。

金灵芝还好好地站在那里，站在昨夜同样的地方，面向着海洋。

她的长发在微风中飘动，看来是那么温柔，那么潇洒。

没有别的人，也不再有别的声音。

但方才她为何要惊呼？她是否瞧见了什么很可怕的事？

胡铁花悄悄地走过去，走到她身后，带着笑道：“我是不是来迟了？”

金灵芝没有回头，也没有说话。

胡铁花道：“刚才我好像听到有东西掉下水了，是什么？”

金灵芝摇了摇头。

她的发丝拂动，带着一丝丝甜香。

胡铁花忍不住伸出手，轻轻地握住了她的头发，柔声道：“你说你有话要告诉我，为什么还不说？”

金灵芝垂下了头。

她的身子似乎在颤抖。

海上的夜色，仿佛总是特别温柔，特别容易令人心动。

胡铁花忽然觉得她是这么娇弱，这么可爱，忽然觉得自己的确应该爱她，保护她。

他忍不住搂住了她的腰，轻轻道：“在我面前，你无论什么话都可以说的，其实我和那位高姑娘连一点关系也没有，只不过是……”

“金灵芝”突然推开了他，转过身来，冷冷地瞧着他。

她的脸在夜色中看来连一丝血色都没有，甚至连嘴唇都是苍白的。

她的嘴唇也在发抖，颤声道：“只不过是什么？”

胡铁花已怔住了，整个人都怔住了。

此刻站在他面前的，竟不是金灵芝，而是高亚男。

海上的夜色，不但总是容易令人心动，更容易令人心乱。

胡铁花的心早就乱了，想着的只是金灵芝，只是他们的约会，竟忘了高亚男和金灵芝本就有着相同的长发，相同的身材。

站在船舷旁的究竟是谁，他根本就没有去仔细地分辨。

高亚男瞬也不瞬地瞪着他，用力咬着嘴唇，又问了一句："只不过是什么？"

胡铁花憋了很久的一口气，到现在才吐出来，苦笑道："朋友……我们难道不是朋友？"

高亚男突又转过身，面对着海洋。

她再也不说一句话，可是她的身子却还在颤抖，也不知是为了恐惧，还是为了悲伤。

胡铁花道："你……你刚才一直在这里？"

高亚男道："嗯。"

胡铁花道："这里没有出事？"

高亚男道："没有。"

胡铁花迟疑着，讷讷道："也没有别人来过？"

高亚男沉默了半晌，突然冷笑道："你若是约了人在这里见面，那么我告诉你，她根本没有来。"

胡铁花又犹疑了很久，终于还是忍不住道："可是我……我刚才好像听到了别的声音。"

高亚男道："什么声音？"

胡铁花道："好像有东西掉下水的声音？还有人在惊叫。"

高亚男冷笑道："也许你是在做梦。"

胡铁花不敢再问了。

但他却相信自己的耳朵绝不会听错。

他心里忍不住要问：方才究竟是谁在惊叫？

那“扑通”一声究竟是什么声音？

他也相信金灵芝绝不会失约，因为这约会本是她自己说的。

那么，她为什么没有来？她到哪里去了？

胡铁花眼前突然出现了一幅可怕的图画，他仿佛看到了两个长头发的女孩子在互相争执，互相嘲骂。然后，其中就有一人将另一人推下了海中。

胡铁花掌心已沁出了冷汗，突然拉住了高亚男的手，奔回船舱。

高亚男又惊又怒，道：“你这是干什么？”

胡铁花也不回答她的话，一直将她拉到金灵芝的舱房门口，用力拍门。

舱房中没有回应。

“金灵芝不在房里……”

胡铁花的眼睛已发红，似已看到她的尸体飘浮在海水中。

他只觉胸中一股热血上涌，忍不住用力撞开了门。

他又怔住。

一个人坐在床上，慢慢地梳着头发，却不是金灵芝是谁？

她的脸也是苍白的，冷冷地瞪着胡铁花。

高亚男也在冷冷地盯着他。

胡铁花只恨不得一头撞死算了，苦笑道：“你……你刚才为什么不开门？”

金灵芝冷冷地道：“三更半夜的，你为什么要来敲门？”

胡铁花就好像被人打了一巴掌，脸上辣辣的，心里也辣辣的，发了半晌呆，还是忍不住问道：“那么……你真的根本就没有去？”

金灵芝道："到哪里去？"

胡铁花也有些火了，大声道："你自己约我的，怎会不知道地方？"

金灵芝脸上一点表情也没有，淡淡道："我约过你么？……我根本就忘了。"

她忽然站起来，"砰"地关起了门。

门闩已撞开，她就拖了张桌子过来，将门顶住。

听到她拖桌子的声音，胡铁花觉得自己就像是条狗，活活的一条大土狗，被人索着绳子走来走去，自己还在自我陶醉。

幸好别的人都没有出来，否则他真说不一定会一头撞死在这里。

他垂下头，才发觉自己还是在拉着高亚男的手。

高亚男居然还没有甩开他。

他心里又感激，又难受，垂着头道："我错了……我错怪了你。"

高亚男轻轻道："这反正是你的老脾气，我反正已见得多了。"

她的声音居然已变得温柔。

胡铁花抬起头，才发现她的眼波也很温柔，正凝注着他，柔声道："其实你也用不着难受，女孩子们说的话，本就不能算数的，说不定她也不是存心要骗你，只不过觉得好玩而已。"

她当然是想安慰他，让他心里觉得舒服些。

但这话听在胡铁花耳里，却真比臭骂他一顿还要难受。

高亚男垂下头道："你若还是觉得不开心，我……我可以陪你去喝两杯。"

胡铁花的确需要喝两杯。

到这种时候，他才知道朋友的确还是老的好。

他觉得自己真是混账加八级，明明有着这么好的朋友，却偏偏还要去找别人，偏偏还要伤她的心。

他甚至连眼圈都有些红了，鼻子也有点酸酸的。

“方才究竟是谁在惊呼？为什么惊呼？”

“那‘扑通’一声响究竟是什么声音？”

“金灵芝为什么没有去赴约？是什么事令她改变了主意？”

这些问题，胡铁花早已全都忘得干干净净。

只要还有高亚男这样的老朋友在身旁，别的事又何必再放在心上？

胡铁花揉着鼻子，道：“我……我想法子去找酒，你在哪里等我？”

高亚男笑了，嫣然道：“你简直还跟七八年前一模一样，连一点都没有变。”

胡铁花凝注着她，道：“你也没有变。”

高亚男头垂得更低，轻轻叹息道：“我……我已经老了。”

她颊上泛起了红晕，在朦胧的灯光下，看来竟比七八年前还要年轻。

一个寂寞的人，遇着昔日的情人，怎么能控制得住自己？

高亚男如此，胡铁花又何尝不如此？

他甚至连刚刚碰的钉子全都忘了，忍不住拉起她的手，道：“我们……”

这两个字刚说出，突然“轰”的一声大震。

天崩地裂般的一声大震！

整条船都似乎被抛了起来，嵌在壁上的铜灯，火光飘摇，已将熄灭。

高亚男轻呼一声，倒在胡铁花怀里。

胡铁花自已也站不住脚了，踉跄后退，撞在一个人身上。

张三不知何时已开了门，走了出来。

他来得真快。

莫非他一直都站在门口偷听？

胡铁花百忙中还未忘记狠狠瞪了他一眼，低声道：“看来你这小子真是天生的贼性难移，小心眼睛上生个大痔疮。”

张三咧嘴一笑，道：“我什么也没瞧见，什么也没听见。”

话未说完，他已一溜烟逃了上去。

天地间一片漆黑。

星光月色都已被乌云淹没，灯光也都被呼啸的狂风吹灭。

船身已倾斜，狂风夹带着巨浪，卷上了甲板。

甚至连呼声都被吞没。

除了风声、浪涛之外，什么也瞧不见，什么也听不见。

谁也不知道究竟出了什么事！

所有的人都已拥上了甲板，都已被吓得面无人色，这天地之威，本就是谁都无法抗拒的。

每个人都紧紧抓住了一样东西，生怕被巨浪卷走、吞没。

只有几个人还是稳稳地站在那里，身上的衣衫虽也被巨浪打得湿透，但神情却还是很镇定。

尤其是原随云。

他甚至比楚留香更镇定，只是站在那里，静静地听着。

谁也不知道他能听出什么！

浪头卷过，一个水手被浪打了过来。

原随云一伸手，就捞住了他，沉声道：“出了什么事？”

那水手用手挡住嘴，嘶声道：“船触礁，船底已开始漏水。”

原随云到这时才皱了眉，道：“带路航行的舵手呢？”

水手道："没有瞧见，到处找都没有找到，说不定已被浪卷走。"

楚留香一直站在原随云身旁，此刻突然道："这条船还可以支持多久？"

水手道："难说得很，但最多也不会超过半个时辰了。"

楚留香沉吟着，道："我到前面去瞧瞧。"

他身形跃起，只一闪，似乎也被狂风巨浪所吞没一般……

礁石罗列。

在黑沉沉的夜色中看来，就像是上古洪荒怪兽的巨牙。

船身几乎已有一半被咬住。

楚留香忽然发现礁石上仿佛有人影一闪。

如此黑夜，如此狂风，他当然无法分辨出这人的身形面貌。

他只觉这人影轻功高绝，而且看来眼熟得很。

这人是谁？

在这种风浪中，他为何要离开这条船？他到哪里去？

远方也是一片黑暗，什么也瞧不见，从一排排兽牙般的礁石中望过去，仿佛已经到了地狱的边缘。

这人难道甘心去自投地狱？

只听一人沉声道："香帅可曾发现了什么？"

原随云居然也跟着过来了，而且知道楚留香就在这里。

他的眼睛瞎了，但心上却似乎还有另一只眼。

楚留香沉吟着，道："礁石上好像有个人……"

原随云道："人？在哪里？"

楚留香遥视着远方的黑暗，道："已向那边飞奔了过去。"

原随云道："那边是什么地方？"

楚留香道："不知道，我瞧不见。"

原随云沉吟着道："既然有人往那边走，那边想必就有岛屿。"

楚留香道："纵然有，也必定是无人的荒岛。"

原随云道："为什么？"

楚留香道："若有人，就必定有灯光。"

原随云道："香帅没有瞧见灯光？"

楚留香道："没有，什么都没有。"

原随云沉默了很久，才缓缓道："无论如何，那边至少比这里安全些，否则他为何要往那边走？"

楚留香点了点头，道："他想必知道那边是什么地方，我们却不知道。"

原随云道："所以我们至少也应该过去瞧瞧，总比死守在这里好。"

胡铁花也跟了过来，立刻抢着道："好，我去。"

原随云笑了笑，道："若是在平时，在下自然不敢与各位争先，但到了这种时候，瞎子能看见的，有眼睛的人也许反而看不见。"

他身形突然掠起，双袖展动，带起了一阵劲风，等到风声消失，他的人也已消失在黑暗里。

他就像是乘着风走的。

大家仿佛全都怔住了，过了很久，张三才叹了口气，喃喃道："静如处子，动如脱兔。用这两句话来形容他，倒真是一点也不错……你们平时看到他那种斯斯文文的样子，又有谁能想到他的功夫竟如此惊人？"

胡铁花也叹了口气，道："若是老天只准我选一个朋友，我一定选他，不选老臭虫。"

张三冷冷道："看来你倒比女人还要喜新厌旧。"

楚留香突也叹了口气，道："若换了我，只怕也要选他的。"

张三皱眉道："为什么？"

楚留香道："因为我宁可和任何人为敌，也不愿和他为敌。"

张三道："你认为他比石观音、神水宫主那些人还可怕？"

楚留香的神色很凝重，缓缓道："老实说，我认为他比任何人都可怕得多。"

胡铁花长长吐出了口气，笑道："幸好他不是我们的仇敌，而是我们的朋友。"

张三悠悠道："我只希望他也将我们当作朋友。"

胡铁花忽又问道："你刚才真的看到礁石上有个人么？"

楚留香道："嗯。"

胡铁花道："你当时为什么不追过去瞧瞧？"

楚留香道："那人的轻功未必在我之下，等我要追过去时，已看不到他的人了。"

胡铁花皱眉道："轻功和你差不多的人，这世上并没有几个，这人会是谁呢？"

楚留香道："我虽然没有看清他的身形面貌，但却觉得他眼熟得很，仿佛是我们认得的人。"

胡铁花道："你连他的身形都没有看清，又怎会知道认得他？"

楚留香道："那只因他的轻功身法很奇特，而且他的……"

他突然顿住了语声，眼睛也亮了起来，像是忽然想起了什么。

胡铁花忍不住问道："他的什么？"

楚留香眼睛发着光，喃喃道："腿，一点也不错，就是他的腿。"

胡铁花道："他的腿怎么样了？"

楚留香道："他的腿比别人都长得多。"

胡铁花眼睛也亮了，道："你说的莫非是……勾子长？"

楚留香没有说话。

还没有十分把握确定的事，他从来不下判断。

他知道一个人的判断若是下得太快，就难免会造成错误。

无论多少的错误，都可能造成很大的不幸。

英万里脸上也变了颜色，抢过来，道："如此说来，莫非勾子长本来也在这条船上？莫非原随云一直在掩护着他？"

张三立刻道："不错，空着的舱房本有四间，枯梅大师她们住了三间，也还有一间正好给他……我早就知道这里面有毛病。"

楚留香却笑了笑，淡淡道："你的毛病，就是每次都将判断下得太早了。"

张三道："可是我……"

楚留香打断了他的话，道："也许他不是从船上去的，而是从那边岛上来的呢？"

胡铁花道："是呀，也许他本就在那边岛上，听到这边撞船的声音，自然忍不住过来瞧瞧。"

楚留香道："何况，我根本没有看清他究竟是谁，这世上腿长的人也很多，本就不止勾子长一个。"

胡铁花接道："再说，就算他是勾子长，就算他在这条船上又怎么样？那也不能证明原随云就是和他一伙的。"

张三道："真的不能吗？"

胡铁花道："当然不能。"

他瞪着张三，接着道："我问你，你若是原随云，看到有人漂流在海上，你会不会先问清他的来历，才救他上来？"

张三想也不想，立刻道："不会，救人如救火，那是片刻也迟不得的。"

胡铁花拍掌道："这就对了，原随云也许到现在还不知道他是谁。"

张三道："可是，他至少也该对我们说……"

胡铁花道：“说什么？他又怎知道勾子长和我们有什么过节？勾子长若不愿出来交朋友，他又怎能勉强？像他那么样的君子，本就不会勉强任何人的。”

张三叹了口气，苦笑道：“如此说来，我倒是以小人之心，去度君子之腹了。”

胡铁花道：“一点也不错，你这人唯一可取的地方，就是还有点自知之明。”

一阵急风过处，原随云已又出现在眼前。

他全身虽已湿透，但神情还是那么安详，静静地站在那里，看来就好像根本就未移动过。

胡铁花第一个抢着问道：“原公子可曾发现了什么吗？”

原随云道：“陆地。”

胡铁花喜动颜色，道：“那边有陆地？”

原随云道：“不但有陆地，还有人！”

胡铁花动容道：“人？多少人？”

原随云道：“仿佛很多。”

胡铁花更诧异，道：“都是些什么样的人？”

原随云道：“我只听到人声脚步，就赶回来了。”

英万里忍不住道：“原公子为何不问问他们，这里是什么地方？”

原随云道：“因为他们本就是要来找我们的，现在只怕已经快到了……”

他这句话还没有说完，礁石上已出现了一行人影。

七八个人一个跟着一个，走在如此黑暗中，如此险峻的礁石上，还是走得很快、很轻松，就仿佛白日下走在平地上似的。

胡铁花特别留意，其中有没有一个腿特别长的人。

没有。

每个人的身材都很纤小，几乎和女人差不多。现在虽已走得很近，但还没有人能看得清他们的面貌。

走在最前面的一人，脚步最轻灵，远远就停下，站在四五丈外一块最尖锐的礁石上。

狂风带着巨浪卷过，他的人摇摇晃晃的，似乎随时都可能被巨浪吞噬。但两三个浪头打过，他还是好好地站在那里。

楚留香一眼就看出这人轻功也很高，而且必定是个女人。

只听这人道："来的可是无争山庄原随云原公子的座船么？"

语声清越而娇脆，果然是女人的声音。

原随云道："在下正是原随云，不知阁下……"

那人不等他说完，突然长揖道："原公子万里间关，总算到了这里，奴婢们迎接来迟，但请恕罪。"

原随云动容道："这里莫非就是蝙蝠岛？"

那人道："正是！"

这两个字说出来，每个人都长长吐了口气，却也不知是惊惶，还是欢喜。

他们的目的地虽然总算到了，可是，在这里究竟会发生什么？有几个人能活着回去？

远方仍是一片神秘。

蝙蝠岛还是被笼罩在无边的神秘与黑暗中。

谁也不知道那地方究竟是天堂，还是地狱。——至少在人们的想象中，天堂总不会是这个样子的。

只见礁石上那人身形忽然掠起，足尖在船头上一点，已掠上船桅。

大家这才看到她穿的是一身黑衣，黑巾蒙面。

她手里还带着条长索，用绳头在船桅上打了个结。

长索横空，笔直地伸向无边无际的黑暗中。

这长绳的另一端在哪里？

黑衣人已带着笑道：“风浪险恶，礁石更险，各位请上桥吧！”

原随云皱眉道：“桥？什么桥？”

黑衣人道：“就是这条绳索，各位上桥后，只要不掉下来，就可一直走到本岛的洞天福地中，岛主就正在那边恭迎大驾。”

她银铃般笑了笑，又接着道：“各位到了那里，就知道此行不虚了。”

胡铁花忍不住道：“若是从桥上跌下去了呢？”

黑衣人淡淡道：“若是没有把握能走得过去的人，不如还是留在这里的好。这条桥虽可渡人至极乐，但若一跌下去，只怕就要坠入鬼域，万劫不复了。”

原随云道：“能走得过此桥的并没有几人，阁下难道要我弃别的人于不顾？”

黑衣人笑了笑，道：“当然还有另一条路，走不过这条桥的人，就请走那条路。”

胡铁花又忍不住问道：“那是条什么样的路？”

黑衣人悠然道：“等到天亮时，各位就会知道那是条什么样的路了。”

天还没有亮。

第一个上桥的，自然是原随云。

他临上时似乎有什么话要对楚留香说，却又终于忍住。

他仿佛相信楚留香能了解他的意思。

高亚男也上了桥。华山门下，轻功都不弱。

她一直守候在胡铁花身旁，临走的时候，还在问：“你呢？”

胡铁花还没有说话，楚留香已替他回答：“我们走另一条路。”

高亚男没有再说什么，因为她已了解楚留香的意思。

然后，就是华真真。

她慢慢地走过去，已走过楚留香面前，突又回过头，深深地凝注着他，仿佛也有许多话要说，却又没有勇气说出来。

楚留香笑了笑，柔声道：“你放心，我会去的，我想那条路至少比这条路安全得多。”

华真真的脸似又红了。

胡铁花暗中叹了口气，有件事他总是不明白！

为什么楚留香遇上的女孩子总是如此纯真，如此温柔？

为什么他自己遇上的女孩子不是神经病，就是母老虎？

绳桥在狂风中飘摇。

桥上的人也在摇晃，每一刻都可能坠下，坠入万劫不复的鬼域！

眼见着她们一步步地走着，慢慢地走过去，走向黑暗——

每个人掌心都捏着把冷汗。

就算她们能走得过去，最后又将走到哪里呢？

在绳桥那边等着他们的，也许正是个来自地狱的恶魔。

胡铁花忽然道：“我们本该跟他们一齐去的，你为什么不肯？”

楚留香道：“我们既没有请柬，更不会受欢迎，跟着他们走，只有连累他们，无论对谁都没有半点好处。”

胡铁花道：“可是我们迟早总是要去的，你怎知另一条路比这条路安全？”

楚留香道：“走那条路，至少不引人注意。”

张三道：“不错，我们可以扮成船上的水手，混过去，然后再见机行事。”

他忽然瞧见金灵芝远远站在一旁，忍不住道：“可是，金姑娘，你为什么不跟他们一齐走？”

金灵芝板着脸，冷冷道：“我不高兴。”

楚留香沉吟着，忽然道：“金姑娘的意思，我们本该明白的。”

“我当然明白，她不走，只因为她要陪着我。”

胡铁花几乎已想将这句话说了出来。

幸好楚留香已接着道：“勾子长既已来了，丁枫想必也来了。他早已对金姑娘不满，金姑娘若是现在去了，也许就难免要有不测。”

胡铁花摸了摸鼻子，忽然觉得别人都比他精明得多、现实得多。

楚留香道：“我只有一件事想要请教金姑娘。”

金灵芝冷冷道：“你们不是什么事都懂么，又怎么来请教我？”

楚留香笑了笑，道：“但我们却实在猜不透这蝙蝠岛究竟是个怎么样的地方。”

张三立刻接着道：“不错，最奇怪的是，岛上既然有那么多人，为何看不到一点灯光？难道这岛上的人在黑暗中也能看得见东西么？”

金灵芝目中突然露出一种恐惧之色，什么话都没有说，掉头就走。只要提到“蝙蝠岛”这三个字，她的嘴就像是被缝住。

胡铁花恨恨道：“我本来以为毛病最大的人是张三，现在才知道原来是她。”

楚留香沉吟着，道：“金姑娘不肯说出蝙蝠岛的秘密，想必有她的苦衷。”

胡铁花道：“什么苦衷？”

楚留香道：“也许……她已被人警告过，绝不能吐露这秘密。”

胡铁花故意粗着嗓子道：“若是泄露了秘密，就刺瞎你的两只眼睛，割下你一根舌头……是不是这种警告？”

楚留香道：“也许他们说得还要可怕些。”

胡铁花道："你以为她会怕？"

楚留香笑了笑，道："若是你说的，她当然不怕，但有些人说了就能做到！"

胡铁花道："就算她真的怕，现在船上又没蝙蝠岛上的人，又怎知她说了没有？"

楚留香淡淡道："你能确定现在船上真没有蝙蝠岛上的人么？"

胡铁花说不出话来了，过了很久，才叹出口气，苦笑道："现在我只希望一件事。"

张三忍不住问道："什么事？"

胡铁花道："我只希望我们到了那岛上后，莫要被人变成蝙蝠。"

他用力揉着鼻子，喃喃地道："就算把我变成条狗，我也许还能够忍受，可是变成蝙蝠……唉，蝙蝠……"

第十六章

船舱中的蝙蝠

东方，终于现出了曙色。

蝙蝠岛的轮廓终于慢慢地出现了。

胡铁花以最快的速度，换了身水手的衣服，然后就又站在船头，等着。

“这蝙蝠岛究竟是个什么怪样子？岛上是不是整天都有成千成万只蝙蝠在飞来飞去？”

就为了要等着瞧瞧，他简直已急得要发疯。

现在，他总算看到了。

他完全失望，完全怔住。

岛上连半只蝙蝠都没有。

非但没有蝙蝠，什么都没有。

这蝙蝠岛竟只不过是座光秃秃的石山，没有花，没有树，没有草，没有野兽，没有生命。

昨夜那些人，也不知全都到哪里去了。

胡铁花叫了起来，大声道：“天呀，这就是蝙蝠岛？这就是销金窟？看来我们全都活活地上了人家的当了。”

楚留香的神情也很沉重。

胡铁花道：“还说什么看不完的美景，喝不完的美酒，简直全他妈的是放屁，这见鬼的岛上简直连个鬼影子都没有。”

张三道：“别的没有，至少鬼总有的。”

胡铁花道：“你也见了鬼吗？”

张三说道：“昨天晚上来的那几个，不是鬼是什么？跟着他们走的那些人，只怕都已被他们带入了地狱。”

他当然是在说笑，但说到这里，他自己也不觉激灵灵打了个寒噤，勉强向楚留香笑了笑，道：“你说那些人全都躲到哪里去了？”

楚留香不说话。

在还没有弄清楚一件事之前，他从不开口。

这件事他显然也弄不清楚。

胡铁花却又忍不住要开口了，道：“也许，他们早已准备好别的船在那边等着，把人一带过去，立刻就乘船走了。”

张三抚掌道：“有道理。”

胡铁花道：“也许这里根本就不是蝙蝠岛，他们这样做，为的就是要将我们甩在这里。”

胡铁花叹了口气，道：“不管这里是不是蝙蝠岛，看来我们都得老死在这岛上了。”

张三苦着脸道：“不错，这条船幸好被礁石嵌住，所以才没有沉，但谁都没法子再叫它走了，也没法子在船上住一辈子。”

胡铁花叹道：“岛上若有树木，我们还可以再造条船，或者造木筏，只可惜这见鬼的岛上连根草都没有。”

张三忽然道：“你等一等。”

谁也不知道他要干什么，只见他飞也似的跑下船舱，又飞也似的跑了上来，手里还捧着个罐子。

胡铁花皱眉道：“你替我找酒去了么？现在我简直连酒都喝不下。”

张三打开罐子，道："这不是酒，是盐。"

胡铁花道："盐？你弄这么大一罐盐来干什么？"

张三道："有人说，盐可以避邪，还可以除霉气……来，你先尝一点。"

胡铁花半信半疑地瞧着他，终于还是忍不住尝了一点。

张三道："来，再来一点。"

胡铁花皱眉道："还要尝多少才能除得了我这一身霉气？"

张三道："最好能把一罐子全都吃下去。"

胡铁花又叫了起来，道："你这小子是不是疯了？想把我咸死是不是？"

楚留香也笑了，道："也许他想把你腌成咸肉，等将来断粮时吃你。"

张三笑道："他就算吃一麻袋盐，肉也是酸的，我宁可饿死也不吃。"

胡铁花怒道："你究竟是什么意思？"

张三悠然道："也没有什么别的意思，只不过……我也听人说过，老鼠吃多了盐，就会变成蝙蝠；我想试试人吃多了盐，是不是也和老鼠一样。"

话未说完，胡铁花的巴掌已掴了过去。

张三早就防到这一招了，跳开了三四尺，笑道："我本来想自己试的，只不过我又不想老死在这里，所以就算真的变成蝙蝠，也没什么意思。"

胡铁花的手忽又缩回去了，盯着张三道："你的意思难道是说，这地方就是蝙蝠岛？"

张三道："这里若不是蝙蝠岛，我就不是张三，是土狗。"

胡铁花道："这里若是蝙蝠岛，昨天晚上的那些人到哪里去了？"

张三道："山洞里。"

胡铁花的眼睛又亮了，失声道："不错，石山里一定有秘窟，蝙蝠岛上的人一定全都住在山窟里，所以外面才瞧不见烟火。"

他用力拍着张三的肩膀，笑道："你小子果然比老子聪明，我佩服你。"

张三已被他拍得弯下腰去，苦着脸道："求求你莫要再佩服我了好不好？你若再佩服我，我的骨头就要断了。"

楚留香突然道："英先生呢？"

胡铁花道："英万里？……我好像已有很久没有看到这个人了。"

张三道："也许他还在下面换衣服吧？"

胡铁花道："好像不在呀，我上来的时候，瞧见他的房门是开着的。"

他笑了笑，又道："老年人都饿不得，也许他到厨房去找东西吃了。"

张三道："也不在，我去拿盐的时候看过，厨房里没有人。"

船上的水手都挤在后艄，有的在窃窃私议，有的在发怔，到了这种时候，谁还有心情吃东西？

楚留香皱眉道："你们最后一次看到他是在什么时候？"

胡铁花道："好像是昨天晚上吃饭的时候。"

张三道："不对，船触礁之后，我还瞧见过他。"

楚留香道："以后呢？"

张三皱着眉，道："以后我就没有注意了。"

那时正是天下大乱的时候，谁也不会留意别人。

楚留香的神情更凝重，突然道："他只要还在这条船上，就不会失踪，我们去找。"

三个人刚奔到舱口，就发现金灵芝站在那里，挡住了门。

张三赔笑道："请金姑娘让让路好么，我们要去找人。"

金灵芝道："找谁？"

她不等别人说话，又淡淡地接着道："你们若要去找英万里，就不必了。"

胡铁花悚然道："不必？为什么不必？"

金灵芝根本不理他。

张三又赔着笑，道："莫非金姑娘知道他在什么地方？"

金灵芝冷冷道："他在什么地方，我们不知道，只不过，我知道他已不在这条船上。"

胡铁花又叫了起来，道："他已走了么？什么时候走的，我怎么没有瞧见？"

金灵芝还是不理他。

在她眼中，世上好像已根本没有胡铁花这个人存在。

张三只好赔着笑再问一遍。

金灵芝冷笑着道："我也不比你们多一只眼睛，为何我瞧见了，你们瞧不见？"

她觉得气已出了些，这才接着道："他就在蝙蝠岛的人来接原随云时走的，从船舷旁偷偷溜了下去，那时我就站在船舷旁。他走时还要我转告你们，说他已有发现，要赶紧去追踪，等到了蝙蝠岛后，他再想法子跟你们再见。"

胡铁花叹了口气，苦笑道："好，有胆量，看来这老头子的胆量比我们都大得多。"

楚留香沉吟着，道："英先生乃天下第一名捕，耳力之明，更非常人能及；有些他能做得到的事，的确不是我们能做得到的。"

张三道："不错，昨天晚上那种情形，眼力再好也没有用，因为灯根本就点不着，无论什么事都得要用耳朵去听。”

胡铁花道：“何况他既然号称天下第一名捕，追踪就自然有特别的本事，只可惜他无论听到什么，现在都没法子告诉我们。”

张三道：“我们是现在就到岛上去呢，还是等人来接？”

胡铁花冷冷道：“既然已等了一个晚上，再多等会儿又有何妨，也免得被人注意了……老臭虫，你说对不对？”

楚留香好像也听不到他说的话了，忽然问道：“那位白猎兄呢？”

胡铁花怔了怔，道：“对，我好像也已有很久没有看到他……”

张三道：“吃过晚饭我就没有看到他。”

胡铁花道：“莫非他也跟英万里一齐走了？”

张三道：“撞船的时候，他好像没有在甲板上。”

金灵芝道：“不错，英万里是一个人走的。”

胡铁花皱眉道：“那么他到哪里去了？难道躲起来不敢见人了么？”

张三道：“我们去找，无论他在哪里，我们也得把他找出来。”

左边的第一间舱房，本是原随云的居处。

房中没有人。

所有的陈设，自然全都是最精致的，但颜色却很零乱，简直可以说是五颜六色，七拼八凑，看得人眼都花了。

瞎子的房里，本就用不着色泽调和的，只要用手指摸着柔软舒适，就已经是他们的享受。

第二间，就是楚留香他们住的。

现在房里自然没有人。

金灵芝和英万里他们的屋子自然也没有人。

再找右边，最后一间的门还是闩着的。

张三道："勾子长想必本就住在这里，会不会是他将白猎杀了，再将尸体藏在床下面？"

他说得逼真极了，就好像亲眼看到了似的。

胡铁花的脸色已不觉有些变了，立刻用力撞开了门——屋子里竟是空的，什么都没有，甚至连床都没有。

胡铁花恨恨地瞪了张三一眼，张三只装作看不见。

高亚男和华真真的房里仿佛还留着种淡淡的香气，只不过，幽香虽仍在，人已不在了。

再过去，就是枯梅大师的遇难之地。

走到门口，张三就觉得有些寒毛冷冷，手心里也在直冒冷汗，勉强笑了笑，道："这间屋子不必看了吧？"

胡铁花道："为什么？"

张三道："她老人家遇难后，里面已洗刷过，又有谁敢再进去？"

胡铁花道："为什么不敢？"

张三勉强笑道："她老人家死不瞑目，鬼魂也许还等在里面，等人去为她超生。"

说到这里，他自己又不禁激灵灵打了个寒噤——要想吓人的人，往往都会先吓到自己。

枯梅大师活着时那么厉害，死了想必也是个厉鬼！

金灵芝的脸色已有些发白，咬着嘴唇道："这间屋子不看也好。"

胡铁花心中也有点发毛，她若不说这句话，胡铁花说不定也要放弃了。但她一说，胡铁花就偏偏要看看。

门是从外面锁着的。

张三还在劝，喃喃道："门既然是从外面锁着的，别人怎么进得去？"

他话未说完，胡铁花已扭开了锁，推开了门。

突然间，门里响起了一种令人听了骨髓都会发冷的声音。

难道这就是鬼哭？

胡铁花刚想往后退，已有一样黑乎乎的东西飞扑了出来！

扑向他的脸！

蝙蝠！

胡铁花挥手一击，才发现被他打落的，只不过是只蝙蝠！

但此刻在他眼中看来，世上只怕再也没有什么恶鸟怪兽比这蝙蝠更可怕的了，他仿佛觉得全身的骨头都在发酸。

这蝙蝠是哪里来的？

怎会飞入了一间从外面锁住的舱房？

这蝙蝠莫非来自地狱？

也许这舱房也已变成了地狱，否则既已洗刷过了，怎会还有血腥气？

张三突然失声惊呼，道："血……你看这蝙蝠身上有血！"

死黑色的蝙蝠，已被血染红！

胡铁花道："我打死了它，这本是它自己所流出的血！"

他虽然在解释，但声音已有些变了！

张三摇着头道："小小的一只蝙蝠，怎会有这么多血？听说……蝙蝠会吸人血的！"

他一面说，一面打冷战。

金灵芝的脸已变成死灰色，一步步往后退。

楚留香忽然拦住了她，沉声道："看来这船上也是危机重重，我们切不可分散。"

金灵芝嗄声道："可是……可是……这蝙蝠……这些血……是从哪里来的？"

楚留香道："我先进去看看。"

既然有楚留香带路，大家的胆子就都大了些。

船舱里很暗，血腥气更重。

白猎就仰面躺在枯梅大师昨夜死的地方，甚至连姿势都和枯梅大师差不多，只不过他胸口多了个洞！

血洞！

金灵芝又忍不住背转身，躲在角落里呕吐起来。

唯一还能发得出声音的，恐怕也就只有楚留香了。

但他也怔了很久，才一字字道："摘心手……他也是死在摘心手上的！"

张三道："是……是谁杀了他？……为的是什么？"

胡铁花突然转身，面对着金灵芝。

他脸色也已发白，看来竟是说不出的可怕，一字字道："伸出你的手来！"

金灵芝这次竟不敢不理他了，颤声道："为……为什么？"

胡铁花道："我要看看你的手！"

金灵芝却已将手藏在背后，咬着嘴唇，道："我的手没什么好看的，你还是去看别人的吧。"

胡铁花冷冷道："别人早已走了，绝不会是杀人的凶手！"

金灵芝叫了起来，道："你难道认为我就是杀他的凶手？"

胡铁花厉声道："不是你是谁？"

金灵芝叫的声音比他更大，道："你凭什么说我是凶手？"

胡铁花说道："你先在上面挡住门，又不让我们到这房间里来，为的就是怕我们发现他的尸体，是不是？"

他不让金灵芝说话，接着又道："何况，现在枯梅大师已死了，高亚男和华真真也都走了，这船上会摘心手的人，就只有你！"

金灵芝全身都在发抖，道：“我……你说我会摘心手？”

胡铁花道：“你既然能学会华山派的‘清风十三式’，就一定也学会了摘心手！”

金灵芝气得嘴唇都白了，冷笑道：“狗会放屁，你也会放屁，难道你就是狗？”

胡铁花瞪着她，很久很久，忽然叹了口气道：“你骂我也无妨，打我也无妨，因为我们总算是朋友；只不过，朋友归朋友，公道归公道，无论如何，我也得要为死去的人主持公道。”

金灵芝也在瞪着他，眼眶里渐渐红了，眼泪慢慢地涌出，一滴滴流过她苍白的面颊，滴在她浅紫色的衣襟上。

胡铁花心已酸了，却也只有硬起心肠，装作没有瞧见。

金灵芝任凭眼泪流下，也不去擦，还是瞪着他，慢慢地、一字字道：“你既然一定要认为我是凶手，我也无话可说，随便你……”

这句话还未说完，她终于忍不住掩面恸哭起来。

胡铁花用力紧握着拳头，呆了半晌，才缓缓地转过身。

楚留香还蹲在白猎的尸体旁，也不知在瞧些什么。

胡铁花咬了咬牙，道：“喂，你说我应该对她怎么办？”

楚留香头也不回，缓缓道：“你最好赶快向她道歉，愈快愈好。”

胡铁花失声道：“道歉？你要我道歉？”

楚留香淡淡地道：“道歉还不够，你还得告诉她，你是个不折不扣的大混蛋，也是个自作聪明的大傻瓜，然后再自己打自己两个耳光。”

胡铁花已听得呆住了，摸着鼻子，道：“你是真的要我这么样做？”

楚留香叹了口气，道：“你就算这么样做了，金姑娘是否能原谅你，还不一定哩！”

胡铁花讷讷道：“你难道认为她不是凶手？”

楚留香道："当然不是。"

胡铁花道："你凭哪点这么样说？"

楚留香道："好几点。"

胡铁花道："你说。"

楚留香道："第一，白猎的尸身已完全僵硬，血也早已凝固，连指甲都已发黑。"

胡铁花道："这我也看到了，每个死人都是这样子的。"

楚留香道："但一个人至少要等死了三个时辰之后，才会变成这样子。"

胡铁花道："三个时辰……你是说他是在昨夜子时以前死的？"

楚留香道："不错，那时正是船触礁的时候，金姑娘也在甲板上，而且一直站在那里没有动，怎么可以下来杀人？"

胡铁花怔住了。

楚留香又道："还有，以白猎的武功，纵然是枯梅大师复生，也不可能一出手就杀死他，除非是他已被吓呆了，已忘了抵抗。"

胡铁花嗫嚅着，道："也许他根本想不到这人会杀他，所以根本没有提防。"

楚留香道："但直到现在，他脸上还带着惊惧恐怖之色，显然是临死前看到了什么极可怕的人，极可怕的事。"

他笑了笑，接着道："谁也不会觉得金姑娘可怕，是么？"

胡铁花又呆了半晌，忽然转身，向金灵芝一揖到地，讷讷道："是……是我错了，我放屁，希望你莫要放在心上。"

金灵芝扭转身，哭得更伤心。

胡铁花苦着脸，道："我是个不折不扣的大混蛋，也是个自作聪明的大傻瓜，我该死，砍我的脑袋一百八十次也不冤枉。"

金灵芝忽然回过头道："你说的是真话？"

胡铁花道："当然是真的。"

张三立刻抢着道："真的是真话？你有一百八十个脑袋吗？"

胡铁花往后面给了他一脚，面上却带着笑道："我的脑袋一向比别人大，就算砍不了一百八十次，砍个七八十刀总没有什么问题。"

他只希望金灵芝能笑一笑。

金灵芝的脸却还是挂得有八丈长，咬着牙道："我也不想砍你的脑袋，只想割下你这根长舌头来，也免得你以后再胡说八道。"

张三膝盖被踢得发麻，一面揉着，一面大声嚷道："金姑娘若是没有刀，我可以到厨房去找把切肉的菜刀来。"

金灵芝沉着脸，反手拔出了柄匕首，瞪着胡铁花道："你舍不舍得？"

胡铁花叹了口气，苦笑道："能保住脑袋，我已经很满意了，区区的一根舌头，有什么舍不得的？"

金灵芝道："好，伸出你的舌头来。"

胡铁花竟真的闭上了眼睛，伸出了舌头。

金灵芝道："再伸长些。"

胡铁花苦着脸，想说话，但舌头已伸出，哪里还说得出？

张三笑嘻嘻道："金姑娘，要割就往根割，以后粮食断了，还可用这条舌头煮碗汤喝。"

金灵芝道："这根舌头还不够长，不如索性把他两个耳朵也一齐割下来吧！"

楚留香忽然道："要割还是割鼻子的好，反正这鼻子迟早总有一天要被揉掉了。"

胡铁花叫了起来，道："你们拿我当什么？猪头肉么？"

金灵芝刀已扬起，突然扑哧一声，笑了。

她脸上还带着泪痕，带着泪的笑看来更美如春花。

胡铁花似已瞧得痴了。

他忽然觉得自己最喜欢的女人还是她。

她既不矫揉做作，也不撒娇卖痴。

她既不小心眼，也不记仇。

她又明朗，又爽直，又大方。

她无论在多么糟糕的情况下，都还有心情来开开玩笑，让自己轻松些，也让别人轻松些。

她的脾气来得快，去得也快，简直就和他自己完全一模一样。

胡铁花觉得她的好处简直多得数也数不清，若是将这样的女孩子轻轻放过，以后哪里找去？

胡铁花下了决心，以后一定要好好地对她，绝不再惹她生气。

他痴痴地瞧着她，早已将别的人全忘得干干净净。

张三忽也叹了口气，摇着头道：“看来金姑娘虽未割下他的舌头来，却已将他的魂割了去。”

胡铁花喃喃道：“不但魂，连心都被割走了。”

金灵芝用刀背在他头上轻轻一敲，抿着嘴，笑道：“你还有心么？我还以为你的心早就喂了狗哩！”

少女们哭泣后的笑，就像是春雨连绵后的第一线阳光。

大家的心情仿佛都开朗了许多。

但在金灵芝看到白猎的尸身时，她的笑容就又消失了，黯然道：“他……他死得真惨，是谁这么狠心，下这样的毒手？”

张三道：“昨夜船触了礁后，好像每个人都在甲板上。”

金灵芝点头道：“那时我已发现白……白先生没有上去，我还以为他……他不敢见我，所以才故意留在下面。”

说着说着，她的眼眶又红了，凄然道：“自从那天晚上，我让他很难受之后，他就一直躲着我，否则，他也许就……就不会死了。”

胡铁花大声道："这绝不关你的事，杀他的人，一定就是勾子长和丁枫。"

他不让别人说话，接着又道："因为只有勾子长才有杀他的理由，他忽然发现他们也在这里，自然会觉得很吃惊，很害怕，所以才会下了毒手。"

张三又叹了口气，道："很有道理，只可惜勾子长那时也早就走了。"

胡铁花怔了怔，吃吃道："也……也许，他们是杀了人之后才逃走的，我们并不能确定白猎究竟是什么时候死的，是么？"

楚留香道："但勾子长和丁枫却绝不会使这摘心手！"

胡铁花道："你怎么知道？"

楚留香道："因为枯梅大师练这摘心手，就是为了要对付蝙蝠岛上的人；由此可见，摘心手的绝技并没有外流。"

胡铁花想了想，忽然颔首道："不错，听那位华姑娘的口气，枯梅大师也是最近才练成这摘心手的。"

张三道："如此说来，会使摘心手的人岂非只有三个？"

胡铁花道："一点也不错，正是三个。"

楚留香沉声道："只有两个，只因枯梅大师已经死了。"

胡铁花道："我可以保证高亚男绝不是凶手，因为昨天晚上她一直跟着我，绝不可能分身去杀人。"

金灵芝仿佛想说什么，但瞧了楚留香一眼，又忍住了。

张三已叫了起来，说道："对了，昨天晚上那位华姑娘是最后上甲板的，她上来的时候，我恰巧看到她，那时我就觉得她神情有些不对。"

胡铁花瞪着眼，道："你说的是华真真？"

张三道："不是她是谁？"

胡铁花摇头道："不可能，你们若说她是凶手，我绝不相信！"

金灵芝用眼角瞟了他，冷冷道："你只相信我会杀人。"

胡铁花苦笑着，讷讷道："可是……她一见了血就会晕过去，怎么会杀人？"

张三淡淡道："有时我见了血也会晕过去的，要死也许很难，要晕过去还不容易？"

胡铁花道："无论如何，我也不相信那么温柔的小姑娘会杀人。"

张三沉默了半晌，忽然道："你还记得那位'无花'和尚么？"

胡铁花道："当然记得。"

张三道："你有没有看到过比他更斯文、更温柔的男人？"

胡铁花道："他看来的确也像是个小姑娘。"

张三道："他只要一听到'杀人'两个字，就会赶紧掩住耳朵，但他自己杀起人，却是一刀一个，好像切豆腐。"

胡铁花怔了半晌，叹息着道："她若真的是凶手，我想有人一定会很难受的。"

他瞟了楚留香一眼，道："老臭虫，你说是么？"

楚留香一个字也不说。

金灵芝也叹了口气，道："老实说，看到她那种娇滴滴的模样，我也不相信她能够杀得了白猎。"

胡铁花道："对了，你莫忘记，白猎的武功已可算是一流高手，连高亚男都未必是他的对手，华真真年纪那么轻，入门一定比较晚，武功也绝不可能比高亚男高，怎么可能杀得了白猎这样的高手？"

张三也怔了半晌，苦笑道："其实我也没有说她一定是凶手，只不过觉得她有可能而已！"

胡铁花道："我却认为简直连一点可能都没有。"

张三喃喃道："凶手若不是她，是谁呢？难道真的是枯梅大师的鬼魂么？”

金灵芝的脸立刻又被吓白了，拉住胡铁花，悄悄道：“这里好像真有点鬼气森森的，有什么话，上去再说吧！”

胡铁花道：“不错，蝙蝠岛上的人，只怕已来接我们了。”

等他们全出去了，楚留香忽然俯下身，用指甲在地上刮了刮，刮起了一些东西，再找了张纸，很小心地包了起来。

他又发现了什么？

不见了。

方才还拥在甲板上的那一大群水手，此刻竟已全都不见了！

金灵芝已怔在那里。

张三失声道：“莫非蝙蝠岛上的人已来过，已将他们接走？”

胡铁花恨恨道：“没有人来接，我们难道就不能自己去么？”

张三试探着道：“金姑娘至少总知道他们秘窟的入口吧？”

金灵芝没有说话，脸色更苍白得可怕。

胡铁花柔声道：“没关系，就算你不知道，我们也一样能找到。”

他笑了笑，道：“神水宫那地方可算是最秘密的了，还不是一样被我们找到了么？”

金灵芝忽然拉着他的手，颤声道：“我们不要去好不好？”

胡铁花愕然道：“为什么？”

金灵芝垂下头，道：“没……没有什么……”

胡铁花柔声道：“既已到了这里，怎么能不去？”

张三道：“何况我们也根本退不回去，根本没有别的路可走。”

金灵芝身子已在发抖，道：“可是……可是你们不知道那地方有多可怕。”

胡铁花笑了笑，道：“再可怕的地方我们都走过了——你听说过石观音没有？”

金灵芝点了点头。

胡铁花道：“石观音的秘窟简直可说已可怕到了极点，好好的人，只要一走进那地方，就会变成个疯子、白痴。”

想起“大沙漠”那件事，他们似乎还有余悸，长长吐出了口气，才接着道：“每个人都说：‘只要走进去的人，就永远休想活着出来了……’可是你看，我们还不是好好地活着么？”

金灵芝咬着嘴唇，用力摇着头，道：“那不同……那完全不同。”

胡铁花道：“有什么不同的？”

金灵芝又不说话了。

楚留香沉吟着道：“金姑娘既然这么样说，那蝙蝠岛想必有什么特别与众不同的可怕之处，也许我们连想象都无法想象。”

张三赔着笑道：“求求你，金姑娘，你就说出来吧！这见鬼的蝙蝠岛究竟是个什么样的地方，究竟有什么特别的可怕之处？”

金灵芝沉默了很久，一字字道：“我不知道。”

胡铁花笑了。

金灵芝忽然大声道：“我真的不知道，因为我根本看不见。”

胡铁花又怔住了，道：“看不见？怎么会看不见？又怎么会觉得可怕？”

金灵芝咬着牙，颤声道：“就因为看不见，所以才可怕。”

胡铁花皱眉道：“为什么？我简直不懂。”

张三道：“我懂。”

胡铁花冷笑道：“你懂个屁！”

张三也不生气，道：“我问你，世上最可怕的是什么？”

胡铁花想了想，道：“寂寞——我认为世上最可怕的就是寂寞。”

张三叹了口气，苦笑道：“大少爷，我们现在不是在作诗，是在想法子，要怎么才能保住这条命。”

胡铁花道：“那么，你说世上最可怕的是什么？”

张三目光遥注着远方，缓缓道：“就是黑暗，就是看不见！”

他忽又长长叹息了一声，接着道：“我现在才总算明白，‘蝙蝠岛’这三个字的意思了。”

胡铁花道：“是什么意思？”

张三道：“你知不知道蝙蝠这样东西身上缺少了什么？”

胡铁花茫然摇了摇头。

张三道：“眼睛——蝙蝠没有眼睛的，是瞎子！”

胡铁花道：“你的意思是说……蝙蝠岛上的人都是瞎子？”

张三道：“想必是的。”

胡铁花皱皱眉道：“可是……瞎子又有什么可怕的呢？”

张三苦笑道：“瞎子当然不可怕，但自己若也变成瞎子，那就可怕了。”

胡铁花脸色也有些变了，道：“你难道认为我们一到了蝙蝠岛，也会变成瞎子？”

张三道：“嗯。”

胡铁花冷笑道：“我倒要看看他们有什么手段能将我弄瞎，除非他们真有魔法。”

金灵芝长长叹息了一声，道：“他们用不着魔法，无论谁一到那里，自己就会变成瞎子的。”

第十七章

人间地狱

寸草不生。

石头是死灰色的，冷、硬、狰狞。

怒涛拍打着海岸，宛如千军呼啸，万马奔腾。

岛的四周礁石罗列，几乎每一个方向都有触礁的船只，看来就像是一只只被恶兽巨牙咬住的小兔。

无论多轻巧、多坚固的船，都休想能泊上海岸。

天地肃杀。

胡铁花披襟当风，站在海岸旁的一块黑石上，纵目四览，忍不住长长叹了口气，动容道："好个险恶的所在！"

张三苦笑道："我若非自己亲眼看到，就算杀了我，我也不信世上竟会有这样的地方，竟有人能在这种地方活得下去！"

胡铁花也道："也许他们根本不是人，是鬼。因为这地方根本就像是个坟墓，连一样活的东西都瞧不见。"

张三道："甚至连一条完整的船都没有，看来无论谁到了这里，都休想走得了。"

胡铁花转向金灵芝，问道："你真的到这里来过一次？"

金灵芝道："嗯。"

胡铁花道："那次你怎么走的？"

金灵芝道："是蝙蝠公子叫人送我走的。"

胡铁花道："他若不送你呢？"

金灵芝垂下头，一字字道："他若不送，我只有死在这里！"

她一踏上这岛屿，连舌头都似乎已紧张得僵硬起来，每说一个字，都要费很大的力气。

说完了这两句话，她头上已沁出了冷汗。

听完了这两句话，胡铁花身上似已觉得冷飕飕的，手心竟也有些发湿。

他现在才相信这里确实比石观音的迷魂窟、水母的神水宫都可怕得多，因为那些地方毕竟还有活路可退。

这里却是个无路可退的死地！

楚留香沉吟着，忽然道："你说的那蝙蝠公子就是这里的岛主？"

金灵芝道："嗯。"

楚留香道："你可知道他姓什么？叫什么名字？"

金灵芝道："不知道——没有人知道。"

楚留香道："也没有人看到过他？"

金灵芝道："没有——我已说过，到了这里的人，都会变成瞎子。"

楚留香淡淡地笑了笑，道："如此说来，这次原公子倒反而占了便宜。"

胡铁花道："占了便宜？为什么？"

楚留香道："因为他本来就是瞎子。"

金灵芝忽然抬起头，道："香帅……现在我们赶快离开这里，也许还来得及……"

楚留香道："离开这里？到哪里去？"

金灵芝道："随便到哪里去，都比这里好得多。"

楚留香道："但这里岂非无路可退么？"

金灵芝道："我们可以找条破船，躲在里面等，等到有别的船来的时候……"

胡铁花打断了她的话，道："那要等多久？"

金灵芝道："无论等多久我都愿意。"

胡铁花叹了口气，道："也许我也愿意陪你等，但你却不知道这老臭虫的脾气。"

金灵芝道："可是……香帅，这地方实在太凶险，你难道不想活着回去么？"

胡铁花叹道："你愈这么说，他愈不会走的。"

金灵芝道："为什么？"

胡铁花道："因为愈危险的事，他愈觉得有趣。他这人一辈子就是喜欢冒险，喜欢刺激，至于能不能活着回去，那又是另外一回事了。"

金灵芝又垂下了头，缓缓道："我知道你们一定以为我怕死——其实我怕的并不是死。"

楚留香柔声道："我明白，这世上的确有些事比死还可怕得多，所以……金姑娘若想留下来，我们绝不会勉强。"

胡铁花道："你也可以叫张三留下来陪你，他本就应该这么样做的。"

张三咬着牙，瞪了他一眼，道："只要金姑娘愿意，我当然可以留下陪她，只怕她却不要我陪的，要你……"

金灵芝忽又抬起头，凝注着胡铁花，道："你愿不愿陪我？"

胡铁花擦了擦汗，道："我当然愿意，可是……"

金灵芝道："可是怎么样？"

胡铁花抬起头，触及她的眼波，终于轻轻叹了口气，道："没有什么。我陪你。"

金灵芝凝注着他，良久良久，才轻轻道：“只要能听到你这句话，我还怕什么？……”

一块屏风的岩石后，悬着条钢索，吊着辆滑车。

钢索通向一个黑黝黝的山洞。

金灵芝将他们带到这里，胡铁花就忍不住问道：“这里就是入口？”

金灵芝道：“上次我就是从这里进去的。”

胡铁花道：“为什么连一个看守的人都没有？”

金灵芝叹道：“有些地方要进去本就很容易，要出来——就难如登天了！”

楚留香道：“这滑车的终点在什么地方？”

金灵芝道：“就是他们的迎宾之处。”

楚留香道：“蝙蝠公子就是在那里迎接宾客？”

金灵芝道：“有时是丁枫在那里。”

楚留香道：“丁枫究竟是蝙蝠公子的什么人？”

金灵芝道：“好像是他的徒弟。”

楚留香沉吟了半晌，又问道：“从这里到那地方有多远？”

金灵芝道：“我也不知道有多远，只知道我数到七十九的时候，滑车才停住。”

胡铁花笑道：“看来女孩子的确比男人细心得多，我就算来过，也绝不会数的。”

张三道：“就算数，也数不对，你根本不识数，连自己喝了多少杯酒都数不清——有时明明只喝了二三十杯，却硬要说自己已喝了八十多杯。”

胡铁花道：“我知道你会数，因为你喝的酒从来没有超过三杯。”

楚留香忽然笑了笑，道：“你能数到五十么？”

胡铁花瞪眼道：“当然……”

楚留香道：“好，一上车，我们就开始数，数到五十的时候，我们就往下跳。”

数到“十”的时候，滑车已进入了黑暗。

无边无际，深不见底的黑暗，连一点光都没有。

也没有声音。

每个人的身子随着滑车往下滑，心也在往下沉。

“世界上最可怕的事情，的确就是黑暗，就是看不见！”

数到“三十”以后，就连入口处的天光都瞧不见了，每个人都觉得愈来愈闷，愈来愈热。

难道这真是地狱的入口？

胡铁花紧紧握着金灵芝的手，数到“四十六”的时候，他的手才放开，轻轻拍了拍她的肩头。

“四十七、四十八、四十九、五十……跳！”

张三只觉自己的人就像是块石头，往下直坠。

下面是什么地方？

是刀山？是油锅？还是火坑？

无论下面是什么，他都只有认命了。

他根本已无法停住！

好深，还没有到底……

张三索性闭起眼睛，就在这时，他忽然觉得足尖触及了一样东西。

他再想提住气，已来不及了。

就算下面只不过是石头，这一下他的两条腿只怕也要跌断。

忽然间，一只手从旁边伸过来，将他轻轻托住——他当然看不到这只手是谁的，但是除了楚留香还有谁？

“唉，有楚留香这种朋友在身边，真是运气。”

但这念头刚在他心里升起，这只手已点了他身上七八处穴道！

更闷、更热。

张三就像条死鱼般被人摔在地上。

他咬住牙，不出声。

这人居然也什么都没有问，只听他脚步声缓缓地走了出去。

黑暗，伸手不见五指。

这里究竟是什么地方？牢狱？

楚留香、胡铁花和金灵芝呢？

张三只希望他们比自己的运气好些。

就在这时，又有一个人的脚步声走了进来。

接着，又有一个人被摔在地上，摔得更重。

胡铁花的运气并不比张三好，他落下时，落入了一张网。

一张仿佛是铁丝编成的网。

他全身骨头都被勒得发疼，这一摔，更几乎将他的骨头都拆散。

他忍不住破口大骂，但无论他怎么骂，都没有人理他。

脚步声已走了出去。

“砰”的一声，门关起，听声音不是石门，就是铁门。

突听一人轻唤道：“小胡？……”

胡铁花一惊，道：“张三吗？”

张三叹道：“是我，想不到你也来了。”

胡铁花恨恨道：“这个筋斗栽得真他妈的冤枉，连人家的影子都没有瞧见，就糊里糊涂地落入了人家的手里。”

他这一生也充满了危险和刺激，出生入死也不知有多少次，每一次都至少还能反抗!

这一次他竟连还手的机会都没有。

张三叹了口气，道：“我现在才懂得她为什么要害怕了，也许我们真该听她的话的。”

胡铁花咬着牙道：“我现在才知道那蝙蝠公子简直不是人，只要是人，就不会想出这么恶毒的主意。”

张三道：“石观音比他如何？”

胡铁花也不禁叹了口气，道：“石观音和他一比，简直就像个还没有断奶的小孩子。”

张三苦笑道：“看来我们一到这里，他们就已知道了……我们的一举一动他都知道，我们却看不到他，这才叫可怕。”

他忽又问道：“金姑娘呢？”

胡铁花没有回答这句话，却反问道：“老臭虫呢？怎么还没有来？”

张三道：“你希望他来？”

胡铁花叹道：“就算他的本事比我们大，毕竟不是神仙，到了这种鬼地方，他就算有天大的本事，也使不出来的。”

张三沉默了半晌，缓缓道：“也许他的运气比我们好，他……”

这句话还没有说完，门又开了。

又有一个人的脚步声走了进来，将一个人重重摔在地上。

胡铁花和张三心都沉了下去。

门又关起。

胡铁花立刻唤道：“老臭虫，是你么？”

没有人回答。

张三失声道："莫非他运气比我们还坏，已遭了毒手？"

胡铁花道："绝不会，他们绝不会将个死人关到这里来。"

张三道："就算未死，受的伤也必定不轻，否则怎会说不出话？"

胡铁花沉吟着，问道："你还能不能动？过去瞧瞧他！"

张三叹道："我现在简直像只死蟹——你呢？"

胡铁花叹道："简直比死蟹还糟！"

张三道："也许……也许这人不是老臭虫，是金姑娘。"

只要楚留香还没有死，他们就有希望。

所以他希望这人是金灵芝。

胡铁花却断然道："绝不是。"

张三道："为什么？"

胡铁花又不回答了。

张三着急道："你吞吞吐吐的，究竟有什么事不肯说出来？"

胡铁花还是不说。

张三沉默了很久，黯然道："老臭虫若也到了这里，我们就死定了！"

突听一人道："我不是楚留香。"

这声音正是方才那人发出来的。

这声音听来竟仿佛很熟。

胡铁花、张三同时脱口问道："你是谁？"

这人长长叹了口气，道："我不是人，是畜生——不知好歹的畜生。"

张三失声道："勾子长，你是勾子长！"

胡铁花也听出来了，也失声道："你怎么也到这里来了？"

勾子长惨笑道："这就是我的报应。"

张三道："难道是丁枫？……"

勾子长恨恨道："他更不是人，连畜生都不如。"

胡铁花道："他为什么要这样对你？"

勾子长闭上了嘴。

但他纵然不说，胡铁花心里也明白。

"兔死狗烹。"

一个人出卖了朋友，自然也会有别人出卖他。

这正是天下所有走狗们的悲哀。

勾子长仿佛在呻吟，显然已受了伤。

胡铁花本想讥讽他几句，臭骂他一顿的，现在又觉得有些不忍了，只是长长叹息了一声，道："幸好老臭虫还没有来。"

张三道："我早就知道，无论在多凶险的情况下，他都有本事……"

这句话没有说完，又有开门的声音响起，又有脚步声走了进来。

这次来的竟似有两个人……

胡铁花和张三的心立刻又凉了。

"楚留香毕竟也是个人，不是神仙，在这种黑暗中，一个人无论有多大的本事，也是使不出来的。"

楚留香一跃下滑车，立刻就觉得不对了。

他天生有种奇异的本能，总能感觉到危险在哪里。

现在，危险就在他脚下！

他的身子已往下坠，已无法回头，更无法停顿。世上仿佛已没有什么人能改变他悲惨的命运。

能改变他命运的，只有他自己——无论谁要改变自己的命运，都只有靠自己。

车已滑出去很远。

楚留香突然蜷起了双腿，凌空一个翻身，头朝下，蜷曲的腿用力向上一蹴，身子乘势向上弹，足尖已勾住悬空的钢索。

他这才松了口气。

只要他的反应稍微慢了些，足尖搭不上钢索，他也只有坠下，坠入和胡铁花他们同样的陷阱。

这时他已听到了胡铁花愤怒的惊呼声。

声音很短促，然后一切又归于平静。

但平静并不代表安全，黑暗中仍然到处都潜伏着危机!

楚留香倒挂在钢索上，又必须在最短时间里作一个最重要的决定——也许就是他生死的决定。

他可以跃上钢索，退出去，也可以沿着钢索走向蝙蝠岛的中心。

但他立刻判断出这两条路都不能走。

钢索的另一端，必定还有更凶险的陷阱在等着他。

他更不能抛下他的朋友。

钢索在轻微地震动，滑车似已退回。

楚留香立刻在钢索上摇荡了起来，摆动的幅度愈来愈大，终于渐渐和钢索的高度平行。

他的人突然箭一般射了出去。

“楚香帅轻功高绝天下，非但没有人能比得上，甚至连有翅膀的鸟都比不上。”

这虽是江湖中的传言，却并不十分夸张。

借着这摆动的力量，他横空一掠，竟达七丈。

若是换了别人，纵然能一掠七丈，也难免要撞上石壁，撞得头破血流。

但他掠出时，脚在后，手在前，指尖一触及山壁，全身的肌肉立刻放松，整个人立刻贴上了山壁，缓缓地向下滑。

滑了一两丈后，才慢慢停顿，像是只壁虎般静静地贴在山壁上，先让自己的情绪稳定下来。

然后，他就开始听。

没有声音，却充满了一种复杂的香气，有酒香，有果香，有菜香，还仿佛有女人的脂粉香。

这里究竟是个怎么样的地方？

楚留香耳朵贴上了石壁，才听到石壁下仿佛有一阵阵断续的、轻微的、妖艳的笑声，女人的笑声。

他是个有经验的男人，当然知道女人在什么时候才会发出这种笑声来，他却想不到会在这种地方听到这种笑声。

他也听到了自己心跳的声音。

等心跳也稳定下来，他就开始用壁虎功向左面慢慢移动。

他终于找到声音是从什么地方发出来的。

他就从这地方滑下去。

有这种笑声的地方，总比别的地方安全些。

黑暗虽然可怕，但现在却反而帮了他的忙，只要他能不发出一丝声音，就没有人能发现他。

轻功无双的楚香帅当然不会发出任何声音。

他一直滑到底，下面是一扇门。笑声就是从门后发出来的，只不过这时笑声已变成了令人心跳的呻吟声。

楚留香考虑着，终于没有推开这扇门。

“有所不为，有所必为”，有些事，他是死也不肯做的。

他再向左移动，又找着另一扇门。

这扇门后没有声音，他试探着，轻轻一推，门就开了。

门后立刻响起了人语声：“请进来呀。”

声音娇媚而诱惑，简直令人无法拒绝。

楚留香看不到这扇门后有些什么，也猜不出她是什么人，有多少人。也许他一走进这屋子，就永远不会活着走出来。

但他还是走了进去。

判断虽只是刹那间的事，但其决定却往往会影响到一个人的一生。

屋子里的香气更浓，浓得几乎可以令人融化。

楚留香一走进门，就有一个人投入了他的怀抱。

一个女人，赤裸裸的女人。

她的皮肤光滑而柔腻，她的胸膛坚挺。

她整个人热得就像是一团火。

陌生的地方，陌生的女人，黑暗……

世上又有哪个男人能抵抗这种可怕的诱惑？楚留香的本能似也有了反应……

女人吃吃地笑着，探索着他的反应，用甜得发腻的声音笑道："你还年轻，我已有很久没有接到过年轻人了，到这里来的，几乎全是老头子……又脏又臭的老头子……"

她紧紧地缠着楚留香，就像是恨不得将他整个人都吞下去。

她的需要竟如此强烈，几乎连楚留香都觉得吃惊了，这女人简直已不像是人，像是一只思春的母狼。

她的手几乎比男人还粗野，喘息着道："来呀……你已经来了，还等什么？"

这匹母狼仿佛已饥渴了很久很久，一得到猎物，无法忍耐，恨不得立刻就将她的猎物撕裂！

她简直已疯狂。

楚留香暗中叹了口气。

这样的女人，他还没有遇到过，他也并不是不想尝试。

只可惜现在却不是时候。

女人呻吟着，道："求求你，莫要再逗我好不好？我……"

楚留香突然打断了她的话，道："我至少应该先知道你是谁？"

女人道："我没有姓，也没有名字，你只要知道我是个女人就够了——在这里的女人，反正全部都是一样的。"

楚留香道："这里是什么地方？"

女人像是吃了一惊，道："你不知道这里是什么地方？"

楚留香道："不知道！"

女人道："你……你既然不知道，是怎么来的？"

楚留香还没有回答，她又缠了上来，腻声道："我不管你是谁，也不管你是怎么来的，只要你是个男人——只要你能证明自己是个男人，我就什么都不管了。"

楚留香道："若是我不愿证明呢？"

女人长长吐出口气，道："那么你就得死！"

楚留香知道这并不是威胁，一个人到了这里，本就随时随地都可能死，而且死得很快。

他若想安全，若想探听这里的秘密，就得先征服这女人。

要征服这种女人，只有一种法子。

楚留香却想用另一种法子。

他突然出手，捏住了她致命的穴道，沉声道："我若死，你就得先死；你若想活着，最好先想法子让我活着。"

女人非但没有害怕，反而笑了，道："死？你以为我怕死？"

楚留香道："嘴里说不怕死的人很多，但真不怕死的人我还未见过。”

女人笑道：“那么你现在就见到了。”

楚留香道：“我也可以让你比死更痛苦。”

女人道：“痛苦？像我这样的人，还有什么样的痛苦能折磨我？”

楚留香说不出话，他知道她说的是真话。

女人又道：“你无论用什么法子都吓不到我的，因为我根本已不是人！”

楚留香叹了口气，道：“只要你帮我忙，我也会帮你的忙，无论你要什么，我都可以答应。”

女人道：“我只要男人，只要你！”

要征服这种女人，只有一种法子，根本就没有选择的余地。

无论多大的浪潮，都会过去的，来得若快，去得也快。

现在，浪已过去。

她躺在那里，整个人都已崩溃。

她活着，也许就为了要这片刻的欢愉。

一个人若只为了片刻的欢乐才活着，这悲痛又是多么深邃。

楚留香忽然觉得她比自己所遇到的任何女人都可怜，都值得同情。

因为她的生命已完全没有意义，既没有过去，也没有未来。

过去是一片黑暗，前程更黑暗。

她活着，就是在等死。

楚留香忍不住叹了口气，道：“只要我能活着出去，我一定也带你出去。”

女人道：“你不必。”

楚留香道：“你难道想在这里过一辈子？”

女人道："是。"

楚留香柔声道："你也许已忘了外面的世界是什么样子，人间并不是如此黑暗的，那里不但有光明，也有欢乐。"

女人道："我不要，什么都不要，我喜欢黑暗。"

无论她说什么，都是同样的声音，永远是那么甜、那么媚。

一个人竟会用这样的声音说出这种话，简直是谁都无法想象的事。

她竟似已完全没有情感，接着又道："我要的，你已给了我，你要的是什么？"

楚留香道："我……我想问你几件事。"

女人道："你不必问我是谁，我根本不是人，只不过是妓女；只要是到了这里的人，都可以来找我，我都欢迎。"

这窄小的、黑暗的房子，就是她的全部生命，全部世界。

在这里没有年，没有月，也分不出日夜。

她只能永远在黑暗中等着，赤裸裸地等着，等到她死。

这种生活简直不是人过的生活，简直没有人能够忍受。

但她却在忍受着。

像这种生活无论谁只要忍受一天，都会发疯，都会变成野兽，贪婪的野兽。所以无论她做出什么事，都是可以原谅的。

楚留香忽然悄悄下了床，穿好了衣裳。

她也没有挽留，只是问了句："你要走了？"

楚留香道："我不能不走。"

女人道："到哪里去？"

楚留香叹了口气，说道："现在我还不知道到哪里去。"

女人道："你知道外面是什么地方？"

楚留香道："不知道。"

女人道："既然不知道，你根本就连一步都不能走，也许你只要一走出这屋子，就得死！"

楚留香淡淡接道："也许……但我无论如何也要试试。"

女人道："你为什么不要我帮你的忙？"

楚留香沉默着，只因他不忍。他既不忍说，也不忍再要她做任何事，更不忍再利用她。

现在他已有了种负罪的感觉。

若有人能忍心利用她这样的可怜人，那罪恶简直不可饶恕。

沉默了很久，楚留香才叹息着，道："无论如何，只要我能活着出去，我还是会来带你走。"

女人也沉默了很久，才缓缓道："你……你是个好人。"

她声音里竟忽然有了感情，接着又道："无论你想到哪里去，我都可以跟你去。"

楚留香说道："你不必……只要跟着我，就会有危险。"

女人笑了笑，道："危险？我连死都不怕，还怕什么危险？"

楚留香道："可是我……"

女人接口说道："这是我自己愿意的，我几乎从没有做过一件我自己愿意做的事，你至少应该给个机会给我。"

世上虽没有永恒的黑暗，却也没有永恒的光明，所以人间总是有很多悲惨的故事，产生了许许多多哀艳的诗赋、凄凉的歌曲……

但无论多凄凉哀艳的诗歌，都比不上这简简单单的一句话，这句话实在太令人心酸。

"我几乎从来没有做过一件我自己愿意做的事……"

也许很少有人能真正了解这句话里所蕴含的悲痛是多么深邃，因为也很少有人会遭遇到如此悲惨的命运。

何况，人们总觉得只有自己的悲哀才是真实的，根本就不愿去体会别人的痛苦。

楚留香却很了解。

他不但懂得如何去分享别人的成功与快乐，也很能了解别人的不幸，他一心想将某些人过剩的快乐分些给另一些太不幸的人。

所以他流浪，拼命管闲事，甚至不惜去偷、去抢。

所以他才是楚留香——独一无二，无可比拟的“盗帅”楚留香。盗贼中的大元帅，流氓中的佳公子。

若没有这种悲天悯人的心肠，他又怎会有如此多姿多彩、辉煌丰富的一生?

那么，后人也就不会听到他这么多惊险刺激、可歌可泣的故事。

黑暗。

这地方的黑暗似已接近永恒。

楚留香被她拉着手，默默地向前走，心里还带着歉疚和伤感!

“我没有名字……我只不过是个工具，你若一定要问，不妨就叫我‘东三娘’吧，因为我住的是第三间屋子。”

无论多卑贱的人，都有个名字，有时甚至连猫狗都有名字。

为什么她没有?

“你要我带你到哪里去，逃出去？”

当然不是。

“也许你要去找蝙蝠公子？”

也不是。

“我先要去救我的朋友。”

朋友永远第一，朋友的事永远最要紧。有些人甚至会认为，楚留香也是为别人活着的。

可是他愿意，他只做他愿意做的事。

从没有人能勉强他——以后他若遇到不幸时，只要想起现在握住他手的这女人，他就会觉得自己还是幸运的。

“她就算不能逃出去，为什么没有勇气死呢？”

也许会有人问这话。

但楚留香却知道，死，并不如想象中那么容易。

尤其是当一个人被痛苦折磨得太久时，反而不会死了。

因为他们连勇气都已被折磨得麻木，也太疲倦了，疲倦得什么都不想做，疲倦得连死都懒得去死。

“我知道那边有间牢狱，却不知你朋友是不是被关到那里去了，说不定他们已经遭了毒手。”

这正是楚留香想都不敢想的事。

“这地方有三层，我们现在是在最下面一层。”

她的确是活在地狱中的地狱里。

“下面这一层有东、西、南三排屋子，中间是厅，有时我们也会到厅里去陪人喝酒。”

楚留香忽然想起了他以前去过的妓院。

那种地方通常也有个大厅，姑娘们就住在四面的小屋子里等着，等着人用金钱来换取她们的青春。

比起这地方的人来，她们也许要比较幸运些。

但又能幸运多少呢？

又有谁真正愿意做这种事？

又有谁能看到她们脂粉下的泪痕？

在这种地方做久了，岂非也会变得同样麻木、同样疲倦？

她们当然也想逃，但又能逃到哪里去？

“上面那两层，我只去过一两次，幸好牢狱就在下面这一层，我们出门后，沿着墙向右走，再走到后面，就到了。”

听来这只不过是很短的一段路，但现在，楚留香却觉得这段路简直就好像永远也走不到似的。

无论走多远，都是同样的黑暗。

他简直就像是从未移动过。

“在这屋里，我们还可以说话，但一走出门，就绝不能再发出任何声音来，这里到处都是致命的埋伏，走得慢些，总比永远走不到好。”

在屋里，她已将这些话全都说出来了。

现在，她只是静静地往前走，走得很慢。

楚留香已能感觉到她的手心渐渐发湿，正在流着冷汗。

他自己似也感觉到有种不祥的警兆!

就在这时，东三娘的脚步也已停下，手握得更紧。

楚留香虽然什么都瞧不见，却已感觉到有人来了。

来的有两个人。

两个人走路虽然都很小心，但还是带着很轻微的脚步声。

蝙蝠岛上的人，当然绝不会人人都是轻功高手，但要是这两人发觉了他们，后果就不堪设想了。

楚留香背贴着石壁，连呼吸都已停止。

这两人慢慢地走了过来，仿佛是在巡逻，又仿佛是在搜索!

只要有一线光，他们就立刻会发觉楚留香距离他们还不到两尺。

但在蝙蝠岛上，绝不许有一线光，无论任何人，都绝不允许带任何一种可以引火的东西上岸。

就连吃的东西，也都是冷食，因为只要有火，就有光。

“要绝对黑暗！”

这就是蝙蝠公子的命令。

这命令一向执行得很严格、很有效！

两个人都没有说话，但楚留香却忽然听到说话的声音。

原来他身旁就是扇门，声音就是从门里发出来的。

不知什么时候，这扇门已开了。

一个男人的声音道："你还拉住我干什么？是不是还想问我要这个鼻烟壶？"

一个女人的声音在软语央求，道："只要你把它给我，我什么都给你。"

男人淡淡道："你本就已将什么都给我了。"

女人的声音更软，道："可是，你下次来……"

男人冷笑道："下次？你怎知我下次还会来找你？这地方的女人又不只你一个人！"

女人不说话了，这件事似已结束。

男人忽又道："你又不吸鼻烟，为什么一定要这鼻烟壶？"

女人轻轻道："我喜欢它……我喜欢那上面刻的图画。"

男人笑了，道："你看得到么？"

女人道："可是我却能摸得出，我知道上面刻的是山水，就好像我老家那边的山和水一样，我摸着它时，就好像又回到了家……"

她的声音轻得就像梦呓，忽然拉住男人，哀求道："求求你，把它给我吧！我本来以为自己已是个死人，但摸着它的时候，我就像是又活了……摸着它时，我就好像觉得什么痛苦都可以忍受，我从来没有这么样喜欢过一样东西，求求你给我吧，你下次来，我一定……"

这些话就正如东三娘说的同样令人心酸。

楚留香几乎忍不住要替她求他了。

但她的话还没有说完，就听到"啪"的一声清脆的响声。她的人似已被打得跌倒。

那男人却冷笑着道：“你的手还是留着摸男人吧，凭你这样的贱货，也配问我要……”

东三娘突然甩脱楚留香的手，向这人扑了过去！

愤怒！只有愤怒才能令人自麻木中清醒，只有愤怒才能令人不顾一切。

东三娘扑上去时，已不顾一切！她觉得那男人的耳光就像是掴在她自己脸上一样！

那男人显然做梦也未想到旁边会有人扑过来，忍不住惊呼一声，“叮”地，一样东西跌在地上，显然就是那鼻烟壶。

本来在巡逻的两个人，一听到人声，就停了下来，始终静静地站在一旁，听到这一声惊呼，也立刻扑了过来！也许就在这刹那间，所有的埋伏都要被引发！

也许楚留香立刻也要落入“蝙蝠”的掌握，他所有的努力、所有的计划眼看就已将全都毁了。

就毁在一只小小的鼻烟壶上！

楚留香为了要到这里，不知经过多少苦难，付出多少代价，此刻却为了一只鼻烟壶而被牺牲。

若有人知道他的遭遇，一定会为他扼腕叹息，甚至放声一哭。

但他自己却并没有抱怨。因为他知道这并不是为了一只鼻烟壶，而是为了人的尊严！

为了维护人类的尊严，无论付出多大的代价，都是值得的！甚至要他牺牲自己的性命，也在所不惜！

第十八章

地狱中的温情

楚留香身形也展动，迎向那两个巡逻的岛奴。

他身子从两人间穿了过去，两人骤然觉得有人时，已来不及了。

楚留香的肘，已撞上他们的肋下。

绝没有更快的动作，也没有更有效的动作！

楚留香双肘这一撞，几乎已达到人类速度、体能与技巧的巅峰，已不是别人所能想象得到。

然后他立刻转向那男人。

东三娘也已被这人打得跌出去很远，这人正厉声道："你是谁？……"

这三个字他并没有说完，楚留香的铁掌已到了！

但这次，这人已有了警戒，居然避开了楚留香这一掌！

能到蝙蝠岛上来的人，自然绝不会是寻常之辈。

他拧身，错步，反臂挥出，用的竟是硬功中最强的"大摔碑手"，掌风虎虎，先声已夺人！

可是他错了！

在如此黑暗中，他本不该使出这种强劲的掌力，那虎虎的掌风已先将他出手部位暴露给敌人。

他一掌挥出，脉门已被扣住！

他更也做梦也未想到会遇着如此可怕的敌人，他成名已久，也曾身经数十战，当然是胜的时候多，败的时候少，所以他到现在还能活着。

但他死也不信世上竟有人能在一招间将他的脉门扣住，忍不住失声道：“你是……”

这次，他连两个字都未说完，全身的肌肉已骤然失去了效用，甚至连舌头都已完全麻痹。

一只手已点了他最重要的几处穴道。这只手很轻，但却比硬功中最强的“大摔碑手”有效多了。

他也听到有人在他耳旁沉声道：“记住，她们也是人！”

只要是人，就是平等的。谁也没有权利剥夺别人的尊严和生命。

世上只有蝙蝠可以凭自己的触觉飞行。

蝙蝠飞行时，总会带着一种奇特的声音，如果这声音触及了别的东西，蝙蝠自己立刻就会有感应。

奇异的声波，奇异的感应。

现在楚留香就听到一种奇异的声音，四面八方全是这种声音。他知道地狱中的蝙蝠已向他飞过来。

埋伏还没有发动，也没有暗器射出，因为这里还有他们的宾客，他们也根本还未弄清这里究竟发生了些什么事。

但他们立刻就会弄清楚的。没有人能在这种绝望的黑暗中抵抗他们。因为他们已习惯于黑暗，他们的武功和攻击在光明中也许并不可怕，但在黑暗中却足以要任何人的命。

楚留香也是人，也不例外。

所有一切事的发生都只不过在短短的片刻间，楚留香这时若是立刻退走，或者滑上石壁，没有人能追着他，他至少可以避过这次危机。

但世上却有种人是绝不会在危难中抛下朋友的。

楚留香就是这种人。

只听东三娘用最低的声音说道："快走，到前面右转……"

她只说到第三个字时，楚留香已拉住她的手，道："走。"

东三娘道："我不走，我一定要找到那鼻烟壶，送给她……"

楚留香深深地吸了口气，没有再说话。此刻连自己的性命都已难再顾全，她却还要找那鼻烟壶。

她像是觉得这鼻烟壶比自己的性命还重要。

若是换了别人，一定要认为她不是呆子，就是疯子，纵不抛下她，也会勉强拖着她走的。

但楚留香既没有走，也没有拦阻，他也帮她找。因为他知道她找的并不是鼻烟壶。

她找的是她已失落的人性，已失落了的尊严！楚留香一定要帮她找到。

楚留香就是这么样的一个人。

为了要做一件他认为应该做，也愿意做的事，他是完全不顾一切后果的，就算用刀架在他脖子上，也不能令他改变主意。他这种人也许有点傻，但你能说他不可爱么？

"鼻烟壶究竟找到了没有？"

这句话是胡铁花听了这故事后问他的。

"当然找到了。"

"等你找到那鼻烟壶的时候，你的命也许就找不到了。"

"我现在岂非还活着么？"

胡铁花叹了口气！

“你小子真有点运气，但在那种黑暗中，你是怎么找到小小一个鼻烟壶的呢？那岂非和想在大海里捞针差不多？”

楚留香笑了笑，回答得很绝：“针没有味道。”

“味道？什么味道？什么意思？”

“针没有味道，鼻烟壶却有味道……鼻烟壶跌到地上时，盖子已跌开了，烟的味道已散开，我们虽看不到它，却能嗅出它在哪里。”

胡铁花这下子才真的服了，长长地叹了口气。

“你实在是个天才儿童，若要换了我，在那种时候绝不会想到这一点，若要我去摸，只怕三天都找不到。”

“老实说，我实在也有点佩服我自己。”

“我知道你脑袋一向都灵，可是，你的鼻子怎么突然也灵起来了呢？”

“就因为我鼻子有毛病，一嗅到鼻烟就会流鼻涕，所以找起来更容易。”

胡铁花又只有叹息。

“有时连我也弄不明白，为什么每次你都能在最后的时候想出最绝的主意，用最绝的法子化险为夷，这究竟是你的本事？还是你的运气？”

楚留香将鼻烟壶交给那可怜的女人时，她的泪已流下，滴在他手上。这滴泪，也许比任何人的泪都值得珍惜。连她自己都想不到自己还有泪可流。

现在，她就算死，也没关系了，她已找到了人性中最可贵的一部分，这世上毕竟还有人拿她当人，对她关心。无论对任何女人说来，这都已足够。

只可惜世上偏偏有很多女人只懂得珍惜珍宝，不懂得这种情感的价值，等她们知道后悔时，寂寞已纠缠住她们的生命。

鼻烟壶虽找到了，楚留香却还是留在那里。他已无法走！

四面八方都充满了那种奇异、令人毛骨悚然的声音。这地方显然已被包围住，既不知来的有多少人，也不知是些什么样的人。

就连石壁也响起了那些声音，他们的包围就像是一面网，这面网绝没有任何漏洞。

楚留香无论往哪面走，都要坠入他们的网中！但他若是留在这里，岂非也一样要被他们找到？

他似已完全无路可走，若是胡铁花，早就冲上去和他们拼了。

但楚留香并没有这么样做。他做事永远有他自己独特的法子。

“他总能在最危险的时候，想出最绝的主意。”

这屋子最多只有两丈宽，三丈长，只有一张桌、一张凳、一张床。既没有窗子，也没有别的门户。

这屋子就正如一只瓮。楚留香就在这瓮里。

来的人最少也有一两百个，进来搜索的也有七八个，每个人手里都拿着根很细很长的棒子。

这支棒正如昆虫的触角，就等于是他们的眼睛。

这么多人要在一间小小的屋子里找两个大人，简直比“瓮中捉鳖”还容易，只要他们的棒子触及楚留香，他就休想逃得了。

他们的棒将这屋子每个角落全都搜索遍了，连桌子下、床底、屋顶都没有放过。

他们竟始终没有找到楚留香。楚留香藏到哪里去了？

他又不是神仙，也不会魔法，难道还能真变成只臭虫藏在床缝里不成？何况他还带着东三娘。

这么大两个人，就躲在这屋子里，为何别人就硬是找不到？想不通，没有人能想得通。

进来搜索的人显然都很吃惊，已开始在拷问那可怜的女人！

“人到哪里去了？”

“什么人？这里根本就没有外人来过。”

“若没有人来，他们三个是怎么会死的？”

“不知道，我根本什么都没有看见，只听到一两声惊呼，说不定他们是彼此互相杀死的。”

她声音已因痛苦而颤抖，显然正在受着极痛苦的折磨。

但她还是咬着牙忍受着，死也不肯吐露半句实话。

突听一人道：“死的人是谁？”

话声很熟，赫然正是丁枫的声音。

有人很恭敬地回答道：“是大名府的赵刚，还有第六十九次巡逻的两个兄弟。”

这句话说出来，楚留香也吃了一惊。

赵刚人称“单掌开碑”，武功之强，已可算是江湖中的一流高手，连楚留香自己都未想到能在一招之间将他制住。

人唯有在急难中，才能发挥最大的力量。

沉默了很久，丁枫才缓缓道：“这三人都没有死，你们难道连死人和活人都分不清么？”

没有人敢答话。

然后就是赵刚的呻吟声。

丁枫道：“这是怎么回事？是谁点了你的穴道？”

赵刚愤愤道：“谁知道，我简直连个鬼影子都没有瞧见。”

丁枫沉吟着，道：“他用的是什么手法将你穴道点住的？”

赵刚道：“也不知道，我糊里糊涂就被他点住了穴道……你们难道没有捉住他？”

丁枫道："没有。"

另一人道："小人们早已将这地方包围住，就算是苍蝇都逃不出去的。"

丁枫冷冷道："苍蝇也许逃不出去，这人却一定能逃出去。"

赵刚叹了口气，道："他简直不是人，是鬼，我一辈子也没有遇见过出手那么快的人。"

丁枫道："你应该能猜得到。"

赵刚道："你知道他是谁？"

丁枫道："嗯。"

赵刚道："谁？"

丁枫道："楚留香！"

这三个字说出，赵刚仿佛倒抽了口凉气，怔了半晌，才讷讷道："你怎知道他就是楚留香？"

丁枫冷冷道："他若不是楚留香，早就将你杀了灭口了！"

赵刚没有再说话，脸上的表情一定难看得很。

"盗帅"楚留香无论在任何情况下，都不杀人，数百年来，武林名侠中，手上从未沾过血腥的，恐怕也只有他一人而已。

这早已成为武林佳话，赵刚自然也听说过。

他竟然遇见了楚留香，这连他自己也不知是倒霉，还是走运。

丁枫沉默了半晌，突然道："退，全退到原来的岗位去！"

有人嗫嚅着道："退？可是……"

丁枫冷笑道："不退又怎样？楚留香难道还会在这里等着你们不成？"

那人道："是，退！各回岗位。"

丁枫道："第七十次巡逻开始，每个时辰多加六班巡逻，只要遇见未带腰牌者，格杀勿论！"

“你究竟是躲在什么地方的？”

以后胡铁花当然要问楚留香，他当然也和别人一样猜不到。

楚留香笑了笑，答道：“床上，我们一直都躺在床上。”

胡铁花叫了起来，说道：“床上？你们这么大的两个人躺在床上，他们居然找不到？难道他们都是死人？”

楚留香笑道：“我当然有我的法子。”

胡铁花道：“什么法子？难道那张床上有机关？”

楚留香道：“没有，床上只不过有床被而已。”

胡铁花道：“那么你用的是什么法子？你难道真的变成了只臭虫，钻到棉被里去了？”

楚留香道：“你猜猜我用的是什么法子？”

胡铁花道：“谁能猜得到那些鬼花样？”

楚留香又笑了笑，道：“其实我用的那法子一点也不稀奇……我叫她睡在另一头，用力拉住棉被的两个角，我拉住另外的两个角，他们用棒子在棉被上扫过，就以为床上是空的，却不知我们就躺在棉被底下。”

胡铁花怔了半晌，才长长叹了口气，喃喃道：“不错，这法子实在他妈的一点也不稀奇，但只有你这种活鬼，才能想得出这种不稀奇的法子。”

楚留香笑道：“我当然早已算准他们绝不会想到我就躺在床上，而且，棉被拉直了，就等于在上面又加了一层床板。”

胡铁花道：“但那时只要有一点火光，你们就完蛋了。”

楚留香道：“你莫忘记，蝙蝠岛上绝不许有一点火光的，凡事有其利必有其弊，蝙蝠公子只怕再也想不到这黑暗反而帮了我很多忙。”

胡铁花道：“但他们巡逻得那么严密，你又怎么能逃走的？”

楚留香道："他们一退，我立刻就走了。因为我知道经过那次事后，他们巡逻得一定更严密，但退的时候，总难免有点乱，我若不能把握住那机会，以后只怕就再也休想走得了。"

"永远不放过任何机会。"

这正是楚留香一生中奉行不渝的座右铭。

黑暗中，有两个人的脚步声走了进来。

一个人的脚步声较重，另一人的脚步声却轻得如鬼魂，胡铁花若非耳朵贴在地上，根本就听不见。

除了楚留香，还有谁的脚步声会这么轻？

胡铁花心里只存下最后一线希望，试探着道："老臭虫？"

来的这人立刻道："小胡？"

胡铁花整个人都凉了，连最后一线希望都完结，恨恨道："你他妈的怎么也来了？你本事不是一向都很大么？"

楚留香什么都没说，已走到他身旁。

胡铁花愕然道："你是自己走进来的？"

楚留香笑了笑道："当然是自己走进来的，我又不是鱼。"

他已解开了网，拍开了胡铁花的穴道。

胡铁花叹了口气，苦笑道："我是鱼，死鱼，你的本事的确比我大得多。"

这时张三的穴道也被解开了，道："你怎么知道我们在这里？"

楚留香道："多亏我这位朋友带我来的。"

张三愕然道："朋友？谁？"

楚留香道："她叫东三娘……我相信你们以后一定也会变成朋友。"

胡铁花笑道："当然，你的朋友，就是我的朋友，只可惜我们现在瞧不见她。”

他笑着又道：“东三娘，你好吗？我叫胡铁花，还有个叫张三。”

东三娘道：“好……”

她的声音似乎在颤抖着，这也许是因为她从未有过朋友——从来没有人将她当作朋友。

楚留香道：“金姑娘呢？”

张三抢着道：“不知道……小胡也许知道，但却不肯说。”

楚留香道：“为什么？”

张三道：“鬼才知道他为了什么！”

胡铁花沉默了很久，才咬着牙道：“我们用不着找她了！”

楚留香吃惊道：“难道她已经……”

胡铁花道：“她根本就没有跳下滑车。”

张三失声道：“真的？”

胡铁花道：“我一直站在她旁边的，数到五十的时候，我就赶紧往下跳，但她却还是留在滑车上，绝对错不了。”

张三讶然道：“她为什么不跳？”

胡铁花恨恨道：“她根本就是蝙蝠岛上的老朋友了，为什么要跟我们在一起？这滑车说不定就是她串通好的圈套。”

楚留香叹了口气，道：“你已冤枉了她两次，千万不能再有第三次了。”

胡铁花道：“你说我冤枉她？”

楚留香道：“嗯。”

胡铁花道：“那么，你说她为什么不跟我们一起跳？难道她连五十都不会数？”

楚留香叹道：“她这么样做，是为了我们，更为了你。”

胡铁花几乎又要叫了起来，道：“为了我？为了要叫我往网里跳？”

楚留香道：“她绝不知道下面有陷阱。”

胡铁花道：“那么她就该跳。”

楚留香道：“但她若也跳下来，滑车岂非就是空的了？”

胡铁花道：“空的又怎样？”

楚留香道：“蝙蝠公子若是看到一辆空滑车无缘无故地滑下去，一定就会知道有人溜进来了，一定就会特别警戒，所以金姑娘才会故意留在滑车上，宁可牺牲她自己，来成全我们。”

东三娘忽然长长叹息了一声，幽幽地道：“你好像总是会先替别人去着想，而且还总是想得这么周到……”

张三笑道：“所以有很多人都认为他比别人都可爱得多。”

胡铁花也长长叹息了一声，道：“她既然要这么样做，为什么不先告诉我？”

楚留香道：“她若先告诉了你，你还会让她这样做么？”

胡铁花跺了跺脚，喃喃道：“看来我真是个不知好歹的大混蛋。”

楚留香道：“这里还有位朋友是谁？”

张三道：“你一定想不到他是谁的。”

楚留香淡淡道：“莫非是勾兄？”

张三也怔住了，苦笑道：“看来你真有点像是个活神仙了，你怎么知道是他的？”

楚留香当然知道。

他早已算准了像勾子长这种人，必定会有这样的下场！

楚留香道：“勾兄是否伤得很重？”

勾子长呻吟着，道：“香帅用不着管我，这本就是我的报应，你……你们走吧，那蝙蝠公子就在最上面一层，此刻也许正在大宴宾客。”

突听一人冷冷道："他们不走，他们也要留在这里陪你！陪你死！"

声音竟是从门外发出来的，谁也无法形容有多可怕、多难听，那简直就像是夜半坟间鬼哭。

这句话未说完，胡铁花已冲过去。

胡铁花刚冲过去，门已关起。

石门。几乎有四五尺厚。

石壁更厚。

只要石门从外面锁起，这地方就变成了一座坟墓。

楚留香他们竟已被活埋在这坟墓里！

胡铁花嗄声道："你是怎么进来的？"

楚留香道："外面本来锁住了，我扭开了锁。"

胡铁花道："你进来时有没有关门？"

楚留香道："当然关了门，我怎会让人发现门是开着的？"

胡铁花道："有没有人知道你们进来？"

楚留香叹道："外面并没有守卫的人，也许就因为他们知道绝没有人能从这石牢里逃出去。"

胡铁花悚然道："既然如此，方才那人是从哪里来的？"

楚留香说不出话来了。

张三道："也许……那人一直跟在你们身后。"

楚留香叹道："也许……"

胡铁花终于忍不住叫了起来，说道："有人跟在你身后，你居然一点也不知道，难道那人是个鬼魂不成？"

张三道："你叫什么？这种地方本就可能有鬼的，你再叫，小心鬼来找你。"

胡铁花咬着牙道："我自己也就要变成鬼了，还怕什么鬼？"

张三道："谁手上有火折子？"

胡铁花恨恨道："谁会有火折子？你莫忘记，我们是从海里被人捞起来的。"

勾子长忽然道："我有……我在袜筒里藏了个火折子。"

张三大喜道："还没有被搜出来？"

勾子长道："这火折子是京城'霹雳堂'特别为皇宫大内做的，特别小巧，而且不怕水。"

张三道："不错，我也听说过，据说这小小的一个火折子，就价值千金，很少有人能买得起。"

胡铁花道："我找到了，火折子就在这……"

他话未说完，东三娘忽然大声道："不行，这里绝不能点火。"

胡铁花道："不能点火，是怕被人发觉，现在我们反正已被人关起来了，还怕什么？"

他笑了笑，又道："何况，我也想看看你，只要是老臭虫的朋友，我都想……"

东三娘嘶声道："不行，求求你，千万不能点火，千万不能。"

她声音里竟充满了惊惧恐怖之意。

她连死都不怕，为什么怕火光？

楚留香忽然想起她还是赤裸着的，悄悄脱下外衣，披在她身上。

东三娘身子在发抖，道："求求你，不要让他们点火，我……我怕。"

但这时火已亮起。

火光一亮起，每个人都似已被吓呆了。

在这已接近永恒的黑暗中，纵然是一点火光，也足以令人狂喜。

但现在每个人脸上却都充满了惊奇、诧异、恐惧和悲痛之意。

这是为了什么?

每个人的眼睛都在瞧着东三娘。

虽然楚留香已经为她披起了一件衣裳，但还是掩不住她那柔和而别致的曲线，那修长而美丽的腿。

在灯光下看来，她的皮肤更宛如白玉。

她脸色是苍白的，因为终年都见不到阳光，但这种苍白的脸色，看来却更楚楚动人。

她的鼻子挺直而秀气。

她的嘴唇虽很薄，却很有韵致，不说话的时候也带着动人的表情。

她果然是个美人。

无论任何人见到她，都只会觉得可爱，又怎会觉得可怕呢?

那只因她的眼睛。

她没有眼睛，根本就没有眼睛!

她的眼帘似已被某种奇异的魔法缝起，变成了一片平滑的皮肤。

变成了一片空白，绝望的空白!

她若是个很平凡、很丑陋的人，纵然没有眼睛，别人也不会觉得如此可怕。

但她的美却使得这一片空白变得说不出的凄迷、诡秘，令人自心里发出一种说不出的恐怖之意。

胡铁花的手已在发抖，甚至连火折子都拿不稳了。

楚留香这才明白她为什么怕光亮，这才明白她为什么宁愿死在这里。

因为她本就无法再有光明!

没有人能说得出一个字，每个人的喉头都似已被塞住。

东三娘颤声道：“你……你们为什么不说话？是不是火已点着？”

楚留香柔声道：“还没有……”

他的心虽在颤抖，却尽量使自己的语声平静。

他不忍再伤害她。

胡铁花突然大声叫道：“这见鬼的火折子，简直就像块木头，若有人能扇得出火来，我宁愿把它吃下去。”

张三立刻也接着道：“这种火折子居然也要卖几百两银子一个，简直是骗死人不赔命。”

勾子长也道：“看来我像是上了当了，好在我的银子是偷来的，反正来得容易，去得快些也没什么关系。”

张三道：“这叫作——黑吃黑。”

楚留香瞧着他们，心里充满了感激。

人心毕竟还是善良的。

人间毕竟还有温暖。

东三娘这才长长吐出口气，说道：“好在没有火也没关系，我知道这地方根本没有别的通路，就算有火，也照不出什么来。”

她表情看来更温柔，嘴角竟似已露出了一丝甜蜜的笑意。

她虽然明知这里是死路，可是她并不怕。

她本就不怕死。

她怕的只是被楚留香发现她的“眼睛”。

楚留香只觉一阵热血上涌，忍不住紧紧拥抱起她，柔声说道：“只要能和你在一起，和我的朋友在一起，没有火又有什么关系？”

东三娘伏在他胸膛上，轻轻地摸着他脸，缓缓道：“我只恨一件事……我只恨看不到你。”

楚留香努力控制着自己，道：“以后你总有机会能看到的。”

东三娘道："以后？……"

楚留香尽力使自己的声音听来很愉快，说道："以后当然会有机会，你以为我们真的会被困死在这里么？绝不会的。"

东三娘道："可是我……"

楚留香笑道："你不想跟我走也不行，我一定要带着你一齐走，让你看看我，看看外面的世界。"

东三娘的脸已因痛苦而抽搐。

她的手紧握，指甲已嵌入肉里。

她显然也在努力控制着自己，使自己声音听来愉快些。

"我相信你……我一定会跟你走的，我一定要看看你。"

她甚至连眼上的那一片空白都在颤抖。

若是有泪能流，此刻她眼泪必已如涌泉般流在楚留香胸膛上。

别的人又何尝不想流泪？

想到她这种甜蜜的声音，再看到她面上如此痛苦的表情，纵然是心如铁石，只怕也忍不住要流泪的。

胡铁花突然笑了。

他用尽所有的力量，才能笑出来，道："你不看他也许还会好些，若是真看到他，一定会很失望。"

东三娘道："为……为什么？"

胡铁花笑道："老实告诉你，他不但是个大麻子，而且是个丑八怪。"

东三娘却摇着头，道："你们骗不了我，我知道……像他这么好心的人，老天一定不会亏待他的，他绝不会丑。何况……"

她语声轻得仿佛在梦中，接着又道："就算他的脸很丑，还是没别人能比得上他好看，因为我们看的不是他的脸，而是他的心。"

胡铁花终于忍不住擦了擦眼泪。

他眼泪终于忍不住流了下来。

——就算这里真的是地狱，我也情愿去，因为这里令人流泪的温情，已足可补偿在地狱中所受到的任何苦难。

“霹雳堂”的火折子，并不是骗人的。

火光仍然很亮，而且显然还可以继续很久。

大家本都在瞧着楚留香和东三娘，谁也没有注意到别的。

直到这时，张三才发现石牢中竟还有个人。

这人赫然竟是英万里！

张三险些就要叫了出来，但他立刻忍住，他绝不能让东三娘疑心这里已有火光……若没有火光，他怎能看到别人？

他心念一转，喃喃道：“不知道这里还有没有别的人？说不定我们还有朋友在这里。”

胡铁花立刻也明白他的意思了，立刻接着道：“朋友总是愈多愈好。”

张三道：“小胡，我们分头摸索着找找好不好？”

胡铁花道：“好，我往右面找。”

他们故意地慢慢走，走到英万里那里。

英万里蜷伏在角落中，闭着眼睛，眼角似也有些泪痕。

刚才发生的事，他显然也看到了，只可惜他不能开口。

他的嘴已被塞住。

张三故意“哎哟”了一声，道：“这里果然还有个人，不知道是谁？”

胡铁花道：“我摸摸看……咦，这人的耳朵仿佛是‘白衣神耳’，莫非是英老先生？”

张三已掏出了塞在英万里嘴里的东西。

他立刻忍不住要呕吐。

塞在英万里嘴里的，竟是一只手！

一只血淋淋的手。

再看英万里自己的右手，竟已被齐腕砍断！

那蝙蝠公子果然不是人，人怎么做得出如此残酷、如此可怕的事？

英万里的嘴角已被胀裂，穴道一解开，就开始不停地呕吐，却呕不出任何东西来——他的肠胃似也被掏空了！

胡铁花咬着牙，只恨不得能去咬那蝙蝠公子一口！

咬他的手！

张三扶起了英万里，轻轻托着他后心，也咬着牙，说道："英先生，英老前辈，是我们，我们都在这里。"

悲愤中，他已忘记了这并不是一句安慰的话——他们都在这里，那就表示一切都已绝望。

英万里的呕吐已停止，干涸了的血渍还凝结在他嘴角上。

他喘息了很久，才长长叹了口气，道："我早就知道你们都会来的。"

胡铁花道："为什么？"

英万里道："人家早就准备好来对付我们了。从一开始，我们的一举一动别人都知道得清清楚楚。"

胡铁花道："谁知道得清清楚楚？蝙蝠公子？"

英万里道："不错，他不但知道我们要来，而且也知道我们在什么时候来。"

胡铁花道："他怎么会知道的？"

英万里道："当然是有人告诉他的，这人对我们每件事都了如指掌。”

张三忍不住瞪了勾子长一眼。

勾子长立刻道：“我没有说——用不着我说，他们已知道了，而且知道得比我还清楚。”

张三虽然明知道在这种时候，他绝不会再说谎，却还是忍不住道：“若不是你说的，是谁说的？我们的行动还有谁知道？”

勾子长道：“我不知道是谁……我只知道这些人中必还有个内奸。”

他叹息了一声，接着道：“我也知道我说的话你们绝不会相信，但我却还是不能不说。”

楚留香突然道：“我相信你。”

张三道：“你相信他？为什么？”

楚留香道：“杀死白猎的绝不是他，他也绝不会知道蓝太夫人就是枯梅大师。”

张三道：“你认为杀死白猎的和定计害死枯梅大师的是同一个人？”

楚留香道：“不错，也就是那人出卖了我们。”

张三道：“你不知道他是谁？”

楚留香叹道：“现在我还猜不出，纵然猜到了一点，也不能确定。”

张三道：“你姑且说出来让我们听听。”

楚留香道：“没有确定的事，我从不说！”

宁可自己上当一万次，也不愿冤枉一个清白的人。

这就是楚留香的原则。

张三自然也知他无论做什么事都是绝对遵守原则的，只有苦笑道：“等你能确定的时候，也许我们都已听不到了。”

英万里道："知道我们行动的人并不多，除了在这里的三个人外，就只有那位高姑娘、华姑娘和金姑娘，难道是她们三人中的一个？"

胡铁花立刻道："绝不是高亚男，她绝不会出卖我的。"

张三道："难道华姑娘会害自己的师父？"

胡铁花道："当然也不会。"

张三淡淡道："如此说来，有嫌疑的只剩下一位金姑娘了。"

胡铁花怔了怔，道："也不是她。"

张三冷笑道："既然不是她们，难道是你么？"

胡铁花说不出话来了。

楚留香沉吟着，道："丁枫既然也不知道蓝太夫人就是枯梅大师，知道这件事的人更少——英先生，难道你也是一到了这里，就遇到了不测？"

英万里苦笑道："我根本还没有到这里，一上岸，就遭了毒手。"

楚留香道："既然还在海岸上，你想必还能分辨出那人的身形。"

英万里道："不错，那时虽也没有星月灯火，但至少总比这地方亮些。"

楚留香道："你看出那人是谁了么？"

英万里道："我只看出那人穿着件黑袍，用黑巾蒙着脸，武功之高，简直不可思议！我根本连抵抗之力都没有。"

楚留香皱眉道："这人会是谁呢？"

胡铁花抢着道："除了蝙蝠公子还有谁？"

他自信这次的判断总不会错了，谁知道英万里却摇了摇头，道："那人绝不是蝙蝠公子！"

胡铁花道："你怎么知道不是？"

英万里道："他是个女人！我虽然看不清她，却听到她说话的声音。"

胡铁花愕然道："女人？……难道就是昨夜以绳桥迎宾的那女人？"

英万里道："也不是，她武功虽也不弱，却也比不上这女人十成中的一成。"

胡铁花动容道："武功如此高的女人并不多呀。"

英万里沉默了很久，忽然又道："她也就是方才在门口说了句话的那个人。"

胡铁花皱眉道："方才说话的也是个女人么？女人说话的声音怎会那么难听？"

英万里道："她本来说话绝不是那种声音。"

胡铁花道："她本来说话是什么声音？你听出来了没有？"

英万里的表情突然变得很奇特，脸上的肌肉似已因某种说不出的恐惧而僵硬，过了很久，才长叹道："我老了，耳朵也不灵了，哪里还能听得出来！"

他竟连说话的声音都已有些发抖。

胡铁花忍不住问道："你是真的听不出？还是不肯说？"

英万里的嘴唇也在发抖，道："我……我……"

楚留香忽然道："此事关系如此重大，英老先生若是听出了，又怎会不肯说？"

胡铁花撇了撇嘴，道："无论如何，她至少总不会是高亚男、华真真和金灵芝。她们三个人的武功加起来也没有那么高。"

楚留香叹道："不错，现在我才知道她想必一直都跟在我后面的，我却连一点声音都没有听到。就凭这份轻功，至少也得下三十年以上的苦工夫。"

张三皱眉道："如此说来，她岂非已是个五六十岁的老太婆了？"

胡铁花道："江湖中武功高的老太婆倒也有几个，但无论哪一个都绝不会做蝙蝠公子的走狗，更不会知道我们的行动……”

刚说到这里，他手里的火折子突然熄灭。

火折子是英万里吹熄的，就在这同一刹那间，楚留香已一个箭步蹿到门口。

只有他们两人听到了开门的声音。

门果然开了一线。

这机会楚留香自然绝不会错过！

他刚想冲过去，门外已有个人撞了进来，撞到他身上！

接着，“砰”的一声，门又阖起。

楚留香出手如电，已扣住了这人的腕脉。

他手指接触到的是柔软光滑的皮肤，鼻子里嗅到的是温馨而甜美的香气。

又是个女人。

楚留香失声道：“是金姑娘么？”

这人的牙齿还在打着战，显然刚经过极危险、极可怕的事。

但现在她却笑了，带着笑道：“你拉住我的手干什么？你不怕小胡吃醋？”

楚留香和胡铁花几乎在同时叫了出来。

“高亚男，是你！”

火折子又亮了。

高亚男的脸色苍白，头发凌乱，衣襟上带着血渍，嘴唇也被打破了一块，谁都看得出她一定已吃了不少苦头。

胡铁花冲了过来，失声道：“你怎么也来了？”

高亚男笑道：“知道你们在这里，我怎么会不来？”

她虽然在笑，笑得却很悲惨，眼眶也红了。

胡铁花拉起她的手，道："是谁欺负了你？是不是那些王八蛋？"

高亚男阖起了眼帘，泪已流下。

胡铁花恨恨道："他们为什么要这样对你？你不是他们请来的客人么？"

高亚男道："他们现在已知道我是谁了……也许早就知道我是谁了。"

胡铁花咬着牙道："英先生说得不错，这些人里果然有内奸。"

楚留香道："可是……华姑娘呢？"

高亚男忽然冷笑了一声，道："你用不着想她了，她绝不会到这里来。"

楚留香道："为什么？"

高亚男张开眼，眼泪已被怒火烧干，恨恨道："我现在才知道，出卖我们的人就是她！"

这句话说出，每个人都怔住了！

高亚男道："将'清风十三式'的秘本盗出来的人就是她！师父想必早就在怀疑她了，所以这次才故意将她带出来，想不到……想不到……"

说到这里，她忍不住又放声痛哭起来。

张三跺了跺脚，道："不错，她当然知道蓝太夫人就是枯梅大师，当然知道我们的行动，当然也会摘心手。想不到我们竟全都被这小丫头卖了。"

胡铁花恨恨道："白猎想必在无意间看出了她的秘密，所以她就索性将白猎也一齐杀了——那时我就已有些怀疑她。"

张三冷笑道："那时我好像没听说你在怀疑她，只听你说她又温柔、又善良，而且，一见血就会晕过去，绝不会做这种事的。"

胡铁花狠狠瞪了他一眼，又叹道："老实说，这丫头实在装得太像了，真他妈的该去唱戏才对。”

高亚男抽泣着道：“家师临死的时候，的确留下过遗言，要我对她提防着些。但那时连我也不相信，所以也没有对你们说出来。”

张三道：“她想必已知道令师在怀疑她了，所以才会提前下那毒手。”

高亚男道：“但家师一向待她不薄，我又怎么想得到她会和蝙蝠岛有勾结呢？”

胡铁花道：“我唯一想不通的是，她的武功怎会有那么高，能随随便便就杀了白猎？”

高亚男咬着牙，道：“白猎又算得了什么？连你们只怕都不是她对手。”

张三失声道：“那小丫头好像一口气都能吹得倒似的，又怎会有这么大的本事？”

高亚男叹道：“你们全都忘了一件事。”

张三道：“什么事？”

高亚男道：“你们全忘了她姓华。”

胡铁花道：“姓华又怎样？难道……”

说到这里，他忽然叫了起来，道：“她莫非是昔年‘辣手仙子’华琼凤的后人？”

高亚男道：“一点也不错。华祖师爷修成正果后，就将她早年降魔时练的几种武功心法全都交给了她的兄弟。因为这些武功全都是她老人家的心血结晶，她实在舍不得将之毁于一旦。”

胡铁花道：“摘心手的功夫想必就是其中之一。”

高亚男道：“但摘心手却还不是其中最厉害的功夫。她老人家也觉得这些武功太过毒辣，所以再三告诫她的兄弟，只能保存，不可轻易去练。”

胡铁花道：“这几种武功的确已失传了很久，有的我连听都没听说过。”

高亚男道：“但华真真也不知用什么法子，将这几种武功偷偷练会了，然后才到华山来找家师。”

胡铁花道：“她以前并不是华山门下？”

高亚男道：“她投入本门，只不过是近几年来的事。师父听说她是华太祖师的后辈，自然对她另眼相看，所以才传给她‘清风十三式’。”

胡铁花沉吟着，道：“也许她就是为了要学‘清风十三式’，所以才到华山去的！”

高亚男道：“想必正是如此。因为那几种武功虽然厉害，但‘清风十三式’却正是它们的克星。”

胡铁花叹道：“她想必在未入华山门之前，就已和蝙蝠岛有了勾结。”

高亚男黯然道：“家师择徒一向最严，就为了她是华太祖师的后人，所以竟未调查她的来历，否则也就不会有今天这种事发生了。”

张三道：“如此说来，昨夜英老先生遇着的人，想必也就是她。”

英万里迟疑着，似乎想说什么，却又迟疑着，不敢说出来，也不敢向楚留香那边瞧一眼。

他似乎做了什么亏心的事，不敢面对楚留香。

楚留香却一直保持着沉默，什么话也没说。

勾子长忽然叹了口气，道：“现在我们总算将每件事都弄明白了，只可惜已太迟了些。”

胡铁花道：“我却还有件事不明白。”

勾子长道：“什么事？”

胡铁花道：“你那黑箱子里本来装的究竟是什么？总不会是火药

吧？”

勾子长道：“火药是丁枫后来做的圈套，箱子里本来什么都没有！”

胡铁花道：“什么都没有怎会那么重？”

勾子长道：“谁说那箱子重？”

胡铁花摸了摸鼻子，苦笑道：“看来就算是亲眼看到的事，也未必可靠。”

楚留香淡淡道：“不错，有时连眼睛都靠不住，又何况是耳朵？”

英万里忽然扑了过来，抓住勾子长，厉声道：“箱子既然是空的，赃物在哪里？”

勾子长盯着他，良久，才叹了口气，缓缓道：“我现在还不想死。”

英万里道：“谁都不想死。”

勾子长道：“但我若说出赃物在哪里，我就活不长了。”

英万里还想再问。

但就在这时，突听一人冷冷道：“你们都很聪明，只可惜无论如何都已活不长了。”

第十九章

蝙蝠公子

这里只有七个人。

楚留香、胡铁花、张三、勾子长、英万里、高亚男和东三娘。

这句话却不是他们七个人说的。

声音仿佛很遥远，但每个字听来都很清楚。

七个人全都怔住。

谁也不知道这声音是哪里来的。

石狱中骤然变得死一般静寂，几乎连呼吸也都已停止。

过了很久，那声音才又响起："但我并不急着杀你们，现在你们已什么都瞧不见，我立刻就要你们连听都听不见，然后再慢慢地要你们的命！"

这人还不知道这里已有了火光，显然并不在这屋子里。

他在哪里？

楚留香突然纵身一掠，滑上了石壁。

他立刻发觉屋角上竟藏着根铜管。

管口很大，宛如喇叭，然后才渐渐收束，直埋入石壁深处。

声音就是从这铜管里发出来的。

说话的人在铜管另一端，显然也可以从铜管中听到这里的动静，他们在这里说的每一句话，他都能在那里听得清清楚楚。

他是否已听出了什么？

楚留香对着铜管，一字字地道：“阁下就是蝙蝠公子？”

他每个字都说得很慢，声音听来也不很大。

但他每说一个字，铜管都被震得嗡嗡发响。

对方沉默了很久，才缓缓道：“久闻楚香帅轻功妙绝江湖，不想内力也如此深厚，若能与我为友，何愁不能雄霸天下。只可惜……”

说到这里，他语声忽然停顿，仿佛在叹息。

但突然间，这叹息声就变了，变得说不出的尖锐。骤然听来像是一种声音，但仔细听来，却又像无数种声音混合在一起，一声接着一声，愈来愈快，又像是千万柄刀剑互相在摩擦。

铜管也被震得起了回应。

整个山窟都似乎震动了起来。

没有人能忍受这种声音。

楚留香想用手去堵住铜管，但一触铜管，整条手臂就都被震麻了，他的人也像是一片风中秋叶般跌了下去。

胡铁花只觉得仿佛有千百根针在刺着他的耳朵，又从耳朵钻入他的心，他的人也似将被撕裂。

他的手也被震得发抖，火折子已跌在地上。

他什么都再也看不到，什么都再也不能想。

他全部力量都已被这种声音所摧毁，唯一能做的事，就是用两只手紧紧塞住耳朵。

但声音还是透过了他的手，往他耳里钻，往他心里钻。

他精神都已几乎完全崩溃，几乎要发疯，只要能停止这种声音，他不惜牺牲任何代价都情愿。

要他死，他都情愿。

但声音就像是永远也不会停止，谁也不知道还要继续多久……

黑暗，死寂。胡铁花的耳朵还在嗡嗡作响，但那种可怕的声音却已不知在什么时候停止了。

他全身都已被汗水湿透，整个人都已虚脱，躺在地上喘息着，就像是刚到地狱里去和恶鬼们搏斗了一场，就像是场噩梦。

过了很久，他耳朵还是听不到别的声音。

但他总算已能站了起来。

楚留香常说他的身子就像是铁打的。

只要他还剩下一口气，他就能站得起来。

但别的人呢？

别人是否也能熬过这场噩梦？

胡铁花摸索着，去找火折子。

火折子也不知跌到哪里去了，在如此黑暗中，哪能找得到？

这时他还没有听到楚留香找鼻烟壶的故事，所以也想不到要用“鼻子”去找——火折子也有味道的。

硫黄硝石的味道。

他正在想法子，火光忽然亮了。

一个人站在他面前，手里拿着火折子，赫然竟是东三娘。

胡铁花怔住，呆呆地瞧着她，久久都说不出话来。

东三娘面上却连一点表情都没有，淡淡地道：“这火折子很好，用的是上好的硫黄，所以连味道都是香的。”

火光在摇晃，是哪里来的风？

胡铁花转过头，立刻又欢喜得几乎叫了出来。

石门竟已开了。

楚留香的人还靠在门口，眨着眼睛，似乎已睡着。

他全身也已湿透，看来更是疲倦不堪，但嘴角却带着笑。

门口还有两个黑衣蒙面人，手里拿着根棒子，棒子业已折断，人也已倒在地上，四肢扭曲着，缩成一团。

他们显然也发现石门开了，正想冲过来关门，但一冲过来，就被那可怕的声音所击倒。

这石门也是被这声音震动的力量，再加上楚留香本身的真力所震开的。

无论多可怕的人，你只要懂得如何去降伏他，他就是你的奴隶；无论多可怕的力量，你只要懂得如何去利用它，它也会变得属于你。

楚留香一向很懂得这道理。

张三呢？

张三的人就像是只粽子般缩在角落里。

高亚男就躺在胡铁花的脚下，已能挣扎着站起来。

女人对于痛苦的忍耐力，的确要比男人强些。

最惨的还是英万里。

他的头已被自己撞破，两只“白衣神耳”也被扯了下来。

他只剩下了一只手，自然不能掩住两只耳朵。

何况，“白衣神耳”是用合金打成再嵌入耳骨的，传音最灵敏，他就算能用手挡，也挡不住那音波。

他剩下来的一只手紧紧抓住勾子长的手。

这是他要抓的逃犯，他无论是死是活，都绝不会放过他！

勾子长已晕了过去。

东三娘将火折子慢慢地交给胡铁花，慢慢地转身向门外走。

楚留香突然清醒了，拉住她的手，柔声道：“你怪我骗了你？”

东三娘笑了笑，道：“我怎会怪你，你……你本是好意。”

她笑得很温柔，也很凄凉，缓缓接着道："你们都是好人，我永远都感激……"

楚留香道："那么……你为何要走？"

东三娘沉默了很久，凄然道："我能不走么？你看到我不恶心？"

楚留香说道："我什么都没看到，我只看到了你的心。只知道你的心比任何人都美得多，这就已足够了。"

东三娘身子颤抖着，忽然扑倒在楚留香胸膛上，放声痛哭了起来。

这是没有泪的痛哭。

胡铁花的眼泪都几乎忍不住要流了下来，干咳了几声，大声喝道："张三，你少装孙子，还赖在那里干什么？"

张三叹了口气，道："我不是装孙子，我简直就是个孙子，你们走吧，我走不动了，反正英万里和勾子长也要人守着。"

英万里忽然张开眼睛。

他目光已变得说不出的呆滞迟疑，茫然四顾，竟叫了起来，道："原……"

只叫出了这一个字，他的脸突然扭曲，身子也在抽缩，已吓得面无人色，就像是又看到了鬼似的。

然后，他也晕了过去。

一走出这石狱，就不能再用火折子。

"这条路我走过，你跟着我走！"

高亚男拉着胡铁花的手，在前面带路。

楚留香和东三娘，走在另一边。

这样他们的力量虽分散，但目标愈少，就愈不易被人发现，纵然有一路被发现，另一路还可以设法援救。

奇怪的是，巡逻的人反似少了——这也许是因为蝙蝠公子认为他们已被困死，所以防守就难免疏忽。

突然间，黑暗中出现了一片碧磷磷的鬼火。

火光明灭闪动，竟映出了四个字："我是凶手！"

胡铁花只觉高亚男的手突然变得冰冷，他自己手心也在冒汗。

谁是凶手？

这鬼火是从哪里来的？难道枯梅大师真的英魂不灭，又在这里显了灵么？

胡铁花正想追过去，那片鬼火却突然飘飘地飞了起来。

也就在这时，他只觉腰背处麻了麻，七八根棒子同时点在他身上，点了他背后七八处穴道！

他的一举一动，竟还是瞒不过蝙蝠公子。

无论他走到哪里，都早已有人在那里等着了！

楚留香已掠上了第二层。

也不知为了什么，他行动似乎变得有些大意起来，也许是因为他早就知道无论自己多小心，行动还是难免被人发觉的。

第二层上居然也没有遇见巡逻防守的人。

楚留香刚喘了口气，竟然感觉出一阵衣袂带风声。

风声很急，却很轻。

楚留香刚推开东三娘，这人已扑了过来，刹那间已出手三招，尖锐的风声却像是分成了六七个方向，同时击向楚留香。

三招过后，楚留香已知道这人实在是他生平所遇见的最可怕的对手，甚至比石观音、阴姬和薛衣人还要可怕得多。

因为这人每一招出手，都充满了仇恨，像是恨不得一出手就要楚留香的命，而且，只要能要了楚留香的命，他自己也不惜同归于尽。

这种招式不但可怕，而且危险。

面对着这种招式，生与死之间根本就没有选择的余地！

第三层，是最上面一层。

若是有光，坐在第三层上，就可将第一层和第二层的动静都看得清清楚楚。

但第三层上说话的声音下面却听不到，因为这一层特别高，就像是个戏台，只不过坐在戏台上的并不是唱戏的，而是看戏的。

现在，在如此黑暗中，他们当然也看不到什么。

他们只看到了一点碧森森的鬼火，在第二层上飞跃、旋转、跳动！

也没有人说话，只能听到一阵阵呼吸声。

呼吸声很重，坐在这里的人显然不少。

鬼火飞跃得愈来愈快，有时明明看到它是往左面去的，也不知怎么样突然一折，就突然到了右面。

到后来这点鬼火就像是连成了一条线。

一条曲折诡异的线。

但只要这点鬼火一停下来，就立刻映出四个字："我是凶手！"

也不知过了多久，终于有个人忍不住问道："这四个字是用碧磷写在人身上的么？"

另一人笑了笑，道："果然还是朱先生好眼力。"

这声音低沉、嘶哑，却带着种无法形容的权威和慑人之力，仿佛只要他一句话说出，就可决定千百人的生死。

这正是蝙蝠公子的声音。

那位朱先生叹了口气，道："这四字若是写在人身上的，这人的动作就实在太快了。"

蝙蝠公子道："朱先生猜得出他是谁么？"

朱先生沉吟着，道："放眼天下，身法能有如此快的人并不多，在下已想到了一个人，只不过……这人却又不可能是他。"

蝙蝠公子道："朱先生想到的是谁？"

朱先生道："楚香帅。身法如此迅急诡异的人，除了楚香帅外，实在很难再找到第二个。"

蝙蝠公子又笑了笑，道："既然如此，这人为何不可能是他？"

朱先生沉吟了半晌，道："若是楚香帅，又怎会被人在身上写下这么样的四个字？"

蝙蝠公子缓缓道："也许这四个字并不是人写的，而是鬼魂显灵。"

他声音突又变得说不出的虚幻空洞。

朱先生似乎打了个寒噤，嗄声道："鬼魂？谁的鬼魂？"

蝙蝠公子道："自然是被他杀死的人的鬼魂。"

朱先生失声道："楚香帅也杀人？"

蝙蝠公子淡淡道："他若真的从未杀人，又怎会有鬼魂缠身？"

朱先生长长吸了口气，显然已相信了七分。

因为活着的人，绝没有人可能不知不觉在楚留香身上写这么样四个字的，无论谁都知道楚留香的反应一向快得可怕。

过了很久，朱先生才将这口气吐出来，道："看情况，他现在好像正和人交手。"

蝙蝠公子道："看来好像是的。"

朱先生道："这人又是谁呢？他们现在至少已拆了一百五十招，能接得住楚留香百招以上的人，江湖中已不多，但这人直到现在还未落下风。"

蝙蝠公子缓缓道："也许他不是人。"

朱先生似又打了个寒噤，道：“不是人是什么？”

蝙蝠公子的声音更虚幻，道：“是鬼魂……来找楚留香索命的鬼魂。”

这句话说出，呼吸声忽然轻了。

有的人呼吸似已停顿。

鬼魂！

这两个字本也是虚幻而空洞的，因为谁也没有真的见过鬼魂，但现在，在这种可怕的黑暗中，这两个字却突然变得很真实。

每个人的眼前都仿佛出现了个鬼魂，各式各样的鬼魂。

每个人所遇见的鬼魂都不一样，因为在人的想象中，鬼魂本就没有一定的形状，但无论是什么形状，却都是同样可怕的。

只要有一点光，就可看出这些人怕得多么厉害，有的人额上冒着冷汗，有的人在椅子上不安地扭动。

有的人紧紧抓住自己的衣襟，简直已连气都透不过来。

只要有一点光，他们也就不会怕得这么厉害。

因为鬼魂总是和黑暗一齐来的，没有光的地方，才有鬼魂。

“这黑暗中究竟隐藏着多少鬼魂？”

坐在这里的，自然都是有身份、有地位的武林大豪，他们能够爬上今日的地位，自然多多少少总杀过几个人。

“现在，这些鬼魂是不是也来了呢？是不是也在找人索命？”

“鬼魂”这种事的确很奇妙，你若不去想，它就不在。

只要你一去想，就愈想愈多。想得愈多，就愈害怕。

蝙蝠公子似已猜出他们心里在想着什么，突然又道：“各位可看到这鬼魂是什么样子的么？”

谁都不愿回答这句话。

过了很久，才有个人吃吃道：“看……看不到，谁都看不到鬼的！”

蝙蝠公子悠然道：“谁说的，只要你想看，就一定能看得到。”

他慢慢地接着道：“这鬼魂看来好像是个女鬼，而且死了还没有多久，所以身上到处都是血，眼睛里也有血在慢慢地流出来……”

黑暗中已有牙齿打战的声音。

但说到这里，蝙蝠公子的语声突然停顿。

那点碧森森的鬼火已突然不见了！

这是怎么回事?

难道楚留香已倒了下去?

那女鬼要了他的命之后，还会要谁的命?

每个人的心都在七上八下，跳个不停，却没有人敢问出来。

蝙蝠公子突然拍了拍手，道：“下去瞧瞧。”

一人道：“是。”

这是丁枫的声音。

大家只觉得一阵衣袂带风声很快地掠出去，又很快地掠了回来。

只听丁枫道：“下面没有人。”

他声音中竟也充满了恐惧之意。

蝙蝠公子道：“没人？第八十三次巡逻的人呢？”

丁枫道：“也不在。”

蝙蝠公子沉默了很久，缓缓道：“我要的那些人全都带上来了么？”

丁枫道：“是。”

蝙蝠公子沉默了很久，突然道：“好，第二次拍卖开始。”

楚留香和那“鬼魂”竟全都不见了？

他们去了哪里？

难道他们已结伴入了鬼域？

呼吸声终于渐渐正常。

蝙蝠公子缓缓道：“我不远千里，将各位请到这里来，虽然未必能令各位全都满载而归，至少也得要各位觉得不虚此行。”

那位朱先生立刻赔笑道：“无论如何，在下等的确都已大开眼界。”

其实这句客气话说得一点都不高明，他根本什么都没有看到，却偏偏要说“大开眼界”。

蝙蝠公子笑了笑，道：“在方才第一次拍卖中，我已卖出了黄教密宗‘大手印’的秘籍，蜀中唐门所制的十三种毒药和五年前‘临城大血案’凶手姓名。我希望这些货物全都能令买主满意。”

几个人同时赔笑道：“满意极了，江湖中谁都知道公子绝不会令人失望的。”

蝙蝠公子道：“永远不让顾客失望，这正是我做生意的原则。而且，我这里的货物从来不滥卖，货物只卖一次，绝不会再卖给另一个人。”

他又笑了笑，接着道：“所以，买下‘临城血案’凶手姓名的人，若就是凶手自己，也大可放心，我绝不会再将这秘密泄露。”

突然有人问道：“却不知是谁买下这秘密的？”

蝙蝠公子冷冷道：“永远替顾客保守秘密，也是我做生意的原则，各位无论在这里买下了什么，都绝不会有别人知道。”

黑暗中似乎有人松了口气。

蝙蝠公子又道：“而且，各位现在虽然共处一堂，但谁也瞧不见谁，我对各位的称呼，也是事先约定的假名，所以各位只管放心出价，我可以保证，绝不会有人知道你是谁。只要银货两讫，以后就绝不会再有别的麻烦。”

有人问道：“却不知在这二次拍卖中，公子你准备售出的是什么？”

蝙蝠公子笑了笑，道：“这次我出售的东西，比平时要特别些。”

又有人忍不住问道：“特别么？什么特别？”

蝙蝠公子道：“这次要卖的是人！”

那人失声道：“人？是活人？还是死人？”

蝙蝠公子道：“死活悉听尊意，只不过活人有活人的价钱，死人有死人的价钱。”

他又拍了拍手，道：“好，现在拍卖立刻开始，请各位准备出价吧！”

人。

这一次蝙蝠公子要出售的竟是人。

世上还有什么比人更有趣的货物呢？

“他要卖的究竟是些什么人？是天仙般的美女，还是忠诚的女人？——美丽和忠诚这两件事，是很难在同一个女人身上发现的。”

“也许他要卖的是男人，是什么样的男人？是可以替你想出千百种计谋的智者，还是可以为你去拼命的勇士？”

大家心里都在猜测，都觉得好奇。

愈好奇，就愈觉有趣。

只听丁枫道：“第一个人名叫勾子长，底价是十万两。”

沉默了半晌，才有人问道：“勾子长是什么人？我连他名字都未听说过，也能值十万两？”

丁枫道：“几个月前发生了一件贡品被盗案，各位想必还记忆犹新吧？”

有人道：“是不是熊大将军的贡品被盗？”

丁枫道：“不错，勾子长就是作案子的人，也就是一夜间连伤七十余命的凶手，无论谁若能将他擒获归案，不但立刻就可名动九城，而且花红赏金也绝不会少的。”

于是就有人开始出价了。

“十万五千两。”

“十一万。”

“十二万。”

出价并不踊跃，因为这件事一定很烫手，而且一定要和官府打交道，无论什么事只要和官府打交道，麻烦就多了。

最后的得主出价是“十二万五千两”。

丁枫道：“好，十二万五千两，阁下交钱之后，随时都可将人带走。”

得主突然道：“我是不是一定要将他送去归案？”

丁枫道：“不必，阁下无论将他如何处置都悉听尊意。”

蝙蝠公子突然道：“勾子长单枪匹马，就能作得出那么大的案子，杀了他实在可惜。”

得主也笑道：“实在可惜。不瞒公子，在下正打算和他联手做几件事，就算有人出的价再高，在下也绝不肯让的。”

方才没有出价的人，已在暗暗后悔，为什么没有想到这一层。

丁枫又道：“第二个叫英万里，号称‘神鹰’，本为九城名捕，底价也是十万两。”

这一次他话刚说完，已有人出价了，而且价钱跳得很快，很高！

“十一万。”

“十三万。”

“十七万……”

英万里平生捕获的盗贼不知有多少，结下的冤家更不知有多少，这些人要的并不是他的人，而是他的命！

最后的得主出价是“二十万五千两”。

丁枫道：“第三个人叫张……”

他话还没说完，蝙蝠公子突然道：“第三人是胡铁花，底价五十万两。”

“胡铁花”这名字说出，黑暗中已起了一阵惊叹之声。

“五十万两”这数目说出，惊叹声更大。

有人道：“胡铁花？却不知是不是那位号称‘花蝴蝶’的胡铁花？”

丁枫道：“正是此人。”

大家突然沉默了下来。

丁枫道：“各位为何还不出价？”

还是没有人说话。

胡铁花的仇家并不多，五十万两这价钱也太高了。何况，胡铁花当然要比勾子长还烫手得多。

丁枫道：“朱先生也不敢出价么？”

朱先生干咳了两声，道：“并不是不敢，只不过……在下买他又有什么用？”

蝙蝠公子突然道：“也许各位认为这价钱太高了些，我们不如削价出售吧！”

丁枫道：“是，无论能卖得了多少，总比卖不出去的好。”

蝙蝠公子道：“死人的价钱就比活人便宜多了，你先杀了他再说。”

丁枫道：“现在就动手？”

蝙蝠公子道：“立刻就动手！”

丁枫道：“是……”

突听一人道：“我要活的，我出一百万两！”

楚留香！

这声音低沉、稳定，带着种奇特的吸引力，赫然正是楚留香。

楚留香不知何时也已来了。

蝙蝠公子突然纵声大笑起来，道：“我猜得果然不错，无论价钱多高，必定有人会出价的。”

他笑声骤然间又停顿，缓缓道：“但这里的交易从无赊欠，阁下身上可带得有一百万两银子么？”

楚留香道：“没有。”

蝙蝠公子厉声道：“既然没有，凭什么出价？”

楚留香道：“就凭我。”

蝙蝠公子道：“你？”

楚留香道：“你要的本就是我，不是胡铁花。”

蝙蝠公子道：“你难道想用自己的一条命，换他的一条命？”

楚留香道：“不错！”

蝙蝠公子道：“我怎知你是谁？”

楚留香道：“你当然早已知道我是谁。”

蝙蝠公子突又大笑起来，道：“好！这交易我倒也不吃亏。”

楚留香道：“吃亏的交易本就没有人肯做的。”

蝙蝠公子道：“但你却吃亏了。”

楚留香道：“哦？”

蝙蝠公子道：“你的人却比他值钱得多。”

楚留香道：“你若不要我的命，要什么？”

蝙蝠公子道："我只要你的两只眼睛！"

他冷冷接着道："刀就在这里，你只要过来将自己的两只眼珠子挖出来，我立刻就释放胡铁花。"

楚留香道："好，一言为定。"

蝙蝠公子道："你莫忘了，刀就在我手上，你若想玩什么花样，我就先杀了他！"

楚留香道："我已走过去，你就准备着吧！"

黑暗中突然响起了脚步声。

楚留香似乎故意将脚步声走得很重，一步步慢慢地走着……

空气中仿佛突然发出了一种浓烈的酒香。

但大家的呼吸似又停止了，根本没有人感觉到。

脚步声愈来愈慢，愈来愈重。

楚留香难道已累得连路都走不动了，真的甘心去送死吗？

蝙蝠公子突然厉声喝道："你好大的胆子，真敢玩花样！——来人呀！"

喝声中，突听"嘭"的一声。

火星一闪，再一闪！

突然闪出了一片耀眼的火光！

火！

火在燃烧！

第三层石壁的边缘，突然燃烧起一片火光。

整个洞窟都已被照亮！

谁也不知道火是从哪里来的，每个人都似已被吓呆了。

只见无数条黑衣人影蝙蝠般自四面八方扑了过来，但一接近这片火光，就又惊呼着纷纷向后倒退。

有的衣服已被燃着，惨呼着滚倒在地上。

他们竟似完全看不到这片火光，就像是一群骤然扑上了烈火的蝙蝠，那种惊惶和恐惧简直无法形容。

蝙蝠公子呢？

一张巨大的虎皮交椅，就放在第三层石台的中央。

方才他说话的声音，就是从这里发出的。

但现在，椅子上却没有人！

只有丁枫石像般怔在那里，呆呆地瞧着楚留香。

每个人都在瞧着楚留香！

这些人的衣着都很华丽，气派也都很大，但现在却像是一群呆子，只有坐在远处的一个人神情还很镇定，态度还很安详。

这人就是原随云。

胡铁花和高亚男他们本就倒在那虎皮交椅前，现在穴道都已被解开了，胡铁花的眼睛一直在狠狠地盯着丁枫。

楚留香的目光却在移动着，慢慢地从每个人脸上移过，忽然笑了笑，道："各位果然都是名人，这里的名人倒真不少。"

高亚男恨恨道："但那蝙蝠公子却已不知逃到哪里去了。"

楚留香又笑了笑，道："也许他并没有逃，只不过你看不到他而已。"

高亚男怔了怔道："若在这里，我怎会看不到？"

楚留香道："因为你根本不知道谁是蝙蝠公子……"

他目光又在每个人脸上扫了一遍，缓缓接着道："这里每个人都可能是蝙蝠公子。"

突见一个人站了起来，大声道："不是我，我绝不是蝙蝠公子。"

这人又黑又壮，满脸麻子。

楚留香瞧了他一眼，只瞧了一眼，淡淡道："阁下当然不是，阁下只不过是临城血案的凶手而已。"

麻子的脸立刻涨红了，道："你是什么东西？竟敢血口喷人？"

楚留香道："阁下若不是那血案的凶手，方才蝙蝠公子保证为顾客守秘密时，阁下为何要大大地松口气？"

他悠然接着道："阁下自然没有想到，那时我恰巧就站在阁下附近。"

麻子目中突然露出了惊惧之意，四下瞧了一眼，突然凌空跃起。

但他身子刚跃起，突又惨呼着跌了下来，再也爬不起来。

原随云挥出去的袍袖已收回。

楚留香笑道："原公子出手果然非人所能及，多谢了。"

原随云也微笑着："楚香帅过奖了！"

大家本来确都已有些猜出这人就是楚留香，但直到现在才能确定，眼睛不禁都瞪得更大。

楚留香指着伏在地上的麻子，道："这人是谁，各位也许还不知道。"

一个面色苍白、身穿锦袍的中年人道："我认得他，他就是'遍地洒金钱'钱老三。"

楚留香道："不错，蝙蝠公子这次将他请来，为的就是要他自己买下那秘密，再确定他就是凶手，因为只有凶手自己绝不会让这秘密被别人买去。"

一人叹道："这就难怪他方才要拼命出价了。"

楚留香道："他买下这秘密后，一定认为从此可高枕无忧，却不知以后的麻烦反而更多。"

一人道："有什么麻烦？"

楚留香道："蝙蝠公子既已知道他就是凶手，以后若要他做什么事，他怎么敢反抗？”

他叹了口气，接着道：“无论谁在这里买下了一样货物，以后就永远有把柄被蝙蝠公子捏在手中，就永远要受他挟制，这道理难道想不通么？”

这句话说出，好几个人面上都变了颜色。

一个紫面大汉失声道：“但我们讲明了银货两讫，以后就永无麻烦的。”

楚留香道：“如此说来，各位想必认为蝙蝠公子做这种事，为的只是钱了？”

紫面大汉道：“他难道不是？”

楚留香笑了笑，道：“像他这样的人物，若只要钱，那还不容易，又何苦费这么多事？”

那面色苍白的中年人道：“若不是为了钱，他为的是什么？”

楚留香长长叹了口气，道：“野心！他这么样做，只为了要自己的野心实现。”

紫面大汉道：“什么野心？”

楚留香道：“他先用尽各种手段，收买各种秘密，使江湖中的人心大乱，然后再要挟他的‘顾客’，做他的工具。”

他又叹了口气，接着道：“这么做，用不着几年，他就会变成江湖中最有权力的人，到那时，各位只怕也要变成他的奴隶！”

没有人说话了。

每个人面上都露出了愤怒之色。

过了很久，那紫面大汉才恨恨道：“只可惜我们连他是谁都不知道，否则，我无论如何也得给他个教训！”

楚留香道：“我若找到他，不知各位是否愿意答应我一件事？”

大家几乎异口同声，道：“无论什么事，香帅只管吩咐。”

楚留香一字字道："我若找到他，就免不了要和他一战，到那时，我只望各位能让我安心与他一战。"

群豪纷纷道："香帅只管放心，我们绝不许任何人来插手的，无论是谁，若想来帮他的忙，我们就先要那人的命！"

第二十章

决　战

现在，楚留香终于已将局势完全控制了！已反客为主！

但蝙蝠公子究竟是谁呢？

他的人在哪里？

这秘密眼见就要被揭穿，大家的心情反而更紧张。

只有一个人的神情还很镇定，态度还很安详。

这人当然就是原随云。

楚留香目光忽然凝注在他脸上，道："却不知原公子是否也要我将蝙蝠公子的名字说出来？"

原随云还是在微笑着，道："香帅请说，在下洗耳恭听。"

楚留香叹了口气，道："既然如此，在下就恭敬不如从命了。"

胡铁花忍不住道："你就快说吧，难道真想急死人不成？"

楚留香道："这里终年不见天日，也不见灯火，永远都在黑暗中，只因为那位蝙蝠公子根本用不着光亮。"

他一字字接着道："只因他本就是个见不到光明的瞎子！"

这句话说出，大家的眼睛忽然都一齐瞪在原随云脸上。

原随云却还是不动声色，淡淡笑道："在下就是个瞎子。"

楚留香道："阁下也就正是蝙蝠公子！"

原随云居然还是面不改色，道："哦？我是么？"

楚留香道："阁下虽震聋了英老先生的耳朵，但却还是慢了半步，他最后还是说出了一个字，有时一个字已足够泄露很多秘密。"

英万里最后一声狂吼，只有一个字。

"原……"

他吼声突然停顿，因为那时他已听不到自己的声音，在他说来，那简直比杀了他还可怕。

只不过他耳朵未聋前，已经听出了自铜管中发出的声音就是原随云——楚留香显然也早就在怀疑原随云。

原随云沉默了很久，终于长长叹了口气，道："看来，我毕竟还是低估了你。"

蝙蝠公子竟是原随云！

胡铁花简直无法相信，任何人都无法相信。

这气度高华、温柔有礼的世家子，竟做得出如此残酷、如此可怕的事。

楚留香凝注着他，缓缓地道："我并没有确实的证据能证明你是蝙蝠公子，你本可以狡辩否认的。"

原随云淡淡一笑，道："我不必。"

他笑得虽淡漠，却带着种逼人的傲气。

楚留香忽也长长叹息了一声，道："我毕竟没有低估了你。"

原随云道："我错了，你也错了。"

楚留香道："我错了？"

原随云缓缓道："我本来只想要你的一双眼睛，现在却势必要你的命！"

楚留香沉默了很久，缓缓道："你有机会，但机会并不很大。"

原随云道："至少比你的机会大，是么？"

楚留香道："是！"

这“是”字虽是人人都会说的，但在此时此刻说出来，却不但要有超人的智慧，还得有过人的勇气。

原随云也沉默了很久，忽然道：“有很多人对别人虽很了解，对自己却一无所知。”

楚留香道：“了解别人本就比了解自己容易。”

原随云道：“只有你，你不但能了解别人，也能了解自己，就只这一点，已非人能及。我与你为敌，实在也是逼不得已。”

楚留香叹道：“我也早说过，世上最可怕的敌人就是你。”

原随云道：“你自知没有把握胜我？”

楚留香道：“是。”

原随云道：“既然如此，你为何还要与我交手？”

楚留香道：“势在必行，别无选择！”

原随云道：“好！”

他霍然长身而起，微笑着道：“我闻你往往能以寡敌众，以弱胜强，我倒真想知道你用的是什么法子？”

楚留香淡淡道：“也没有什么别的法子，只不过是‘信心’二字而已！”

原随云道：“信心？”

楚留香道：“我确信邪必不能胜正，强权必不能胜公理，黑暗必不会久长，人世间必有光明存在！”

原随云的脸色终于变了，冷笑道：“信心能不能当饭吃？”

楚留香道：“不能，但人若无信心，和行尸走肉又有何异？”

原随云又笑了，道：“好！但愿你的信心能将我击倒。”

他袍袖一展，整个人突然飘飘飞起，就像是一只蝙蝠在无声地滑行，姿势真有说不出的优美。

他这一掠之势并不快，但忽然间就落在楚留香的面前。

绝没有人见到过原随云的武功，有人甚至不知道他也会武功，直等他这一手轻功露出，大家才都不禁为之悚然动容。

原随云长袖垂地，微笑道：“请。”

楚留香也微笑着，道：“请！”

两人相对一揖，各各退后了三步，面上的微笑犹未消失。

两人直到现在，还未疾言厉色说过一句话。

在这种生死决战的一刹那，若是换了别人，纵不紧张得发抖，也难免要变得脸色铁青。

他们却还是如此客气，如此多礼。

他们的神经就好像是铁铸的，绝不会因任何事而紧张。

但在这种温和的笑容后，隐藏着的却是什么呢？

每个人都在瞧着他们的手。

因为无论谁都可以想到，只要他们一出手，就必定是石破天惊、惊天动地的招式！

每个人都在等着他们出手。

就在这时，突听一人大喝道：“等一等，这一战是我的！”

人影一闪，胡铁花已挡在楚留香面前。

楚留香皱眉道：“我已说过……”

胡铁花大声道：“我不管你说过什么，这一战你都得让给我！”

楚留香道：“为什么？”

胡铁花瞪着原随云，道：“我一见到这人，就拿他当作朋友，你们怀疑他时，我还百般为他辩护，可是……可是他却出卖了我。”

原随云叹了口气，道：“江湖中人心诡谲，你本不该随便交朋友。”

胡铁花咬着牙道：“我虽然看错了你，但出卖我的人也都要后悔的。”

原随云道：“后悔的人也许是你自己。”

他又叹了口气，道：“乘你现在还未后悔时，快退下去吧，我不愿和你交手。”

胡铁花怒道：“为什么？”

原随云淡淡道：“因为你绝不是我的对手，楚香帅也许还有三分机会，你却连一分机会也没有。”

胡铁花大喝道：“放屁……”

他的拳头和他的声音几乎是同时发出去的。

拳风竟将他的喝声都压了下去。

谁都知道胡铁花是个又冲动、又暴躁的人，就算是为了芝麻绿豆般的一点点小事，他往往也会暴跳如雷，大发脾气。

只有在一种时候，他反而比别人都能沉得住气。

那就是打架的时候。

他这一辈子也不知和人打过多少次架了，有时固然是武林高手作生死相拼的决斗，但有时，他也会脱下衣服，打着赤膊，全不用武功和市井中的地痞流氓打个痛快。

打过几百次架之后，他才学会了两个字：冷静！

要打赢，就要冷静。

无论谁打架都不希望打输的，胡铁花当然也不会例外。

所以他就算已气得脸红脖子粗，但一到真的要打架的时候，他立刻就会冷静下来——

从经验中得到的教训，总是特别不容易忘记。

奇怪的是，他这一次却像是已将这教训完全忘得干干净净。

他简直一点也不冷静。

这一拳击出虽然很威风、很有力，但无论谁都可以看出，这种招式用来对付地痞流氓固然很有效，若用来对付蝙蝠公子这样的绝顶高手，简直就好像要用修指甲的小刀去屠牛一样不智。

像胡铁花这种有经验的人，怎会做出这种愚蠢的事?

原随云果然全没有费半分力，就容容易易将这一招躲了过去。

胡铁花反身错步，又是两拳击出。

这两拳力量更大，拳风更响。

虎虎的拳风将火苗拉得又高又长，却连原随云的衣袂都没有沾着。

张三骂了他几百遍“呆子”了，此刻终于忍不住骂出口：“呆子，你小子真他妈的是个活生生的大呆瓜。”

原随云忽然笑了笑，道：“若有人认为他呆，那人自己才是呆瓜。”

他身形就像是一片云般在胡铁花四面飘动着，直到现在，还没有向胡铁花发出过一招。

张三道：“你当然不会说他呆，你本就希望他愈呆愈好。”

原随云淡淡道：“你是不是要他用没有声音的招式对付我？”

张三还没有说话，胡铁花已怒道：“你虽然不是个东西，但姓胡的无论如何也不会用这种手段来对付个瞎子，你只管放心好了。”

原随云说话的声音还是很从容，和平时说话完全没什么不同，谁也不会听出他说话的时候正在和别人作生死的决斗。

胡铁花说话却已有些不对劲了。

原随云道：“我本来就放心得很。”

他又笑了笑，接着道：“无声的招式任谁都会使的，若是用这种法子就能将我击倒，我还能活到现在么？”

他还是没有回手。

胡铁花第十七拳已击出，突又硬生生收了回来。

原随云身形也立刻停顿。

胡铁花大声道："现在是动手的时候，不是动嘴的时候，你懂不懂？"

原随云道："我懂。"

胡铁花道："既然懂，为什么不出手？"

原随云淡淡道："这也许只是因为我太懂了。"

胡铁花道："你懂什么？"

原随云说道："你的意思就是要我出手，先让楚香帅看清我的武功家数，才好想法子来对付我，不是么？"

胡铁花道："哼！"

原随云叹了口气，道："你的确不愧是他的好朋友，只可惜你这番心机全都白费了。"

胡铁花道："哦？"

原随云道："我会的武功一共有三十三种，无论用哪种都可将你击倒。"

胡铁花冷笑道："你这三十三种功夫中最厉害的一种想必就是'吹牛'。"

原随云非但不生气，反而笑了，道："若是加上吹牛，就是三十四种。"

胡铁花道："其余的三十三种，你倒也不妨说来听听。"

原随云道："东瀛甲贺客的'大拍手'、血影人的轻功、华山派的'清风十三式'、黄教密宗的'大手印'、失传已久的'朱砂掌'、蜀中唐门的毒药暗器……这几种功夫你们想必都已知道了。"

胡铁花道："还有呢？"

原随云道："还有巴山顾道人的'七七四十九手回风舞柳剑'、

少林的‘降龙伏虎罗汉’、武当的‘流云飞袖’、辰州言家的‘僵尸拳’、中原彭家的‘五虎断门刀’、北派正宗‘鸳鸯腿’……”

胡铁花道：“还有呢？”

原随云笑了笑，道：“就凭这十几种功夫还不够吗？”

胡铁花冷笑道：“既然你自己觉得很够了，为什么不敢出手？”

原随云道：“因为你既然曾经将我当作朋友，我至少总该让你多活些时候。”

胡铁花道：“哦？你想让我活多久？”

原随云道：“至少等到他们全都死光了之后。”

胡铁花道：“他们？”

原随云道：“‘他们’的意思，就是这个地方所有的人。”

胡铁花道：“你要将这里所有的人全杀光？”

原随云又笑了，道：“我的秘密已被他们知道，你以为我还会让他们活着？”

胡铁花瞪着他，忽然仰面大笑了起来，道：“各位听到了没有，这人不但会吹牛，还很会做梦！”

原随云道：“在你们说来，这的确是场噩梦，只可惜这场梦已永远没有醒的时候。”

张三忽也笑道：“只可惜你什么都瞧不见，否则也就说不出这种话了。”

第二层石台上，不知何时也燃起了一圈火。

六七尺高的火焰，就像是一堵墙，已将蝙蝠公子手下那些黑衣人全都围住。

这些人就像是野鬼，对火有种说不出的畏惧，一个个都往中间退去，七八十个人都挤到了一处。

突然间，七八十个人竟一个接着一个，无声无息地跌了下去，一跌倒就再也无法爬起。

谁也看不出这是怎么回事，更无法解释。

也许只有一种解释：魔法！

这些人就像突然被某种神秘而可怕的魔法所控制。

他们的灵魂似已离开了躯壳。

七八十个人竟已全都倒下，已没有一个人还能站得起来。

张三道："丁枫，你是有眼睛的，你为什么不将看到的事告诉他？"

丁枫的脸上已全无半分血色，嘴唇也在发抖，哪里还能说出话来？

张三叹了口气，道："眼不见心不烦，有时看不见的确倒反而好些。"

胡铁花道："所以世上有些人宁愿做睁眼的瞎子，也不愿看得太多。"

原随云道："看不见，并不是不知道。"

张三道："这话是什么意思？"

原随云道："有的人虽能看得见，却什么也不知道，有的人虽然看不见，却什么都知道。"

张三道："你知道什么？"

原随云道："我至少比你们知道得多。"

张三道："哦？"

胡铁花抢着道："你可知道，你那些手下到哪里去了？"

原随云道："他们哪里也不能去。"

胡铁花道："那么，现在为什么连他们的声音都已听不到？"

原随云道："因为他们都已被人点住了穴道，都已倒了下去！"

胡铁花怔住了，瞪着他，似乎想看看这人究竟是不是真的瞎子。

他当然是真的瞎子。

原随云道："你既然能看得见，知不知道是谁点了他们的穴道？"

胡铁花又怔住了。

他的确不知道。

火圈里的人全都已倒在地上，就好像真的是被魔法所控制，突然都发了疯，你点了我的穴道，我点了你的穴道，所以才全都倒下。

但这种事又怎么可能发生呢？

胡铁花怔了半晌，忍不住问道："你知道是谁？"

原随云笑了笑，道："点住他们穴道的人，当然就是那放火的人！"

点火的人又是谁呢？

起火的时候，每个人都看到的。

黑衣人们倒下去的时候，大家也全都看得清清楚楚的。

火，自然不会无缘无故地燃烧起来。

好好的一个人，自然也不会无缘无故地倒下。

谁都知道必定有个人点起火，再将他们击倒。

可是，谁也没有看到这个人。

他难道是个看不见的人？

胡铁花的手又不知不觉摸到了鼻子上，只觉得湿湿的，却也不知道是手上的汗，还是鼻子上的汗。

原随云淡淡道："有些事，纵然不是瞎子，也看不见的，这就是其中之一。"

胡铁花道："难道——难道还有别的事？"

原随云道："我现在还在这里等着，你们可知道我在等什么？"

胡铁花恨恨道："鬼才知道你在等什么！"

原随云道："你可知道这火为什么突然就燃烧得如此猛烈？"

胡铁花无法回答。

这火的确是在一刹那间燃烧起来的，简直就像是奇迹。

胡铁花怔了半晌，又忍不住问道："你知道？"

原随云悠然道："我早就说过，看不见，并不是不知道，只不过……"

他忽又笑了笑，道："只不过我若说出是什么东西使火燃烧得如此猛烈的，你也许会觉得很可惜。"

胡铁花道："可惜？"

他忽然也明白了，失声道："是酒，烈酒！"

原随云笑道："不错，是酒，而且是上好的陈年大曲。"

胡铁花叹了口气，道："听来倒的确有点可惜。"

原随云道："你知道，我从不用劣酒招待客人的，但是真正的好酒却很难买到很多，而且，酒喝得再快，也没有烧得快。"

胡铁花变色道："你是在等酒烧光？"

原随云笑道："这次你又猜对了。在这里，除了酒之外，绝没有第二种可以燃烧的东西；从今以后，我也绝不会再带可以烧得着的酒来。"

楚留香突然叹了口气，道："也许我本不该听你说这些话的。"

原随云道："我方才也不该听你说那些话的，否则又怎会容人在我面前点火？"

他笑了笑，接着道："我既已上了你一次当，你就上我一次又何妨？"

火势果然已渐渐小了。

胡铁花大喝道："无论如何，你反正已逃不了……大家围住他……”

喝声中，已有七八个人扑了过来。

就在这时，原随云长袖已流云般飞卷而起。

不是流云，是狂风。

狂风卷起，原随云的人似也被卷起。

他的人仿佛突然变成了一只巨大的蝙蝠，自火焰飞过。

第二层石台上的火焰立刻熄灭。

他身形竟还是在飞旋着，那两只衣袖，就像是一双翼。

翼扇起了风，风扇灭了火。

本已微弱的火势，突然间全部熄灭！

黑暗！

那种令人绝望的黑暗又来了。

风声还在盘旋着，已到了最下面一层。

胡铁花也已到了最下面一层。

他追着风声，因为风声到了哪里，原随云就到了哪里。

他身后也有一阵阵衣袂带风声，显然还有很多人在跟着他。

能被请到这里的人，都是高手，轻功都不弱。

只听“叮”的一声，风声突然停止。

所有的人立刻扑了上去。

然后，突然又响起了几个人的惊呼声，莫非已有人被原随云击倒？

但无论他武功多么高，也是绝对无法抵抗这么多高手的。

只听胡铁花厉声喝道：“你还想往哪里逃？”

惊呼厉喝声中，又有人大呼道：“我抓住他了……抓住他了！”

惊呼声、厉喝声、喜极大呼声，几乎是在同时响起的。

谁也不知道究竟发生了什么事？

是谁被击倒？

是谁抓住了原随云？

就在这时，火光突又亮起。

一点火光，如星如豆，但在这种绝望的黑暗中，却无异怒海中的明灯。

二十个人全都挤在一个角落里，有的人摸着头，有的人揉着肩，显然是在扑过来的时候撞上了石壁。

惊呼声就是这几人发出来的。

另外几个人你扣住了我的脉门，我抓住了你的衣襟，面上还带着狂喜之色，但火光一亮，这狂喜之色立刻就变得说不出的尴尬。

他们都以为自己抓住了原随云，谁知抓住的竟是自己的朋友。

原随云根本不在这里。

石壁上，钉着一只铁铸的蝙蝠！

他们追的竟是这只铁蝙蝠！

铁蝙蝠所带起的风声，将所有的人全都引到这里。

原随云呢？

每个人全都怔住。怔了半晌，才转过身，去瞧那点火光。

火光就在楚留香手里。

他另一只手，扣住了丁枫的脉门，还站在那里，动也没有动。

胡铁花第一个冲了过去，大声道：“原随云呢？你为什么不去追他？”

楚留香叹了口气，道：“你们若都留在这里，也许我还能追得到他，可是……”

他的话并没有说完，但他的意思大家却已明白。

到处都是衣袂带风声，每个人的衣袂带风声都是相同的。

黑暗中，每个人都可能是原随云。

黑暗中就像是有几十个原随云，却叫楚留香去追哪一个？

胡铁花怔了半晌，道："你……你方才为何不点这火折子？"

这火折子正是勾子长藏在袜筒里的那只。

勾子长交给胡铁花，胡铁花交给了楚留香。

楚留香却道："火折子方才并不在我手上。"

胡铁花道："我明明交给你的，怎会不在你的手上？"

楚留香道："这里唯一可以点火的，就是这火折子，点火的人并不是我！"

胡铁花怔了怔，道："难道这火折子方才就在那点火的人手上？"

楚留香道："不错。"

胡铁花更奇怪了，说道："那么这火折子怎会又到了你手上的？点火的人现在哪里？你莫非知道他是谁？"

他连珠炮似的问出了三个问题，楚留香还来不及回答——

突然又是一阵轻呼。

胡铁花回过头，就发现那堆倒下去的黑衣人中，正有一个人慢慢地站起，慢慢地往这边走了过来。

她的脚步很轻、很慢。

虽然她身上穿的也是同样的黑衣服，面上也蒙着黑巾，连眼睛都被蒙住，但无论谁都可看出她是个女人。

她那苗条而又丰满的身材，绝不是任何衣服所能掩得住的。

胡铁花失声道："原来是你！"

他这才恍然大悟，原来点火的人就是金灵芝。

点住这些人穴道的也是她。

但金灵芝又怎会突然出现在这里的呢？

她以前一直藏在哪里？

楚留香怎会找着她的？

她慢慢地向前走，走上第三层石台，还是没有掀起蒙面的黑巾。

她走路的姿态很奇特，就仿佛是个终年都只能在黑暗中行走的幽灵。

她慢慢地走到楚留香身旁，在他耳畔轻轻说了两句话。

楚留香柔声道："我明白。"

两人虽然并没有什么动作，却显得说不出的亲密。

金灵芝怎会突然和楚留香变得如此亲密了？

胡铁花瞪大了眼睛，瞧着他们，也不知是惊奇，还是在生气？

也没有别人说话。

这些武林豪客平时虽然都是发号施令的人物，但现在，每个人都已唯楚留香马首是瞻。

因为他们自己根本已没有主意。

楚留香道："此地不可再停留，我们先退出去再说吧。"

张三道："原随云呢？不管他了吗？"

楚留香道："这里是死地，他也和我们同样无路可走。"

张三叹了口气，道："但愿我们还能找得到他。"

楚留香道："小胡，你找两位朋友帮忙，将英老先生和勾子长抬出去。"

胡铁花眼睛还盯在"她"身上，只"哼"了一声。

楚留香随手在丁枫肩井穴上轻轻一拂，道："还有这位丁公子！"

胡铁花道："哼。"

楚留香温柔地摸了摸"她"的头发，道："你也跟他们出去吧。"

"她"迟疑着，轻轻道："你呢？"

楚留香道："我们暂时还走不了，我得去找粮食和水。"

他当然也是去找原随云的。

因为有粮食和水的地方，原随云也必定在那里。

"她"又迟疑了很久，才慢慢地点了点头，柔声道："你要小心。"

楚留香道："我会小心的。"

两人说的话虽不多，但每个字都充满了柔情蜜意。

胡铁花的脸已有些发红了。

楚留香道："张三，我将她交给你了，你要好好照顾她。"

张三道："当然。"

胡铁花突然冷笑道："你为什么不将她交给我？我难道就不能照顾她？"

张三笑了，道："你连自己都未必能照顾得了，还想照顾别人？"

胡铁花瞪了他一眼，猝然回头，大步走了出去。

楚留香道："你小心找找看，只要是活的人，都想法子带出去！"

张三说道："我明白，可是你……你可千万要小心些。除了原随云，这里也许还有别的人、别的埋伏……"

胡铁花已走下第二层石台，突然大声道："不但有人，还有鬼，各式各样的鬼，大头鬼、小头鬼、吊死鬼、色鬼……"

楚留香叹了口气，苦笑道："看来这里真有鬼也说不定。"

第二十一章

文无第二，武无第一

日已西斜。

但阳光还是很灿烂，海浪拍打着礁石，激起一连串银白色的泡沫。

五七只海鸥在蔚蓝色的天空下、蔚蓝色的海洋上低回。

刚从黑暗中走出来的人，骤然见到阳光，都不禁闭起眼睛，让眼帘先接受阳光温暖的轻抚，然后才能接受这令人心跳的光明！

每个人都忍不住要长长吸口气。

空气仿佛是甜的。

每个人心情都突然开朗了起来。

现在，他们虽然还处于绝地，可是只要有光明，就有希望。

每个人脸上都有了神采！

只有“她”是例外。

“她”躲在岩石后的阴影中，身子蜷曲着，面上的黑巾还是不肯掀起。

她竟似对阳光很畏惧。难道她已无法接受光明？

胡铁花盯着她，突然冷笑道：“一个人若没有做亏心事，又何必躲着不敢见人？”

张三道：“你在说谁？”

胡铁花冷冷道："我说的是谁，你当然明白！"

张三又笑了，道："原来你是在吃醋，只不过吃的是干醋、飞醋。"

胡铁花道："你放的是屁，干屁、飞屁。"

张三大笑道："原来屁也会飞的，这倒少见得很，你放个给我瞧瞧如何？"

胡铁花道："你瞧不见的，它就在你嘴里。"

听到他们说话的人，都忍不住想笑，只有她，却在轻轻抽泣。

胡铁花冷笑道："要哭就大声哭，要笑就大声笑，这样活着才有意思。"

张三道："你说话最好客气些。"

胡铁花道："我说我的，关你屁事！"

张三叹了口气，喃喃道："原来你也是只瞎了眼的蝙蝠。"

胡铁花怒道："你说什么？"

张三道："你本该早就能看出这位姑娘是谁的，就算看不出，也该想得到。"

他又叹了口气，道："现在我才知道世上最可怕的情感不是恨，而是爱。因为有了爱才有嫉妒，它不但能令人变成呆子、疯子，还能令人变成瞎子。"

胡铁花真的呆住了，眼睛还在"盯"着她。

"东三娘！"

胡铁花的脸一直红到耳根，吃吃道："我又错了……我真他妈的是个大混蛋。"

他常常会做错事，但每次他都能认错。

这就是他最大的长处。

所以大多数人都觉得他很可爱。

张三苦笑道："任何人做错事都一定要挨骂；奇怪的是，只有你这个小子做了错事，别人连骂都不舍得骂你！"

胡铁花根本没听见他是在说什么，喃喃道："点火的若不是她，是谁呢？"

张三道："这件事我也真不明白……莫非竟是华真真？"

高亚男一直没有说话，只是冷冷地瞅着胡铁花。

胡铁花似已忘记了她。

这片刻之间，发生的事实在太多了，谁也不会注意到别人。

何况，"嫉妒"确实可以令人的眼睛变瞎，头脑发昏。

此刻高亚男突然道："绝不是华真真。"

张三道："可是……"

高亚男不让他说话，又道："她就是凶手，怎么可能反来帮我们？"

张三这才有机会将那句话说完，道："可是华真真的人呢？"

高亚男恨恨道："她一定还躲在什么地方，等着害人。"

张三默然半晌，道："莫非是金姑娘？"

胡铁花道："也不是，她没有那么高的武功。"

张三道："但她的人也不见了。"

胡铁花突然跳了起来，道："我进去瞧瞧。"

张三道："你去找她？"

胡铁花大声叫道："你以为我只记得女人？老臭虫一个人在里面，不但要对付原随云，还要对付华真真，我怎么还能在这里耽得下去！"

胡铁花已又冲了进去。

就算他明知那是地狱，他也会冲进去。

高亚男叹了口气，幽幽道：“他对别人都不太怎么样，为什么对楚留香就特别不同呢？”

张三道：“因为楚留香若知道他在里面有危险，也会不顾一切冲进去的。”

他也叹了口气，道：“这两人实在是好朋友，我实在从来也没有见过像他们这样的朋友。”

高亚男道：“有时我也不明白，他们的脾气明明一点也不相同，为什么偏偏会变成这么好的朋友，难道这也叫不是冤家不聚头？”

张三笑了，道：“平时他们看来的确就像是冤家，随时随地都要你臭我两句，我臭你两句；但只要一遇着事，就可看出他们的交情了！”

高亚男嫣然道：“我看你也和他们差不多。”

张三的笑容突然变成苦笑，道：“但我现在还是舒舒服服地坐在这里晒太阳。”

高亚男说道：“那只因为楚留香已将这里很多事托给你，受人之托，就要忠人之事，这才是真正的好朋友。”

张三凝注着她，叹道：“看来你也不愧是他们的好朋友。”

高亚男目中似乎流露出一种幽怨之色，缓缓道：“不但是好朋友，也是老朋友。”

高亚男的确是胡铁花和楚留香的老朋友。

情人虽是新的好，但朋友总是老的好。

张三沉默了很久，又道：“点火的人若不是华真真，也不是金灵芝，那么是谁呢？”

高亚男道：“我也想不出。”

张三的额上又在冒汗，道：“我从头到尾就根本没有看到有那么样一个人，但我也知道一定有那么样一个人存在的……”

他擦了擦汗，喃喃道：“难道那个人是谁都看不见的么？”

人，是有骨有血有肉的，只要是人，别人就能看见他。

世上绝没有隐形人。

看不见的只有幽灵、鬼魂！

高亚男目光凝注着海洋，缓缓道："若是真有个看不见的鬼魂在里面，他们……他们……"

她没有说完这一句话，因为连她自己都不敢再说下去。

群豪本都远远站在一边，此刻突然有几个人走了过来。

其中一人道："我们也去瞧瞧！"

另一人道："楚香帅为我们做了很多事，我们绝不能置身事外。"

高亚男却摇了摇头，道："我想……各位还是留在这里的好。"

一人道："为什么？"

高亚男沉吟着，忽然问道："各位身上可带得有引火之物么？"

那人道："没有，只要是可以点得火的东西，在我们上岸前就全都被搜走了。"

一个瘦骨嶙峋的白发老者叹息着接道："连老朽点水烟用的纸媒子他们都不肯放过，更何况别的？"

这老人一双手又黄又瘦，有如枯木，牙齿已被熏黑，烟瘾本极大，这两天瘾头本已被吊足；不提起这"烟"字还好，一提起来，喉结上下滚动，嘴里又干又苦，简直比没饭吃还难受。

高亚男突然也叹了口气，道："王老爷子德高望重，好好地不在家里纳福，却偏偏要到这里来受气受罪，这又是何苦？"

白发老人脸色变了变，干咳了两声，道："姑娘怎会认得老朽？"

高亚男淡淡地道："鹰爪门享名武林垂七十年，江湖中人就算不认得王老爷子，只看王老爷子的这双手，也该猜得出来的。"

这老人正是淮西"鹰爪门"的第一高手"九现云龙"王天寿。

二十年前已将掌门之位传给了他的侄子王维杰，近年来已很少在江湖走动，见过他真面目的人本就不多，不想竟也在这里露面了。

大家都忍不住转过头去瞧他几眼。

王天寿怔了半晌，才干笑了两声，道："姑娘年纪轻轻，眼力却当真不错，当真不错。"

张三看到这情况，才知道这些人虽然都是武林名人，彼此间却各不相识，他们平时各据一方，见面的机会本不多。

但原随云安排请客名单的时候，显然也花了番工夫，绝不将彼此相识的人同时请到这里来，免得口音被人听出。

王天寿也未想到自己的身份会被个年纪轻轻的小姑娘揭破，心里暗暗埋怨自己多嘴，正想找个机会走得远些。

突见一个紫面虬髯的大汉自人丛中笔直走过来，一双凛凛有光的眼睛直瞪着他，沉声道："原来那位'朱先生'就是王天寿王老爷子，这就难怪蝙蝠公子对'朱先生'也分外客气了。"

王天寿皱眉道："阁下是谁，倒眼疏得很。"

紫面大汉也不答话，又道："王老爷子不在家纳福，间关万里，赶到这里，为的莫非就是蜀中唐门的那几瓶毒药么？"

王天寿脸色又变了变，厉声道："阁下究竟是什么人？"

紫面大汉冷笑道："王老爷子也用不着问在下是谁，只不过在下却想请教……"

高亚男突然笑道："王老爷子毕竟是久已不在江湖走动了，连关东道上的第一条好汉'紫面煞神'魏三爷的异相都认不出来。"

王天寿仰面打了个哈哈，道："原来是魏行龙魏三爷，当真是久仰得很，久仰得很……"

他笑声突然停顿，一双昏花的老眼立刻变得精光四射，也瞪着魏行龙，冷冷道："久闻魏三爷多年丰收，如今已是两家大马场的东主，姬妾之美，江湖中人人称羡，却为何不在温柔乡里纳福，也要到这里来受气受苦呢？”

魏行龙脸色也变了，道：“这是在下的私事，和别人……”

王天寿打断了他的话，道：“私事？魏三爷到这里来，为的只怕是顾道人的‘七七四十九手回风舞柳剑’的剑诀心法吧？”

这句话说出，群豪都不禁“哦”了一声，眼睛一齐都盯到魏行龙左眼留下的一条刀疤上。

这条刀疤自眼角一直划到耳根，虽长而不太深，魏行龙天生异相，面如紫血，若不指明，别人本难发现这条刀疤。

但这条刀疤的来历，却是人人都知道的。

昔年巴山顾道人创“七七四十九手回风舞柳剑”，仗剑走天下，剑法之高，举世无双。

他生平只收了一个徒弟，却是俗家弟子，姓柳，名吟松。剑法虽不如顾道人之空灵清绝，但人品之清高，却也久受江湖之推崇。

柳吟松生平从未与人结怨，只有一次到关外采药时，路见不平，伤了个不但劫财，还要劫色的独行盗匪。

这独行盗就是魏行龙。

他脸上的这条疤，就是柳吟松留下来的。

据说他曾在柳吟松面前发下重誓，表示自己以后一定洗心革面，重新做人，所以柳吟松才剑下留情，饶了他的性命。

所以这独行盗才摇身一变，做了马场的东主。

他若真的已改过自新，到这里来干什么？

王天寿这句话一说出来，大家心里立刻雪亮。

“原来魏行龙改过自新全是假的。”

“原来他还是想找柳吟松复仇，却又畏惧柳吟松的剑法，此番到这里来，为的就是想得到‘回风舞柳剑’的奥秘。”

武林豪杰讲究的本是快意恩仇，但这种说了话不算话的卑鄙小人，却是人人都瞧不起的。

大家眼睛瞪着魏行龙，目中却露出了不屑之色。

魏行龙一张脸涨得更紫，咬牙道：“就算我是为巴山剑法而来的又怎样？你呢？”

王天寿冷笑道：“我怎样？”

他脸色似已有些发白。

魏行龙道：“偷学别人的武功，再去找人复仇，这虽然算不得本事，但至少也总比那些一心只想在暗中下毒害人，还要嫁祸给唐家的人强得多了。”

王天寿大怒道：“你是在说谁？”

魏行龙也不理他，却向群豪扫了一眼，道：“各位可知当今天下第一位大英雄、大豪杰是谁么？”

“文无第二，武无第一。”

这“天下第一位大英雄”八个字，原是人人心里都想加在自己名字上的，但若真的加到自己身上，却是后祸无穷。

只因无论是谁有了这八个字的称号，都一定会有人不服，想尽千方百计，也得将这八个字抢过来才能甘心。

数百年来，江湖中名侠辈出，不知有多少位大英雄、大豪杰，做出过多少件轰轰烈烈、脍炙人口的大事。

但真能令人人都心服口服，将这“天下第一”几个字加到他身上的人，却至今连一个都没有。

魏行龙这句话问出来，大家俱都面面相觑，猜不出他说的是谁。

其中也有几人瞟了高亚男和张三一眼，道：“莫非是楚香帅？”

魏行龙道：“楚香帅急人之难，劫富济贫，受过他好处的人也不知有多少；武功机智，更没有话说，当然是位大英雄、大豪杰；只不过……”

他长长吸了口气，接着道：“这‘天下第一’四个字，楚香帅也未必能当得起。”

那几人立刻大声道：“若连楚香帅也当不起，谁当得起？”

又有几个人道：“楚香帅横扫大沙漠，力败石观音，独探‘神水宫’，与‘水母’阴姬自陆上斗入水中，又自水中斗至陆上，这是何等英雄，何等豪气！除了楚香帅外，还有谁做得出这种惊天动地的大事？”

又有几人道：“不说别的，只说这次在蝙蝠岛上，楚香帅的所作所为，有谁不佩服？世上还有谁能比得上他？”

魏行龙叹了口气，道：“楚香帅在下自然也佩服得很，只不过我说的……”

王天寿突然厉声道：“这种卑鄙小人所说的话，各位当他放屁也就罢了，又何必去听他的。”

喝声中，他脚步已向魏行龙移了过来，一双枯瘦如木的手掌上，青筋暴露，五指已如鹰爪般勾起。他身材本极矮小，但此刻却似突然暴长了一尺，全身骨节咯咯发响，骤如连珠密雨。

群豪虽已久闻“九现云龙”王天寿的武功内力之高，已不在昔年的“鹰爪王”之下，但究竟高到什么程度，却是谁也没有见过。如今见到他这种声势，心里才全都暗暗吃了一惊，都知道他此番这一出手，魏行龙此后只怕就再也没有说话的机会了。

他说的那“天下第一位大英雄”究竟是谁呢？王天寿为什么不让他说出来？

大家虽已全都猜出这其中有些蹊跷，但谁也不愿去惹这种麻烦，谁也没有把握能接得了王天寿的鹰爪功。

突然间，两个人一左一右，有意无意间挡住了他的路。

左面一人道："就算他放的是屁，听听又何妨？"

右面一人道："不错，响屁不臭，臭屁不响，能听得到的屁，总不会太臭的。"

这两人长得居然完全一模一样，都是圆圆的脸，矮矮胖胖的身材，说起话来都是笑嘻嘻的，笑得一人一个酒窝。

只不过右面一人的酒窝在左，左面一人的酒窝却在右。

两人只要手里多拿一副算盘，就活脱脱是站在柜台后算账的酒店掌柜，当铺朝奉。

无论你左看右看，上看下看，都绝不会看出这两人有什么了不得的功夫。

但王天寿瞧了这两人一眼，一双已满布真力的手掌，竟慢慢地垂了下去，又干咳了两声，道："既然贤昆仲想听，就让他放吧。"

两人同时哈哈一笑，道："不错，有话快说，有屁快放。"

魏行龙怒目瞪了他们一眼，竟也只瞪了一眼，目中的怒气立刻消失，立刻转过头，像是生怕自己若再多瞧他们一眼，眼睛就会瞎掉。

群豪心里正在奇怪，不知道王天寿和魏行龙为何会对这兄弟两人如此畏惧，难道他们那一双白白胖胖的手还能斗得过鹰爪功？

高亚男笑道："贤昆仲果然是货真价实、童叟无欺，佩服佩服。"

"货真价实、童叟无欺"，这八个字本是句很平常的话，无论大绸缎庄、小杂货铺，门口都会贴上这么样一张纸条作招徕，也不管别人是否相信——真相信的人也许连一个都没有。

但此刻群豪听了这句话，却大吃了一惊。

原来这八个字正是他们兄弟两人的外号。

左面一人是哥哥，人称"货真价实"钱不赚，右面的是弟弟，人称"童叟无欺"钱不要。

江湖中提起这兄弟两人来，纵然不吓得面色如土，也要变得头大如斗，只因这兄弟两人做的虽是生意买卖，但买卖的却是人头。

恶人的头。

魏行龙道：“在下说的这位大英雄，贤昆仲想必也知道的。”

他嘴里虽在和他们说话，眼睛却瞧着自己的手。

钱老大笑嘻嘻道：“我兄弟认得的人也未必全是英雄。”

钱老二笑嘻嘻道：“我兄弟认得的狗熊比英雄多得多。”

魏行龙只作听不见，道：“王天寿二十年前将掌门之位让出来，为的就是这位大英雄发现了他的一件丑事，才逼着他这么样做。”

钱老大道：“这故事听来倒有点意思了，能逼王老爷子退位的人倒还不多！”

魏行龙道：“这位大英雄也已有很久未出江湖，如今在下才听说他老人家静极思动，又想到红尘中来一现侠踪。”

钱老二道：“王老爷子莫非也想找他复仇？”

魏行龙道：“若论武功，十个王天寿也比不上这位大英雄一根手指，但他却知道这位大英雄今年过年后一定会去找他，所以就先邀了唐家的唐大先生和另外几位高人到淮西鹰王堡去吃春酒！”

他恨恨接着道：“他在这里买下唐门的毒药，就为了要在酒中下毒，害死那位大英雄，然后再嫁祸给唐大先生。”

王天寿突然仰面狂笑，道：“这小子放的屁不但响，而且奇臭无比。各位难道还想听下去么？……各位难道不想想，王某就算真有此意，他姓魏的又怎会知道？”

魏行龙道：“只因我已见过了那位大英雄，已知道他要去找你，知道你邀了唐大先生作陪客，也知道你买了唐家的毒药。”

他冷笑着接道：“这三件事凑起来，我若再猜不透你的狼心狗肺，就枉在江湖中混这几十年了。”

钱老大道：“只可惜你说话像个老太婆，啰啰唆唆说了一大堆，却还未说出那位大英雄到底是谁？”

魏行龙一字字道：“在下说的这位大英雄，就是‘铁血大旗门’的掌门人，天下第一、侠义无双的铁大侠铁中棠！”

铁中棠！

这名字说出来，突然没有人喘息了！

数百年来，若只有一人能令天下豪杰心悦诚服，称他为“天下第一”的，这人就是铁中棠！

每个人都长长吸了口气。

过了很久，钱老大才将这口气吐出来，道：“阁下认得铁大侠？”

只为了“铁中棠”这名字，他对魏行龙的称呼也客气起来。

魏行龙却似突然呆了，喃喃道：“认得……认得……认得……”

他将这“认得”两字反反复复说了十几遍，眼睛里就流下泪来。一粒粒黄豆般大小的眼泪流过他紫色的脸，在夕阳下看来就像是一粒粒紫色的水晶。

这么样一条威风凛凛的大汉，居然也会像小姑娘般流泪，群豪虽觉可笑，心里却也已隐隐猜出他必定和“铁大侠”有极不寻常的关系。

过了很久，魏行龙突然大声道：“我魏行龙是什么东西，怎配‘认得’铁大侠？可是……可是，若没有铁大侠，还有我魏行龙么？我魏行龙这条命就是铁大侠救的……”

他咬着牙，接道：“各位想必都认为是柳吟松剑下留情，魏某才能活到现在，但若没有铁大侠，姓柳的又怎会，又怎会……”

说到这里，他已声嘶力竭，突然冲过去，一拳击向王天寿的鼻梁。

铁氏兄弟互相打了个眼色，各各后退了几步。

钱不赚笑嘻嘻道："现在我才总算明白了，柳吟松剑下留情，想必是铁大侠出手拦阻的，并不是柳吟松自己的主意。"

钱不要道："所以魏行龙才会一直对柳吟松怀恨在心，想着要报复。"

钱不赚道："铁大侠一向面冷心热，无论遇着多坏的人，总要给那人一个改过的机会，这点倒和楚香帅的作风差不多。"

钱不要道："若非铁大侠的菩萨心肠，王老爷子和魏三爷又怎能活到现在？"

钱不赚道："只可惜有些人虽能感恩图报，有些人却连猪狗都不如。"

钱不要道："我本以为猪狗不如的是魏三爷，谁知却是王天寿。"

钱不赚道："魏老三，你只管放心出手，他那双爪子若是沾着你一根寒毛，我兄弟就将脑袋赔你！"

这时王天寿早已和魏行龙交手数十招，淮西"鹰爪门"的武功果然不同凡响，魏行龙已被迫得几乎连还手之力都没有。

听了这句话，他精神突然一振，"呼呼"两拳，抢攻而出，用的竟是不要命的招式，自己完全不留后路。

有钱老大的一句话，他还怕什么？

王天寿果然被迫退了两步。

魏行龙脚踏中宫，又是两拳击出，拳势虽猛，自己却空门大露。

王天寿左手如鹰翼，向他手腕一拂，右手五指如爪，直抓他心脉，这正是鹰爪王的秘传心法"出手双杀"！

魏行龙只攻不守，招式已用老，这条命眼看就要送终。

突然钱不赚笑道："王老爷子难道真想要我兄弟赔脑袋么？"

这句话还未说完，王天寿胸口已着了魏行龙一拳，被打得踉跄后退了七步，一口鲜血喷出。

本来明明是魏行龙要遭殃的，谁知王天寿反倒挨了揍。

有些人简直不懂这是怎么回事，但站在前面的却已看出，钱老大说话时，钱老二的手指竟然向外一弹。

“哧”的一道风声响过，王天寿的手就突然向后一缩，魏行龙的拳头才能乘机击上他胸膛。

魏行龙眼睛已红了，怒喝着，又扑了上去。

谁知王天寿突然凌空一个翻身，自他头顶掠过，大喝道：“钱老大，你快叫他住手，你难道以为我不知道你来干什么的？”

他一面呼喝，鲜血还是不停地往外冒。

钱不赚笑嘻嘻道：“我本就是个生意人，到这里自然是来做买卖的。只可惜方才什么都没买到，现在只好买下你这颗脑袋了。”

他嘴里笑嘻嘻地说着话，慢慢地走过去，突然攻出三招。

三招之间，已将王天寿的出手全都封死。

这看来又和气、又斯文的“生意人”，出手之迅急狠辣，竟远在杀人不眨眼的“紫面煞神”之上。

王天寿本已负伤，此刻哪里还能招架？嘶声大呼道：“龙抬头……”

他三个字刚说出，钱不赚的指尖已搭上他的胸膛，只要“小天星”的掌力向外一吐，他那第四个字就休想说得出来了。但就只这三个字，已使四个人的脸色大变。

就在这时，突然人影闪动，两人扑向钱不要，两人扑向钱不赚，这四人本不相识，此刻却突然一齐出手。

钱不赚听到身后的掌风，已知道来的人武功不弱，只求自保，哪里还能顾得了伤人？

只见他矮矮胖胖的身子一缩，人已像球般滚了出去，厉喝道：“你们是什么人？敢来出手相助铁大侠的对头？”

这两人一个马面身长，一个跛子。马面人掌力雄浑沉厚，跛子的身法反而较灵便。

钱不赚两句话说完，跛子已跟过去，不声不响地击出三招。

马面人厉声道：“老子就是杨标，你明白了么？”

这个人说话一口川音，两句话里必定少不了个“老子”。

钱不赚哈哈大笑，道：“原来如此。”

反手一掌，切向跛子的下腹。

跛子身形一缩，退出三尺，道：“杨大哥，你攻上三路。”

杨标道：“好，你攻下……”

话未说完，跛子突然一个肘拳打在他下腹。

杨标再也未想到这人会忽然反过来向他身上招呼，踉跄退出几步，疼得腰都弯了下去，两只手抱着肚子，面上冷汗滚滚而落，嘶声道：“你……你……你龟儿疯了？”

跛子一招得手，又扑向钱不赚，冷冷道：“在下单鹗。”

杨标狂吼一声，道：“好，原来是你！”

他狂吼着往前冲，但冲出两步就跌倒，痛得在地上打滚。

单鹗道：“钱老大，你也明白了么？”

钱不赚笑道：“我既然明白了，你还想跑得了？”

单鹗道：“反正你我迟早总要干一场的，长痛不如短痛。”

只听一人喝道：“对，长痛不如短痛，你就拿命来吧！”

喝声中，这人已向单鹗后背攻出四招。

单鹗背腹受敌，立刻就落了下风，眼见再也挨不过十招。

突然间，又听得一人喝道：“单老大，姓钱的交给我……”

这些人本来互不相识，但也不知为了什么，突然就混战了起来，而且一出手就是要命的招式，仿佛都和对方有什么深仇大恨似的。

张三已瞧得怔住。

高亚男咬着嘴唇，跺脚道："都怪我不好，我若不说出王老爷子来历，也许就不会发生这些事了。"

张三忍不住问道："这究竟是怎么回事？他们明明互不相识的，怎会忽然打成一团糟？"

高亚男沉吟着道："我想，这些人彼此之间，必定有种很微妙的关系；彼此虽然互不相识，但一知道对方的来历，就不肯放过……"

她叹了口气接道："想来这必定也是原随云早就安排好了的，想利用这种关系，将他们互相牵制。"

张三道："会有什么微妙的关系？"

高亚男道："谁知道！"

张三道："方才王天寿说出了三个字，你听见了没有？"

高亚男道："他说的好像是'龙抬头'三个字！"

张三道："不错，我也听见了，却猜不出究竟是什么意思？"

高亚男想了想，道："二月初二龙抬头，他说的会不会是个日期？"

张三道："日期？……就算是日期，也必定还有别的意思。"

高亚男道："不错，否则他们又怎会一听到这三个字就忽然混战起来？"

张三道："你想……那是什么意思？"

高亚男道："也许……有些人约好了要在那个日子里做一件很秘密的事，他们多多少少都和那件事有些关系。"

张三道："也许他们约定了要在那个日子争夺一样东西，现在既然提早见了面，不如就先打个明白，免得再等几个月。"

高亚男道："对，单鹗刚才说的那些话，显然就是这意思。"

张三长长叹息了一声，道："现在大家本该同舟共济，齐心来对付强敌，解决困难，谁知他们却反而自相残杀起来，原随云若是知道，一定开心得很。”

高亚男也长长叹息了一声，喃喃道：“说不定他已经知道了。”

张三冷眼瞧着混战中的群豪，缓缓道：“不错，这件事说不定也是他早就安排好了的。”

第二十二章

又入地狱

胡铁花第二次走入了山窟，已比第一次走进去时镇定得多。

因为他已对这山窟中的情况了解了一些。

他已知道这山窟并不是真的地狱。

黑暗，却还是同样的黑暗。

胡铁花沿着石壁慢慢地往前走，希望能看到楚留香手里的那点火光。

他没有看到，也没有听见任何声音。

恐惧又随着黑暗来了！

他忽然发现自己对这地方还是一无所知。

这里还躲着多少人？多少鬼魂？

楚留香在哪里？是不是已又落入了陷阱？

原随云呢？华真真呢？

胡铁花完全都不知道。

人们若是对某件事一无所知，就立刻又会感觉到恐惧。

恐惧往往也是随着“无知”而来的。

突然，黑暗中仿佛有人轻轻咳嗽了一声。

胡铁花立刻飞掠过去，道：“老……”

他语声立刻停顿，因为他发觉这人绝不是楚留香。

这人正想往他身旁冲过去。

胡铁花的铁掌已拦住了这人的去路，这次他出手已大不相同，出招虽急，风声却轻，用的是掌法中“截”“切”两字诀。

这人却宛如幽灵，胡铁花急攻七掌，却连这人的衣袂都未沾到。

他简直已怀疑黑暗中是否有这么样一个人存在了。

但方才这里明明是有个人的，除非他能忽然化为轻烟消失，否则他就一定还在这里。

胡铁花冷笑道：“无论你是人是鬼，你都休想跑得了！”

他双拳突然急风骤雨般击了出去，再也不管掌风是否明显。

他已听风声呼呼，四面八方都已在他拳风笼罩之下。

胡铁花的拳法，实在比他的酒量还要惊人。

黑暗中，突然又响起了这人的咳嗽声。

胡铁花大笑道：“我早就知道……”

他笑声突然停顿，因为他突然感觉到有样冰冰冷冷的东西，在他左腕脉门上轻轻一划，他手上的力量竟立刻消失！

鬼手？

这难道是鬼手？否则怎会这么冷，这么快？

胡铁花大喝一声，右拳怒击。

这一拳他已用了九成力，纵不能开山，也能碎石。

只听黑暗中有人轻轻一笑。

笑声缥缥缈缈，似有似无，忽然间已到了胡铁花身后。

胡铁花转身踢出一腿。

这笑声已到了两丈外，突然就听不见了。

胡铁花胆子再大，背脊上也不禁冒出了冷汗。

他遇上的就算不是鬼，是人，这人的身法也实在快如鬼魅。

胡铁花一生从来也没有遇到过如此可怕的对手。

又是一声咳嗽。

声已到了四丈外。

胡铁花突然咬了咬牙，用尽全身气力，箭一般蹿了过去。

他也不管这是人是鬼，也不管前面有什么，就算撞上石壁，撞得头破血流，他也不管。

胡铁花的火气一上来，本就是什么都不管不顾的。就算遇着阎王，他也敢拼一拼，何况只不过是个见不得人的小鬼?

他这一蹿，果然撞上了样东西。

这东西，仿佛很软，又仿佛很硬，竟赫然是一个“人”！

这人是谁?

胡铁花这一撞之力，就算是棵树，也要被撞倒，但这人却还是好好地站在那里，动也不动。

胡铁花一惊，反手一掌切向这人咽喉。

他应变已不能说不快。

谁知这人却比他更快，一转身，又到了胡铁花的背后。

胡铁花又惊又怒正想击出第二招，谁知道这人竟在他背后轻轻道：“小胡，你已把我鼻子都撞歪了，还不够么？”

楚留香!

胡铁花几乎忍不住要破口大骂起来，恨恨道：“我只当真的见了鬼，原来是你这老臭虫！我问你，方才你为什么不开腔？为什么要逃？”

楚留香道：“我看你才真的见鬼了，我好好站在这里，是你自己撞上来的。”

胡铁花怔住了，道：“你一直站在这里？”

楚留香道：“我刚走过来……”

胡铁花咽了口口水，道："刚才和我交手的那个人不是你？"

楚留香道："我几时和你交过手？"

胡铁花道："那……那么刚才那个人呢？"

楚留香道："什么人？"

胡铁花道："刚才有个人就从这里逃走的，你不知道？"

楚留香道："你在做梦么？这里连个鬼都没有，哪里有人？"

胡铁花倒抽了口凉气，说不出话来了。

他知道楚留香的反应一向最快，感觉一向最灵敏，若真有人从他身旁掠过去，他绝不会全无觉察。

但方才那个人明明是从这方向走的，楚留香明明是从这方向来的。

他怎会一点也感觉不到？

胡铁花长长叹了口气，喃喃道："难道这次我真遇见了鬼？……"

他突又出手，扣住了这人的脉门，厉声道："你究竟是谁？"

楚留香道："你连我的声音都听不出？"

胡铁花冷笑道："连眼睛看到的事都未必是真的，何况耳朵？"

楚留香叹了口气，苦笑道："你现在好像真的学乖了。"

胡铁花道："你若真是老臭虫，火折子呢？"

楚留香道："在呀？"

胡铁花道："好，点着它，让我看看。"

楚留香道："看什么？"

胡铁花道："看你！"

楚留香道："你总得先放开我的手，我才能……"

这句话还没有说完，远处突然有火光一闪。

一条人影随着火光一闪而没。

胡铁花再也不听这人的话，拳头已向他迎面打了过去。

这山窟中除了楚留香外，绝不会有第二个人身上还带着火折子，现在火折子的光已在别的地方亮起，这人自然绝不会是楚留香。

这道理就好像一加一是二，再也简单明白不过，无论谁都可以算得出的。胡铁花就算以前常常判断错误，但这一次总该是十拿九稳，绝不会再出错了。

他右手扣住了这人的脉门，这人已根本连动都动不了，他这一拳击出，当然更是十拿九稳，绝不会落空。

“无论你是人是鬼，这次我都要打出你的原形来让我瞧瞧！”

胡铁花这口气已憋了好几天，现在好容易抓住机会，手下怎肯留情？几乎将吃奶的力气都使了出来。

他这拳无论打在谁的脸上，这人的脑袋只怕都要被打扁。

谁知他这十拿九稳的一拳居然还是打空了。

他只觉右肘一麻，这人的手腕已自他掌握间脱出，只听“咯”的一响，左拳用力过猛，一拳打空，自己的腕子反而脱了臼。

胡铁花大惊，咬着牙往后倒纵而出，“砰”地，又不知撞在什么东西上面，连退都无法再退。两条手臂一边麻，一边疼，连抬都无法抬起，现在对方若是给他一拳，那才真的是十拿九稳。胡铁花除了等着挨揍外，简直一点法子都没有。

谁知对方竟完全没有反应。

胡铁花身上已开始在冒冷汗，咬着牙道：“你还等什么，有种就过来，谁怕了你？”

只听这人在黑暗中叹了口气，道：“你当然不怕我，只不过，我倒真有点怕你。”

忽然间，火光又一闪。

这次火光就在胡铁花的面前亮了起来，一个人手里拿着火折子，远远地站在五六尺之外，却不是楚留香是谁?

胡铁花瞪大了眼睛，几乎连眼珠子都掉了出来，讷讷道：“是你?你……你什么时候来的?”

楚留香苦笑道：“你跟我说了半天话，几乎将我一个脑袋打成两个，现在，居然还问我是什么时候来的?除了你还有谁能做得出这种事?我不怕你怕谁?”

胡铁花的脸已有点红了，道：“我又不是要打你，你刚刚不是还在那边么?”

他现在已辨出方才火光闪动处，就在山窟的出口附近。

楚留香道：“你打的就是我。”

胡铁花张大了嘴，吃吃道：“我打的若是你，那人是谁呢?他怎么也有个火折子?”

楚留香没有回答，他用不着回答，胡铁花也该明白了。

那人若不是楚留香，当然就是原随云。

别人不能带火种，原随云当然是例外，他就是这蝙蝠岛的主人，就算要将全世界的火折子都带到这里来，也没有人管得着他。

胡铁花道：“那边就是出口，他莫非已逃到外面去了?”

楚留香笑了笑道：“这次，你好像总算说对了。”

胡铁花跺了跺脚，道：“你既然知道是他，为什么不追?”

楚留香道：“我本来是想去追的，只可惜有个人拉住了我的手。”

胡铁花脸又红了，红着脸道：“他是个瞎子，我怎么想得到他身上会带着火折子?”

楚留香道：“谁规定瞎子身上不能带火折子的?”

胡铁花道：“他带火折子有什么用?”

楚留香淡淡道：“他带火折子的确没什么用，也许只不过为了要你这种人打老朋友而已。”

胡铁花心里当然也明白，方才他那拳若是真将楚留香打倒，他自己也就休想能活着出去。

但心里明白是一回事，嘴里怎么说又是另外一回事了。有些人的嘴是死也不肯服输的。

胡铁花道：“无论如何，我总没有碰坏你一根汗毛，可是你呢？”

楚留香道：“我怎么样？”

胡铁花冷笑道：“你现在还不去追他，还在这里臭你的老朋友——我那拳就算真打着你，也不会打死你的，但我却已经快被你臭死了。”

楚留香悠然道：“现在就算去追，也追不着的。阴天打孩子，闲着也是闲着，有人可以臭臭总比呆站着的好。”

胡铁花叫了起来，道：“除了臭人外，你已经没有别的事好做了么？”

楚留香道：“我还有什么好做的？”

胡铁花道：“张三、高亚男、英万里，这些人全都在外面，现在原随云既然已溜出去了，你还有心情在这里胡说八道。”

楚留香笑道：“除了张三他们，外面还有没有别的人？”

胡铁花道：“当然还有。”

楚留香道：“还有多少人？”

胡铁花道：“至少也有二十来个。”

楚留香笑了笑，道：“既然还有二三十个人在外面，原随云一个人敢出去么？”

胡铁花怔了怔，道：“若是还没有出去，到哪里去了？”

楚留香道：“我怎么知道？”

胡铁花着急道：“你不知道谁知道？”

楚留香道：“谁都不知道，这里是他的窝，老鼠若是已藏入自己的窝，就算再厉害的猫，也一样找不着的。”

胡铁花更着急，道：“找不着难道就算了？”

楚留香道：“我听说回教的经典上有句话说——山若不肯到你面前来，你就走到山前面去。”

胡铁花道：“这是什么意思？”

楚留香道：“这意思就是说，我若找不到他，就只有等他来找我。”

胡铁花道：“就站在这里等？”

楚留香道：“反正别的地方也不见得比这里好。”

胡铁花道：“他若不来呢？”

楚留香叹了口气，道：“你难道还有什么别的好法子？”

胡铁花不说话了，他也一样没有别的法子。

楚留香喃喃道：“一个人的腕子若是脱了臼，不知道疼不疼？”

胡铁花大声道：“疼不疼都是我的事。”

楚留香道：“你不想接上去？”

胡铁花道：“我要接的话我自己会接，用不着你来烦心。”

楚留香道：“既然你自己会接，还等什么？”

胡铁花这才动手，右手一托一捏，已将左腕接上，道：“老实说，我已被你气得发晕，根本已忘了这回事了。”

话未说完，他自己也忍不住笑了，但忽又皱眉道：“金灵芝呢？你还没有找到她？”

楚留香叹道：“我找了半天，根本连个人影都没有看到。”

胡铁花道：“但我却看到了个人。”

楚留香道：“哦？”

胡铁花道：“我虽然没有真的看到他，却听到了他的咳嗽声，还被他的手摸了一下。”

想到那只又冰又冷的鬼手，他竟忍不住激灵灵打了个寒噤。

楚留香却只是淡淡道："你既然没有真的看到他，又怎知他是人，还是鬼？……莫非，又有个女鬼看上了你？"

胡铁花突然跳了起来，大声道："你若要在这里等，就一个人等吧！"

楚留香道："你呢？"

胡铁花道："我……我去找。"

楚留香道："你能找得到？"

胡铁花道："我要找的人又不只原随云。"

楚留香道："还有金姑娘、华真真？"

胡铁花大声说道："我知道华真真对你好像不错，你好像也看上了她，可是你现在总该知道，主谋害死枯梅大师的就是她，杀死白猎的也是她，她干的坏事简直比原随云还要多，你难道还想护着她？"

楚留香没有说什么，他已没有什么好说的。

胡铁花道："现在我只有一件事还不明白。"

楚留香笑了笑，道："想不到你居然也有不明白的事。"

胡铁花道："我想不通她是怎么会认得原随云的？和原随云究竟有什么关系？"

楚留香道："她当然认得原随云，你也认得原随云的。"

胡铁花道："但她却早就认得了，否则为什么要将清风十三式的心法盗出来给他呢？"

楚留香又笑了，笑得很特别。

每当他这么笑的时候，就表示他一定又发现了很多别人不知道的秘密。

他这种笑胡铁花看得多了，正想问问他这次笑的是什么。

就在这时，黑暗中突然出现了一条人影，这人穿着一身黑衣服，黑巾蒙面，装束打扮就和蝙蝠岛上的蝙蝠差不多，但身法之轻灵奇诡，却连蝙蝠岛主原随云也赶不上。

他怀中还抱着个人，胡铁花眼睛一眨，他就已到了面前。楚留香一点反应也没有，显然是认得他。

胡铁花道："这人是谁？"

这人没有说话，只轻轻咳嗽了一声。

胡铁花脸色已变了，这人赫然就是他刚刚还见过的那个"鬼"，这个鬼怀中抱着的就是金灵芝。

难道方才燃起火光的也就是他？

难道他就是那个"看不见的人"么？

胡铁花嗄声道："你认得这人？"

楚留香道："幸亏认得。"

胡铁花道："他究竟是谁？你在这里怎么会有别的朋友？"

楚留香道："他不是别的朋友。"

不是别的朋友是谁呢？胡铁花愈来愈糊涂了，只听楚留香道："金姑娘受了伤？"

这人点了点头。

楚留香道："伤得重不重？"

这人摇了摇头。

楚留香松了口气，道："别的人呢？"

这人又摇了摇头。

楚留香道："好，既然如此，我们先出去瞧瞧。"

这人又点了点头。

他为什么不说话，难道是个哑巴？

胡铁花恨不得能掀开他头上蒙着的这块黑布来瞧瞧，只可惜这人的身法实在太快了，腰一拧，已掠出三四丈。

胡铁花只有在后面跟着。他忽然发现这人的腰很细，仿佛是个女人。

到了出口处，楚留香就抢在前面，抢先掠了出去。天上若有石头砸下来，他宁愿自己先去挨一下。

天上当然不会有石头砸下来，外面的阳光简直温暖得像假的。

只不过，就算在最温柔、最美丽的阳光下，也常常会发生一切最丑陋、最可怕的事。

最丑陋的人就是死人，最可怕的也是死人。楚留香一生中从未看过这么多死人。

所有的人全都死了，有的人至死还纠缠在一起，他们虽然是自相残杀而死的，但冥冥中却似有一只可怕的手，在牵引着他们演出这幕惨绝人寰的悲剧。

英万里的呼吸也已停止，但他的手还是紧紧抓着勾子长的，无论如何，他总算完成了他的任务。

无论他是个怎样的人，就凭他这种“死也不肯放手”的负责精神，就已值得别人尊敬。

张三就倒在他们身旁，脸伏在地上，动也不动，他身上虽没有血渍，但呼吸也已停止。

若是别的人是自相残杀而死的，他们又是被谁杀了的呢？还有东三娘和高亚男。

东三娘还是蜷伏在石级的阴影中，仿佛无论死活都不敢见人。

高亚男伏在她面前，看来本想来保护她的。

阳光还是那么地新鲜美丽——美丽得令人想呕吐！

这简直不像是真会发生在阳光下的事，就像是个梦，噩梦。

楚留香怔在那里，突然不停地发抖。他想吐，却吐不出，只因他根本没有什么东西可吐的。

他的胃是空的，心是空的，整个人都像是空的。

他以前也并不是没有见过死人，但这些人全是他的朋友。就在片刻之前，他们还活生生地跟他在一起。

他看不到胡铁花现在的样子，也不忍看。

他什么都不想看，什么都不想听。但就在这时，他听到了一种很奇特的声音，像是呼唤，又像是呻吟。

这里莫非还有人没有死?

楚留香仿佛骤然自噩梦中惊醒，立刻发现这声音是从那块石屏后发出来的，是高亚男?

还是东三娘?

东三娘蜷伏着的身子忽然抽动了一下，接着，又呻吟了一声。

她的呻吟声，又像是呼唤，呼唤着楚留香的名字。

楚留香走了过去。他走得并不快，眼睛里竟似带着一种十分奇特的表情。

难道他又看出了什么别人看不到的事?

胡铁花也赶过来了，大声道:“她也许还有救，你怎么还慢吞吞的?……”

这句话还没有说完，奄奄一息的“东三娘”和高亚男突然同时跃起，四只手闪电般挥出，挥出了千百道乌丝。光芒闪动的乌丝，比雨更密，密得就像是暴雨前的乌云!

胡铁花做梦也想不到高亚男竟会对他下毒手，简直吓呆，连闪避都忘了闪避。

何况，他纵是闪避，也未必能避得开。这暗器实在太急、太密、太毒，这变化实在发生得太突然!

胡铁花只觉一股巨大的力量从旁边撞了过来，他整个人都被撞得飞了出去，只觉无数道尖锐的风声，擦过他衣裳飞过。

他的人已倒在地上，总算侥幸避开了这些致命的暗器！是谁救了他？

楚留香呢？这样的突袭本没有人可以料得中，也没有人能避得开，但楚留香却偏偏好像早已料中。

他还是好好地站在那里。

高亚男也已站起，面如死灰，呆如木鸡。

再看那“东三娘”，却已又被击倒，击倒她的正是那“看不见”的神秘女子。她不但身法快，出手更快，快得不可思议。其实所有的变化全都快得令人无法思议。

胡铁花呆了很久，才跳起来，冲到高亚男面前，道：“你……你怎会做出这种事来的？你疯了么？”

高亚男没有回答，一个字都没有说，就扑倒在地，痛哭了起来。

她毕竟也是女人，也和其他大多数女人一样，自知做错了事，无话可说的时候，就哭。

哭，往往是最好的答复。

胡铁花果然没法子再问了，转过头，道：“东三娘又为了什么要向你下毒手？”

楚留香长长地叹息了一声道：“她不是东三娘！”

东三娘的打扮也和“蝙蝠”一样，别人根本看不出她的面目。

东三娘虽然已不是东三娘，但高亚男却的确是高亚男。她为什么会做出这种可怕的事？

胡铁花跺了跺脚，道：“你早已看出她不是东三娘？”

楚留香道：“我……我只是在怀疑。”

胡铁花道：“你知道她是谁？”

楚留香沉默了很久，又长长叹息了一声，道：“她是谁，你永远都不会想得到的！”

胡铁花道：“她就是凶手？”

楚留香道：“不错。”

胡铁花的眼睛亮了起来，道：“那么我也知道她是谁了。”

楚留香道：“哦！”

胡铁花大声道：“华真真，她一定就是华真真。”

楚留香只笑了笑，跟着他们从洞窟中走出的那黑衣人却忽然道：“她一定不是华真真。”

胡铁花道：“她不是谁是？”

黑衣人道：“我。”

她慢慢地将怀中抱着的人放了下来，慢慢地掀起了蒙面的黑巾。

这黑巾就像是一道幕，遮掩了很多令人梦想不到的秘密。

现在幕已掀起——华真真！

胡铁花跳了起来，就好像突然被人在屁股上踢了一脚。这黑衣人竟是华真真。

楚留香不但早已知道，而且显然一直跟她在一起，所以他刚刚才会笑得那么奇特，那么神秘。

华真真又将她抱着的那人的蒙面黑巾掀起，道：“你要找的金姑娘，我已经替你找来了。”

金灵芝的脸色苍白，像是受了极大的惊吓，一直还晕迷未醒。

胡铁花也几乎要晕过去了。华真真既然在这里，那么这假冒东三娘的人又是谁呢？

高亚男为什么要为她掩护？又为什么要和她狼狈为奸？

现在，所有的秘密都已将揭露，只剩下蒙在她脸上的一层幕。

胡铁花望着她脸上的这层幕，突然觉得嘴里又干又苦。他想伸手去掀开这层幕，却仿佛连手都伸不出去。这秘密实在太大、太曲折、太惊人。

在谜底揭露之前，他心里反而生出一种说不出的恐惧之意。

只听楚留香叹息着缓缓道："世界上的事有时的确很奇妙，你认为最不可能发生的事，却往往偏偏就会发生……"

他盯着胡铁花，又道："你认为谁最不可能是凶手呢？"

胡铁花几乎连想都没有想，就脱口答道："枯梅大师。"

楚留香点了点头，道："不错，就算她还没有死，无论谁也不可能想到凶手是她。"

他忽然掀起了这最后一层幕。他终于揭露了这凶手的真面目。

胡铁花又跳了起来——又好像被人踢了一脚，而且踢得更重，重十倍。

枯梅大师！凶手赫然是枯梅大师，所有的计划原来都是枯梅大师在暗中主使的。

这蝙蝠岛真正的主使人说不定也就是枯梅大师！

第二十三章

希望永在人间

人的思想很奇特。

有时你脑中很久很久都在想着同一件事，但有时你却会在一刹那间想起很多事。

在这一刹那间，胡铁花就想起了很多事。

他首先想起那天在原随云船上发生的事。

那天晚上他和金灵芝约会在船舷旁，那天发生的事太多，他几乎忘了这约会，所以去得迟了些，刚走上楼梯的时候，就听到一声惊呼。

他确定那是女人的呼声，呼声中充满了惊慌和恐惧之意。

他以为金灵芝发生了什么意外，以最快的速度冲上甲板，却看到高亚男站在船舷旁。

船舷旁的甲板上有一摊水渍。

他又以为高亚男因嫉生恨，将金灵芝推下了水，谁知金灵芝却好好地坐在她自己的舱房里，而且还关上了门，不让他进去。

他一直猜不出究竟是怎么回事，只记得从那天晚上之后，船上就出现了个“看不见”的凶手。

现在他才忽然明白了。

枯梅大师并没有死。

丁枫既然能用药物诈死，枯梅大师当然也能。

金灵芝在船舷旁等他的时候，也正是枯梅大师要从水中复活的时候。

那时夜已很深，甲板上没有别的人，金灵芝忽然看到一个明明已死了的人忽然从水中复活，自然难免要骇极大呼。

胡铁花听到的那声惊呼，的确是金灵芝发出来的。

等他冲上甲板的时候，枯梅大师已将金灵芝带走，她生怕被胡铁花发现，所以又留下高亚男在那里，转移胡铁花的注意力。

高亚男自然是帮助她师父复活的，胡铁花看到她，自然就不会再去留意别的，所以枯梅大师才有机会将金灵芝带下船舱。

金灵芝被枯梅大师所胁，不敢泄露这秘密，所以就不愿见到胡铁花，所以那时的神情才会那么奇特。

那天高亚男的表情却很温柔，不但没有埋怨胡铁花错怪了她，而且还安慰他，陪他去喝两杯。

高亚男一向最尊敬她的师父，枯梅大师真的死了，她绝不会有这么好的心情。

现在胡铁花才明白，原来高亚男早就知道了这秘密，就因为她一向最尊敬师父，所以枯梅大师无论要她怎么样做，她都不会违背，更不会反抗。

这次胡铁花确信自己的猜测绝不会再错误，只不过却还有几点想不通的地方：

“金灵芝本来也是个性情很倔强的女孩子，枯梅大师是用什么法子将她要挟住的？”

“枯梅大师的秘密既已被她发现，为什么不索性杀了她灭口？”

“枯梅大师一生严正，为什么突然竟会做出这种事来？”

“原随云和枯梅大师又有什么关系？”

“枯梅大师为什么要诈死？”

“丁枫诈死，是因为知道楚留香已将揭破他的秘密，他一直对楚留香有所畏惧；枯梅大师诈死，是不是也因为知道自己的秘密已被人揭破？”

“她怕的究竟是谁？”

尤其是最后一点，胡铁花更想不通。

他知道枯梅大师怕的绝不是楚留香，因为楚留香那时绝没有怀疑到她，而且以楚留香的武功，也绝不能令她如此畏惧。

胡铁花没有再想下去，也不可能再想下去。

他已看到了原随云。

这神秘的蝙蝠公子忽然又出现了。

他远远地站在海浪中一块突出的礁石上，看来还是那么潇洒，那么镇定。对一切事仿佛还是充满了信心。

胡铁花一看到这人，心里立刻就涌起了愤怒之意，立刻就想冲过去。

楚留香却一把拉住了他，摇摇头，低语道：“他既然敢现身，就想必还有所仗恃，我们不妨先听听他说什么。”

他说话的声音虽低如耳语，却显然还没有避过原随云那双蝙蝠般敏锐的耳朵。

原随云忽然道：“楚香帅。”

楚留香道：“原公子。”

原随云叹了口气，道：“香帅果然是人中之杰，名下无虚，在下本以为这计划天衣无缝，不想还是被香帅揭破了。”

楚留香道：“天网恢恢，疏而不漏。这世上本无永远不被人揭破的秘密。”

原随云慢慢地点了点头，道：“却不知香帅是什么时候开始怀疑的呢？”

楚留香沉吟着，道：“每个人做事都有种习惯性，愈是聪明才智之士，愈不能避免，因为聪明人不但自负，而且往往会将别人都估计太低。”

原随云在听着，听得很仔细。

楚留香道：“我们在原公子船上遇到的事，几乎和在海阔天那条船上遇见的相差无几，我发现了这点之后，就已想到，白猎他们是否也同样是被个死人所杀死的呢？”

他接着道：“因为死人绝不会被人怀疑，而且每个人心里都有种弱点，总认为发生过的事，绝不会再同样发生第二次。”

原随云点了点头，仿佛对楚留香的想法很赞许。

楚留香道：“枯梅大师和阁下显然是想利用人们心里的这种弱点，除此之外，这么样做，当然还有别的好处。”

原随云道：“什么好处？”

楚留香说道：“船上会摘心手的本来只有三个人，枯梅大师既已‘死’了，剩下的就只有高亚男和华真真。”

他笑了笑，接着道：“阁下当然知道高亚男是我们的好朋友，认为我们绝不会怀疑到她，而且每件事发生的时候，都有人能证明她不在那里。”

原随云道：“确实如此。”

楚留香道：“高亚男既然没有嫌疑，剩下的就只有华真真了。各种迹象都显示出她就是杀人的凶手，使得每个人都不能不怀疑她。”

原随云道：“但香帅却是例外。”

楚留香道：“我本来也不例外，若不是枯梅大师和阁下做得太过火了些，我几乎也认为她就是凶手；而她也几乎认为我就是凶手，几乎在黑暗中糊里糊涂地火并起来。无论是我杀了她，还是她杀了我，阁下想必都愉快得很。”

原随云道：“这正是我们的计划，却不知是什么地方做得过火了？”

楚留香道：“你们不该要高亚男在我背上印下‘我是凶手’那四个字的。”

原随云道：“你怎么知道是她做的事？”

楚留香道：“因为我们被关入那石牢时，只有她一个人接近我，而且还有意无意间在我背上拍了拍，那四个字显然早就写在她手上的，用碧磷写成的字，随便在什么地方一拍，立刻就会印上去，本来是反写的字，一印到别人身上就变成正的！”

他忽然对胡铁花笑了笑，道：“你总还记得你小时候常玩的把戏吧？”

胡铁花也笑了，是故意笑的。因为他知道他们笑得愈开心，原随云就愈难受。

原随云忍不住问道：“把戏？什么把戏？”

胡铁花道：“我小时候常用石灰在手上写‘我是王八’，然后拍到别人身上去，要别人带着这四个字满街跑。”

原随云也想笑，却实在笑不出来，沉着脸道：“香帅又怎会发现背后有这四个字的？”

楚留香道：“我背后并没有眼睛，这四个字当然是华真真先看到的。”

原随云道：“她看到了这四个字，非但没有将你当作凶手，反而告诉了你？”

华真真忽然道：“因为那时我已知道是他了，我虽然也看不到他的面目，却知道除了他之外，别人绝不会有那么高的轻功。”

她眼波脉脉地凝注着楚留香，慢慢地接着道：“我从来没有怀疑过他是凶手。”

原随云道：“为什么？”

华真真没有回答，她不必回答，她的眼睛已说明了一切。

当她凝注着楚留香的时候，她眼睛里除了了解、信任和一种默默的深情外，就再也没有别的。

爱情的确是种很奇妙的事，它能令人变得很愚蠢，也能令人变得很聪明；它能令人做错很多事，也能令人做对很多事。

过了很久，他们才将互相凝注着的目光分开。

楚留香道：“那时我才知道她绝不是凶手，那时我才确定凶手必定是枯梅大师，因为只有枯梅大师才能令高亚男出卖老朋友。”

高亚男哭声本已停止，此刻又开始哭泣起来。

楚留香道：“那时我们虽已互相了解信任，但还是没有停手，因为我们要利用动手的时候商量出一个计划来。”

华真真柔声道：“那时我的心早已乱了，所有的计划都是他想出来的。”

原随云冷冷道：“香帅的计划我虽已早就领教过，却还是想再听一遍。”

华真真道：“他要我在暗中去搜集你们换下来的衣服和烈酒，在石台四周中先布置好，他自己到上面去引开你们的注意。那时你们每个人都在听他说话，所以才完全没有发现我在干什么。”

她轻轻叹了口气，黯然接道：“这当然也全靠东三娘的帮忙，若没有她，我根本找不到那么多衣服，也找不到那么多烈酒。”

东三娘也是只可怜的“蝙蝠”，她当然知道衣服和酒在什么地方。

烈酒浇上干燥的衣服，自然一燃就着，何况“蝙蝠”的衣服本是种很奇特的质料制成的，既轻又薄。原随云沉默着，像是已说不出话来了。

胡铁花却忍不住问道："但枯梅大师为什么要如此陷害华姑娘呢？"

楚留香道："因为枯梅大师唯一畏惧的人就是华姑娘。"

胡铁花不由自主又摸了摸鼻子，他不懂师父为什么要怕徒弟。

楚留香道："华真真名义上虽是枯梅大师的弟子，其实武功却另有传授。"

胡铁花道："谁的传授？"

楚留香道："华琼凤华太宗师。"

胡铁花道："我知道华仙子是华山派的第四代掌门，但却已仙逝很久。"

楚留香道："华仙子虽已仙去，却将她的毕生武功心法记在一本秘籍上，交给她的堂兄，华真真就是华仙子的玄侄孙女。"

胡铁花道："我明白了，可是……"

楚留香道："你虽已明白华真真的武功是哪里来的，却还有很多事不明白，是不是？"

胡铁花苦笑道："一点也不错。"

楚留香道："我分几点说，第一，华真真得了华仙子的心法后，武功已比枯梅大师高，摘心手那门功夫，就是华真真传给枯梅大师的。"

胡铁花道："这点我已想到，所以华姑娘刚才一出手就能将她制住，除了华姑娘外，世上绝没有第二个人能做得到。"

楚留香道："第二，华真真得到华仙子这本秘籍后，就负起了一种很特别的任务。"

胡铁花道："什么任务？"

楚留香道："负责监视华山派的当代掌门。"

胡铁花道："这难道是华仙子在她那本秘籍中特别规定了的？"

楚留香道："不错，所以华真真在华山派中的地位就变得很特殊。华山派中无论发生什么事，她都有权过问，华山门下无论谁做错了事，她都有权惩罚，就连身为掌门的枯梅大师也不例外。"

他接着又道："我们一直猜不出'清风十三式'的心法是怎会失窃的，就因为我们从未想到枯梅大师会监守自盗。"

胡铁花叹了口气，道："枯梅大师居然会是这种人，我真是做梦也没有想到。"

楚留香道："她这么样做，当然是为了原公子。但她也未想到华山派中突然多出个华真真这么样的监护人，因为华姑娘是最近才去找她的。"

胡铁花道："就因为华姑娘要追究这件事的责任，所以枯梅大师也不能不装模作样，故意亲自要出来调查这件事。"

楚留香道："我们都认为华姑娘是个很柔弱的人，都低估了她。但枯梅大师却很了解她是个怎么样的女孩子，知道她的聪明和坚强。"

华真真眼睛里发出了光。

对一个少女来说，世上永远没有任何事比自己心上人的称赞更值得珍惜、更值得欢喜的了。

胡铁花道："那时枯梅大师已知道这秘密迟早都有被华姑娘发现的一天，她想除去华姑娘，却又不敢下手，所以才使出这种法子来。"

楚留香道："不错，她这么样做，不但是为了要陷害华姑娘，还想利用我们来和华姑娘对抗，也可以消除华姑娘对她的怀疑，无论什么事她都可以更放开手去做了。"

胡铁花道："这么样说来，英万里那天看到的白衣人也是她了？"

楚留香道："不错，英万里当然也是死在枯梅大师手上的，那天他其实也已听出了枯梅大师的声音，却一直不敢说出来。"

胡铁花道："因为他绝没有想到枯梅大师会是这种人，想不到她也会诈死复活，所以他才会连自己的耳朵都信不过了。”

楚留香点点头，叹息道：“每个人都有做错事的时候，只可惜枯梅大师这次做得太错了些。”

胡铁花道：“我还是要问，她为什么会做出这种事呢？她和原随云究竟有什么关系？”

楚留香沉吟着，缓缓道：“这件事除了他们自己外，只怕谁也不知道。”

原随云一直在听着，此刻忽然冷冷道：“我可以保证，你们永远都没法子知道的。”

楚留香淡淡道：“这种事我也不想知道，但另外有件事我倒想问问你。”

原随云道：“你可以问。”

楚留香道：“你们是用什么法子要挟住金灵芝的，为什么不索性将她杀了灭口？”

胡铁花立刻也抢着道：“不错，这一点我也始终想不通。”

原随云嘴角忽然露出种很奇特的笑容，道：“其实这道理简单得很，我们不杀她，也没有要挟她，因为我们根本用不着那么样做，她本来就绝不会泄露我们的秘密。”

胡铁花道：“为什么？”

原随云道：“因为她爱的不是你，是我，她早已将整个人都交给了我。”

这句话说出来，胡铁花简直比听到枯梅大师是凶手时还吃惊。

就连楚留香都也有被人踢了一脚的感觉。

原随云道：“其实这点你们早就该想到的，无论谁都只能到蝙蝠岛来一次，她为什么能来两次？无论谁来过一次后，都不会想再来，她为什么还想来第二次？”

他淡淡地笑了笑，接着道："她这次来，当然就是为了找我。"

胡铁花忽然跳了起来，大声道："放屁，你说的话我一个字都不信。"

原随云淡淡道："你不必相信，我也用不着要你相信。"

胡铁花只觉满嘴发苦，连叫都叫不出来了。

他嘴里虽说不信，心里却不能不信。

金灵芝有些地方的确表现得很古怪，胡铁花不去想反而好，愈想愈想不通。

"那天晚上她在船舷旁的真情流露，难道也是装出来的？"

胡铁花的心里就好像有针在刺着。

这时他若肯去看金灵芝一眼，也许就不会觉得如此痛苦，只可惜现在他死也不肯去看她一眼。

金灵芝虽似仍晕迷不醒，但眼角却已有了泪珠。

她知道自己对胡铁花的感情并不假，但却不知道自己怎会有这种感情。

因为她的确已将整个人都交给了原随云。

她爱胡铁花，是因为胡铁花的真诚、豪爽、热心、正直。

但原随云无论是个怎么样的人，无论做出了多么可怕的事，她还是爱他。

她关心胡铁花的一切，甚至更超过关心自己，但原随云若要她死，她也会毫不考虑地去死。

她不懂自己怎会有这种感情，因为世上本就很少有人懂得"爱情"和"迷恋"根本是两回事。

爱情如星，迷恋如火。

星光虽淡却永恒，火焰虽短暂却热烈；爱情还有条件，还可以解释，迷恋却是完全疯狂的。

所以爱情永远可以令人幸福，迷恋的结果却只有造成不幸。

只听原随云道："香帅若还有什么不明白的事，还可以再问。"

楚留香叹了口气，道："没有了。"

原随云冷冷道："你不问，也许只不过因为有件事你还未想到。"

楚留香道："哦？"

原随云道："不知道你想过没有，这一战最后胜利的究竟是谁？"

楚留香道："我想过。"

原随云道："你若真的想过，就该知道这一战最后胜利的还是我。"

楚留香拒绝回答。

原随云淡淡道："因为我还是我，而你们已全都要死了，因为你们谁也没法子活着离开这蝙蝠岛。"

楚留香道："你呢？"

原随云笑了笑，挥了挥手。

他身后三丈外一块最大的礁石后，立刻就有条小船摇了出来。

摇船的是八个精赤着上身的彪形大汉，轻轻一摇桨，小艇就箭一般蹿出，手一停，小艇就戛然顿住。

原随云道："我只要一纵身，就可掠上这艘船，香帅的轻功纵然妙绝天下，只怕也无法阻止我了。"

楚留香只能点点头，因为他说的的确是事实。

原随云接道："片刻后这艘小艇就可以将我带到早已在山坳后避风处等着的一条海船上去，用不了几天，我就可安然返回'无争山庄'，江湖中绝对不会有人知道这里曾经发生过什么事，因为那时各位只怕已死在这里。"

他也叹了口气，悠然道："等死的滋味虽不好受，但那也是没法子的事，因为这里绝不会再找到第二条船，在下当然也不会让别的船经过这里。”

楚留香沉吟着，道：“你一个人走？”

原随云道：“我是否一个人，就得看你们了。”

楚留香道：“看我们？”

原随云道：“各位若肯让我将枯梅大师、金灵芝和高姑娘带走，我并不反对，但各位若是不肯，我也不在乎。”

金灵芝突然跳了起来，猛冲过去，狂呼道：“带我走，带我走，我不想死在这里，我要死也得跟你死在一起。”

没有人阻拦她，甚至连看都没有人看她。

她受的伤虽不轻，但此刻却似已使出了身体里每一分潜力。

她踉跄扑上礁石，扑入原随云怀里。

原随云嘴边又露出了微笑，道：“在下方才说的话是真是假，现在各位总该相信了吧？”

这句话未说完，他脸上的微笑突然消失。

谁也不知道究竟发生了什么事，只看到他和金灵芝两个人紧紧拥抱着，从几丈高的礁石上跌了下去。

海浪卷起了他们的身子，撞上另一块岩石。

海浪的白沫立刻变成了粉红色，鲜艳得像少女颊上的胭脂。

无论什么事都有结束的时候。

愈冗长复杂的事，往往结束得愈突然。

因为它的发展本已到了尽头，而别人却没有看出来。

你虽觉得它突然，其实它并不突然。

因为这根线本已放完了。

楚留香截住了那艘小艇，回来时枯梅大师已圆寂。

她脸色还是很平静，谁也看不出她真正的死因是什么。

大家也不知道金灵芝究竟是为了什么死的？

是为了不愿和原随云分开？是因为她知道除了死之外，自己绝对无法抓住原随云这种人的心？还是为了胡铁花？

胡铁花痴痴地站在海水旁，痴痴地瞧着海浪。

海浪已将原随云的尸体卷走，也不知卷到何处去了。

他但愿金灵芝没有死，原随云也没有死。

他宁可眼看着他们活着离开，也不愿眼看着金灵芝死在他面前。

这就是他和原随云之间最大的分别。

这点才是最重要的。

这才是真正的爱情！

你爱得愈深时，就愈会替对方去想，绝不疯狂，也绝不自私。

高亚男也痴痴地坐在那里，痴痴地凝视着海天的深处。

她只觉心里空空荡荡的，什么都没有想。

她不愿去想，也不敢去想。

楚留香一直在留意着她。

高亚男突然回过头来，道："你怕我会去死？是不是？"

楚留香笑了笑，笑得很艰涩，因为他不知该如何回答。

高亚男也笑了，她笑得反而很安详，道："你放心，我不会死的，绝不会，因为我还有很多事要做。"

楚留香瞧着她，心里忽然生出一种钦佩之心。

他一直以为自己很了解女人，现在才知道自己了解得并不如想象中那么深，有很多女人都远比他想象中坚强伟大。

高亚男道："我做错很多事，但只要我不再做错，为什么不能活着？"

楚留香道："你没有做错，错的不是你。"

高亚男没有回答这句话，沉默了很久，忽然道："张三没有死。"

楚留香动容道："真的？"

高亚男道："对他下手的人是我，我只不过点了他的穴道而已。"

楚留香几乎想跪下去。

他从来也没有想向一个女人跪下去，现在却想跪下去。

因为他实在太感激，也太欢喜。

高亚男道："勾子长临死前好像对英万里说了几句话，我没有听到他们在说什么，张三却听到了。"

楚留香道："你认为勾子长临死前终于对英万里说出了那笔赃物的下落？"

高亚男点点头，道："每个人将死的时候，都会变得比平时善良些的。"

她忽然又接着道："所以你们回去后也有很多事要做。"

楚留香道："是。"

高亚男道："赃物要你们去归还，神龙帮的问题也要你们去解决。"

楚留香笑了笑，道："这些事都不困难。"

高亚男凝注着他，表情忽然变得很沉重，缓缓道："但你还有件事要做，这件事却不容易。"

楚留香道："什么事？"

高亚男道："别离。"

楚留香道："别离？和谁别离？"

这句话高亚男也没有回答，因为她知道楚留香自己已知道答案。

楚留香已回过头。

华真真站在远处痴痴地瞧着他，那双纯真而美丽的眼睛里，还是只有信赖和爱，再也没有别的。

楚留香的心沉了下去。

他了解高亚男的意思，他知道自已绝不可能和她永久结合。

因为华真真也有很多事要做。

高亚男道："除了她之外，没有别人能接掌华山派的门户，也没有别人能挽救华山派的命运，这是个庄严而伟大的使命，她应该接受，也不能不接受。"

楚留香黯然道："我明白。"

高亚男道："你若真的对她好，就应该替她着想，这也许因为她生来就应该做一个伟大的女人，不应该做一个平凡的妻子。"

楚留香道："我明白。"

高亚男道："对你说来，别离也许比较容易，可是她……"

突听一人幽幽道："我也明白，所以你们根本用不着为我担心。"

华真真不知何时也已来到他们面前，她来时就像是一朵云。

她的眼睛却明亮如星，凝注着楚留香，缓缓道："别离虽困难，我并不怕……"

她忽然握起了楚留香的手，接着道："我什么都不怕，只要我们还没有别离时，能够快快乐乐地在一起！我们现在既然还能快快乐乐地在一起，为什么偏偏要去想那烦恼痛苦的事呢？老天要一个人活着，并不是要他自寻烦恼的。"

楚留香没有说话，因为他喉头似已被塞住，因为他已无话可说。

他忽然发觉站在他面前的是两个伟大的女性，不是一个。

高亚男沉思着，良久良久，慢慢地转过头。

她看到了胡铁花，她忽然站起来，走过去。

夕阳满天，海水辽阔，人生毕竟还是美丽的！

所以只要能活着，每个人都应该活下去，好好地活下去！

现在，剩下的只有一个秘密。

原随云和枯梅大师之间究竟有什么秘密的感情？有什么秘密的关系？

这秘密已永远没有人能解答，已随着他们的生命埋藏在海水里。

枯梅大师也许是原随云的母亲，也许是他的情人！因为山西原家和华山派的关系本就很深，原随云有很多机会可以接近枯梅大师。

枯梅大师毕竟也是人，也有感情，何况，她相信原随云绝不会在乎她的外貌和年纪，因为，原随云是个瞎子。

也许只有瞎子才能打动一个垂暮女人的心，因为她认为只有瞎子对她才会动真心。

这种事听来虽然有些荒唐，其实却并非绝无可能发生。

有很多看来极复杂、极秘密的事，都是往往为了一个极简单的原因而造成的。

那就是爱。

爱能毁灭一切，也能造成一切。

人生既然充满了爱，我们为什么一定还要苦苦去追寻别人一点小小的秘密？

我们为什么不能对别人少加指责，多施同情？

原随云和枯梅大师这一生岂非也充满了不幸？岂非也是个很可怜、很值得同情的人？

海船破浪前进。

楚留香和华真真双双伫立在船头，凝视着远方。

家园已在望。

光明也已在望。

蓦然回首，楚留香仿佛瞥见远方起航处的海面上，有一个小小的光影在载浮载沉。正待凝眸细察，耳边却是胡铁花颤声在问：“会……会不会是金灵芝并没有死，只是闭气晕了过去？”

楚留香毫不犹豫，转过艇舵，让小艇向那光影驶了过去。

希望永在人间！

《楚留香新传2：蝙蝠传奇》完

相关情节请看《楚留香新传3：桃花传奇》

读客文化将出版以下古龙经典作品

《小李飞刀1：多情剑客无情剑》

《小李飞刀2：边城浪子》

《小李飞刀3：九月鹰飞》

《小李飞刀4：天涯·明月·刀》

《陆小凤传奇1：金鹏王朝》

《陆小凤传奇2：绣花大盗》

《陆小凤传奇3：决战前后》

《陆小凤传奇4：银钩赌坊》

《陆小凤传奇5：幽灵山庄》

《陆小凤传奇6：凤舞九天》

《陆小凤传奇7：剑神一笑》

《楚留香新传1：借尸还魂》

《楚留香新传2：蝙蝠传奇》

《楚留香新传3：桃花传奇》

《楚留香新传4：新月传奇·午夜兰花》

《七种武器1：长生剑·孔雀翎》

《七种武器2：碧玉刀·多情环》

《七种武器3：离别钩·霸王枪》

《七种武器4：愤怒的小马·七杀手》

《萧十一郎》

《火并萧十一郎》

《绝代双骄》

《欢乐英雄》

《三少爷的剑》

《流星·蝴蝶·剑》

《武林外史》

《白玉老虎》

《圆月弯刀》

《大人物》

《绝不低头》

《碧血洗银枪》

《彩环曲》

《苍穹神剑》

《大地飞鹰》

《风铃中的刀声》

《护花铃》

《剑毒梅香》

《剑客行》

《猎鹰·赌局》

《名剑风流》

《飘香剑雨》

《七星龙王》

《失魂引》

《血鹦鹉》

《英雄无泪》

《游侠录》

《月异星邪》

读客®

激发个人成长

多年以来，千千万万有经验的读者，都会定期查看熊猫君家的最新书目，挑选满足自己成长需求的新书。

读客图书以“激发个人成长”为使命，在以下三个方面为您精选优质图书：

1. 精神成长

熊猫君家精彩绝伦的小说文库和人文类图书，帮助你成为永远充满梦想、勇气和爱的人！

2. 知识结构成长

熊猫君家的历史类、社科类图书，帮助你了解从宇宙诞生、文明演变直至今日世界之形成的方方面面。

3. 工作技能成长

熊猫君家的经管类、家教类图书，指引你更好地工作、更有效率地生活，减少人生中的烦恼。

每一本读客图书都轻松好读，精彩绝伦，充满无穷阅读乐趣！

图书在版编目（CIP）数据

楚留香新传. 2, 蝙蝠传奇 / 古龙著. -- 上海 : 文汇出版社, 2019.1
（古龙文集）
ISBN 978-7-5496-2575-8

Ⅰ. ①楚… Ⅱ. ①古… Ⅲ. ①侠义小说－中国－当代
Ⅳ. ①I247.5

中国版本图书馆CIP数据核字（2018）第114146号

著作权合同登记号：09-2018-480

楚留香新传2：蝙蝠传奇

作　　者 / 古　龙

责任编辑 / 徐曙蕾
特邀编辑 / 宗建华　周奥扬
排版设计 / 黄巧玲
封面装帧 / 文　薇

出版发行 / 文匯出版社
上海市威海路 755 号
（邮政编码 200041）
经　　销 / 全国新华书店
印刷装订 / 北京中科印刷有限公司
版　　次 / 2019 年 1 月第 1 版
印　　次 / 2019 年 1 月第 1 次印刷
开　　本 / 890mm × 1270mm　1/32
字　　数 / 351 千字
印　　张 / 14

ISBN 978-7-5496-2575-8
定　　价 / 67.00 元